VOZES DE TCHERNÓBIL

SVETLANA ALEKSIÉVITCH

Vozes de Tchernóbil
Crônica do futuro

Tradução do russo
Sonia Branco

13ª reimpressão

Copyright do texto © 2013 by Svetlana Aleksiévitch
Copyright de "A batalha perdida" © 2015 by The Nobel Foundation

Grafia atualizada segundo o Acordo Ortográfico da Língua Portuguesa de 1990, que entrou em vigor no Brasil em 2009.

Título original
Чернобыльская молитва

Capa
Daniel Trench

Foto de capa
Classroom, Pripyat, 2001 © Robert Polidori

Preparação
Silvia Massimini Felix

Revisão
Jane Pessoa
Angela das Neves

Dados Internacionais de Catalogação na Publicação (CIP)
(Câmara Brasileira do Livro, SP, Brasil)

Aleksiévitch, Svetlana
    Vozes de Tchernóbil / Svetlana Aleksiévitch; tradução do russo
Sonia Branco. — 1ª ed. — São Paulo: Companhia das Letras, 2016.

    Título original: Чернобыльская молитва.
    ISBN 978-85-359-2708-5

    1. Acidente Nuclear — Byelarus — Entrevista 2. Acidentes, radiação
— Byelarus — narrativas pessoais História do Século 20 — Byelarus —
Entrevista 3. Chernobyl acidente nuclear, Chornobyl, Ucrânia, 1986 —
Aspectos sociais — Bielorússia 4. Chernobyl acidente nuclear, Chornobyl, Ucrânia, 1986 — Aspectos ambientais — Bielorússia 5. Chernobyl
acidente nuclear, Chonobyl, Ucrânia, 1986 — Narrativas pessoais, bielo-
russo 6. Lesões por Radiação — Byelarus — Narrativas pessoais Acidentes, radiação — Byelarus — Entrevista 7. Sobreviventes — Byelarus —
Entrevista. Sobreviventes — Byelarus — Narrativas pessoais I. Título.

16-01832   CDD-363.179909477622

Índice para catálogo sistemático:
1. Chernobyl: Acidentes nucleares, Ucrânia, 1986 :
        Narrativas pessoais   363.179909477622

[2022]
Todos os direitos desta edição reservados à
EDITORA SCHWARCZ S.A.
Rua Bandeira Paulista, 702, cj. 32
04532-002 — São Paulo — SP
Telefone: (11) 3707-3500
www.companhiadasletras.com.br
www.blogdacompanhia.com.br
facebook.com/companhiadasletras
instagram.com/companhiadasletras
twitter.com/cialetras

Nós somos ar, não somos terra...

Merab Mamardáchvili

Sumário

Nota histórica 9

Uma solitária voz humana 16

Entrevista da autora consigo mesma sobre a história
omitida e sobre por que Tchernóbil desafia a nossa visão
de mundo 39

PRIMEIRA PARTE: A TERRA DOS MORTOS 53
Coro de soldados 101

SEGUNDA PARTE: A COROA DA CRIAÇÃO 123
Coro do povo 225

TERCEIRA PARTE: A ADMIRAÇÃO PELA TRISTEZA 239
Coro de crianças 339

Uma solitária voz humana 350

A título de epílogo 365

Apêndice — A batalha perdida 367

Nota histórica

Belarús*... Para o mundo, somos uma terra incógnita — uma terra totalmente desconhecida. "Rússia Branca": é mais ou menos assim que o nome do nosso país soa em inglês. Já Tchernóbil todos conhecem; no entanto, relacionam-no apenas à Ucrânia e à Rússia. Um dia ainda deveríamos contar a nossa história...

Naródnaia Gazeta, 27 abr. 1996

No dia 26 de abril de 1986, à 1h23min58, uma série de explosões destruiu o reator e o prédio do quarto bloco da Central Elétrica Atômica (CEA) de Tchernóbil, situado bem próximo à fronteira da Belarús. A catástrofe de Tchernóbil se converteu no mais grave desastre tecnológico do século XX.

---

* Denominação oficial da Bielorrússia naquele país. No texto optou-se por empregar a transliteração tanto do bielorrusso (Belarús) como do russo (Bielorrússia). [Esta e as demais notas são do tradutor.]

Para a pequena Belarús (com uma população de 10 milhões de habitantes), o acidente representou uma desgraça nacional, levando-se em conta que ali não havia nenhuma central atômica. Tratava-se de um país agrário com predomínio de populações rurais. Nos anos da Segunda Guerra Mundial, os nazistas destruíram 619 aldeias no país, com toda a sua população. Depois de Tchernóbil, o país perdeu 485 aldeias: setenta delas estão sepultadas sob a terra para sempre. A mortalidade na guerra foi de um para cada quatro bielorrussos; hoje, um em cada cinco vive em território contaminado. São 2,1 milhões de pessoas, dentre as quais 700 mil crianças. Dentre os fatores de descenso demográfico, a radiação ocupa o primeiro lugar. Nas regiões de Gómel e Moguilióv (as mais afetadas pelo acidente), a mortalidade superou a natalidade em 20%.

As explosões lançaram na atmosfera 50×10^6 Ci de radionuclídeos, dos quais 70% caíram sobre a Belarús: 23% do seu território está contaminado por radionuclídeos de densidade superior a 1 Ci/km² de césio-137. Para fins de comparação: a Ucrânia teve 4,8% do seu território contaminado, e a Rússia 0,5%. A superfície das terras cultiváveis que possuem concentração radiativa de 1 Ci/km² ou mais representa 1,8 milhão de hectares; de estrôncio-90 com concentração de 0,3 Ci/km² ou mais, cerca de 0,5 milhão de hectares. A produção agrícola perdeu 264 mil hectares de terra. A Belarús é um país de bosques, mas 205 deles e mais da metade dos seus prados no leito dos rios Prípiat, Dniepr e Soj se encontram nas zonas de contaminação radiativa.

Em consequência da ação constante de pequenas doses de radiação, a cada ano cresce no país o número de doentes de câncer, de deficientes mentais, de pessoas com disfunções neuropsicológicas e com mutações genéticas.

"Tchernóbil". *Bielarússkaia Entsiklopédia*, 1996,
pp. 7, 24, 49, 101, 149

* * *

De acordo com observações diversas, em 29 de abril de 1986 foram registrados altos níveis de radiação na Polônia, na Alemanha, na Áustria e na Romênia; em 30 de abril, na Suíça e no norte da Itália; nos dias 1º e 2 de maio, na França, na Bélgica, nos Países Baixos, na Grã-Bretanha e no norte da Grécia; em 3 de maio, em Israel, no Kuwait e na Turquia...

Projetadas a grandes alturas, as substâncias gasosas e voláteis se dispersaram pelo globo: em 2 de maio foram registradas no Japão; no dia 4, na China; no dia 5, na Índia; e em 5 e 6 de maio, nos Estados Unidos e no Canadá.

Em menos de uma semana, Tchernóbil se tornou um problema para o mundo inteiro.

> "Consequências do acidente de Tchernóbil na Belarús".
> Minsk, Escola Superior Internacional
> de Radioecologia Sákharov, 1992, p. 82

O quarto reator, cuja instalação denominava-se "Abrigo", continua guardando nas suas entranhas de chumbo e concreto armado cerca de duzentas toneladas de material nuclear. Entretanto, parte do combustível se misturou ao grafite e ao concreto. O que ocorre atualmente com esse material, ninguém sabe.

O sarcófago foi erigido às pressas; tratava-se de uma construção única no gênero, e os engenheiros de São Petersburgo que a elaboraram devem certamente ter se orgulhado dela. A instalação deveria manter-se em funcionamento por trinta anos. No entanto, montaram-na "à distância", as pranchas foram unidas com auxílio de robôs e helicópteros e, dessa forma, deixaram fendas.

Atualmente, de acordo com alguns dados, a superfície total de zonas defeituosas e fendidas ultrapassa duzentos metros quadrados, por onde continuam a escapar aerossóis radiativos. Se o vento sopra do norte, a atividade radiativa é detectada no sul: urânio, plutônio, césio. Em dias ensolarados é possível ver na sala do reator, com a luz apagada, colunas de luz que caem do teto. O que é isso? A chuva também penetra no reator, e quando a água cai sobre a massa de combustível, torna possível uma reação em cadeia. O sarcófago é um defunto que respira. Respira morte. Quanto tempo ainda se sustentará? A isso ninguém responde. Até hoje é impossível se aproximar de muitos dos seus blocos e construções para estabelecer o grau de segurança. Porém, todos compreendem que a destruição do "Abrigo" traria consequências ainda mais terríveis que aquelas de 1986.

Ogoniók, n. 17, abr. 1996

Antes de Tchernóbil, havia 82 casos de doenças oncológicas para cada 100 mil habitantes. Hoje a estatística indica que há 6 mil doentes para os mesmos 100 mil habitantes. Os casos multiplicaram-se quase 74 vezes.

A mortalidade nos últimos dez anos cresceu em 23,5%. De cada catorze pessoas, em geral ainda aptas a trabalhar, entre 46 e cinquenta anos, apenas uma morre de velhice. Nas regiões mais contaminadas, as inspeções médicas indicaram que de cada dez pessoas, sete estão doentes. Ao visitar a zona rural, você se assusta com o espaço ocupado por cemitérios...

Até hoje muitas cifras são desconhecidas. São mantidas em segredo, de tão monstruosas que são! A União Soviética enviou para o local da catástrofe 800 mil soldados em serviço de urgência e convocou "liquidadores".* A média de idade destes últimos era de 33 anos. Os mais jovens saíram da escola diretamente para o serviço. Só na lista de liquidadores da Belarús contam-se 115 493 pessoas. Segundo dados do Ministério da Saúde, de 1990 a 2003 morreram 8553 liquidadores. Duas pessoas por dia.

Assim começa a história: no ano de 1986, começam a aparecer reportagens sobre o julgamento dos acusados pela catástrofe de Tchernóbil nas primeiras páginas dos jornais soviéticos e estrangeiros. Mas, agora, imagine um prédio de cinco andares vazio. Uma casa sem moradores, mas com objetos, mobílias e roupas — coisas que ninguém nunca mais poderá usar, porque essa casa fica em Tchernóbil. Pois é justamente numa dessas casas da cidade morta que se realiza uma pequena conferência para a imprensa, oferecida pelas pessoas encarregadas de levar a cabo o julgamento dos acusados pelo acidente atômico. Nas instâncias mais altas do poder, no Comitê Central do Partido Comunista da União Soviética, considerara-se necessário examinar as causas do delito in loco. Na própria cidade de Tchernóbil. O tribunal se constituiu no prédio da Casa da Cultura local. No banco dos réus havia seis pessoas: o diretor da central atômica, Víktor Briukhánov; o engenheiro-chefe, Nikolai Fomín; o substituto do engenheiro-chefe, Anatóli Diátlov; o chefe do turno, Boris Rogójkin; o chefe da seção do reator, Aleksandr Kovaliénko; e o inspetor do Serviço Estatal de Inspeção de Energia Atômica da União Soviética, Iuri Láuchkin.

Os assentos destinados ao público estavam vazios, ocupados apenas por alguns jornalistas. Aliás, já não vivia mais ninguém

---

* Homens encarregados de minimizar as consequências do acidente de Tchernóbil. Convocados ou voluntários, foram responsáveis por apagar o incêndio, construir o sarcófago e enterrar todos os vestígios de radiação.

por lá, a cidade estava "fechada" por ser "zona de controle radiativo severo". Não seria esse o motivo de terem-na escolhido como local do julgamento? Quanto menos testemunhas, menor o barulho. Não havia operadores de câmera nem jornalistas estrangeiros. Decerto todos gostariam de ver no banco dos réus as dezenas de funcionários de Moscou igualmente responsáveis. E todo o estamento científico, à época do acidente, deveria ter sido obrigado a assumir as suas responsabilidades. Mas se conformaram com a "arraia-miúda".

Saiu a sentença: Víktor Briukhánov, Nikolai Fomín e Anatóli Diátlov receberam pena de dez anos. Para os outros, as penas foram menores. No final, Anatóli Diátlov e Iuri Láuchkin morreram em consequência da exposição às fortes radiações. O engenheiro-chefe Nikolai Fomín enlouqueceu. Por outro lado, o diretor da central nuclear Víktor Briukhánov cumpriu toda a sentença, todos os dez anos, ao fim dos quais os seus familiares e alguns jornalistas foram recebê-lo. O acontecimento passou despercebido. O ex-diretor vive atualmente em Kíev e trabalha como simples escrevente em uma empresa.

Assim termina a história.

Em breve a Ucrânia empreenderá uma obra de grande envergadura. Sobre o sarcófago que cobriu, em 1986, o quarto bloco destruído da CEA de Tchernóbil, aparecerá um novo abrigo que será designado de "Arca". Da realização desse projeto participam 28 países doadores, cujas inversões iniciais de capital ultrapassam 768 milhões de dólares. Esse novo abrigo deve durar não trinta, mas cem anos. A grandiosidade da sua construção se deve à necessidade de um volume que possa dar conta dos trabalhos de sepultamento dos resíduos. Serão necessárias fundações colossais, prevendo-se a produção de material rochoso artificial feito à base de colunas e chapas de concreto armado. Em seguida, há que se preparar o depósito para onde serão trasladados os resíduos radiativos extraídos do velho sarcófago. O novo abrigo será confeccionado em aço de alta qualidade, capaz de resistir às radiações gama. Só em metal, serão empregadas 18 mil toneladas. A "Arca" será uma instalação sem precedentes na história da humanidade. Em primeiro lugar, as suas proporções surpreendem. A dupla cobertura alcançará 1509 metros de altura. E esteticamente se assemelhará à torre Eiffel.

Informações compiladas de publicações bielorrussas na internet entre os anos 2002 e 2005

Uma solitária voz humana

Não sei do que falar... Da morte ou do amor? Ou é a mesma coisa? Do quê?

Estávamos casados havia pouco tempo. Ainda andávamos na rua de mãos dadas, mesmo quando entrávamos nas lojas. Sempre juntos. Eu dizia a ele "eu te amo". Mas ainda não sabia o quanto o amava. Nem imaginava... Vivíamos numa residência da unidade dos bombeiros, onde ele servia. No segundo andar. Ali viviam também três famílias jovens, e a cozinha era comunal. Embaixo, no primeiro andar, guardavam os carros, os carros vermelhos do corpo de bombeiros. Esse era o trabalho dele. Eu sempre sabia onde ele estava e o que se passava com ele. No meio da noite, ouvi um barulho. Gritos. Olhei pela janela. Ele me viu: "Feche a persiana e vá se deitar. Há um incêndio na central. Volto logo".

A explosão, propriamente, eu não vi. Apenas as chamas, que iluminavam tudo... O céu inteiro... Chamas altíssimas. Fuligem. Um calor terrível. E ele não voltava. A fuligem se devia à ardência do betume, o teto da central estava coberto de asfalto. As pessoas andavam sobre o teto como se fosse resina, como depois ele me contou. Os colegas sufocavam as chamas, enquanto ele rastejava. Subia até o reator. Arrastavam o grafite ardente com os pés... Foram para lá sem roupa de lona, com a camisa que estavam usando. Não os preveniram, o aviso era de um incêndio comum...

Quatro horas... Cinco horas... Seis... Nós tínhamos combinado de ir às seis horas à casa dos pais dele, para plantar batatas. Da cidade de Prípiat até a aldeia Sperijie, onde viviam, são quarenta quilômetros. Nós íamos lá semear, arar... Era o trabalho favorito do meu marido... A mãe dele sempre se lembra de que ela e o pai não queriam deixá-lo ir para a cidade, chegaram a construir uma casa nova. Mas ele foi convocado pelo Exército. Serviu em Moscou nas tropas dos bombeiros e quando voltou só queria ser bombeiro. Nada mais. (*Silêncio.*)

Às vezes parece que escuto a voz dele... Que está vivo... Nem as fotografias me tocam tanto quanto a voz dele. Mas ele nunca me chama. Nem em sonhos... Sou eu que o chamo...

Sete horas... Às sete horas me avisaram que ele estava no hospital. Corri até lá, mas havia um cordão de policiais em torno do prédio, ninguém passava. As ambulâncias chegavam e partiam. Os policiais gritavam: "Os carros estão com radiação, não se aproximem". Eu não era a única, todas as mulheres cujos maridos estavam na central naquela noite vieram correndo, todas. Quando vi saltar de um carro uma conhecida que trabalhava como médica no hospital, corri e a segurei pelo jaleco:

"Me deixe entrar!"

"Não posso! Ele está mal. Todos estão mal."

Agarrei-a com força:

"Só quero ver o meu marido."

"Está bem", ela disse. "Vamos correr. Mas só por quinze, vinte minutos."

Eu o vi... Estava todo inchado, inflamado... Os olhos quase não apareciam...

"Ele precisa de leite. Muito leite!", ela me disse. "Eles devem beber ao menos três litros."

"Mas ele não bebe leite."

"Agora vai ter de beber."

Muitos médicos, enfermeiras e, sobretudo, as auxiliares daquele hospital, depois de algum tempo, começaram a adoecer. Mais tarde morreriam. Mas na época ninguém sabia disso...

Às dez horas da manhã morreu o técnico Chichenok... Foi o primeiro... No primeiro dia... Logo soubemos de outro que tinha ficado debaixo dos escombros, Valera Khodemtchuk. Não conseguiram retirá-lo, foi emparedado no concreto. Mas ainda não sabíamos que estes seriam apenas os primeiros.

Perguntei:

"Vássienka, o que é que eu faço?"

"Vá embora daqui! Vá embora! Você vai ter um filho."

Eu estava grávida. Mas como deixá-lo? Ele suplicava:

"Vá embora! Salve a criança!"

"Primeiro eu vou te trazer leite, depois decidimos."

Então, a minha amiga Tânia Kibénok chegou... O marido também estava nessa mesma enfermaria. Ela veio com o pai de carro e partimos juntas para a aldeia mais próxima, que ficava a uns três quilômetros da cidade. Compramos várias garrafas de três litros de leite. Umas seis garrafas, que dessem para todo mundo... Mas o leite provocou vômitos terríveis, eles perdiam os sentidos, e por isso os puseram no soro. Os médicos, por algum motivo, nos afirmavam que eles tinham se envenenado com gases, ninguém falava em radiação.

No entanto, a cidade ficou lotada de veículos militares, todas as estradas foram fechadas. Havia soldados por toda parte. Os trens regionais e expressos pararam de circular. As ruas eram lavadas com uma espécie de pó branco... Fiquei assustada: como iria, no dia seguinte, à aldeia comprar leite fresco? Ninguém falava em radiação, só os militares circulavam com máscaras respiratórias... As pessoas compravam os seus pães, saquinhos com doces e pastéis nos balcões... A vida cotidiana prosseguia. Só que... as ruas eram lavadas com uma espécie de pó...

À noite, já não me deixaram entrar no hospital. Havia um mar de gente ao redor... Fiquei em pé debaixo da janela da enfermaria; ele se aproximou e gritou alguma coisa para mim. Parecia desesperado! Alguém na multidão entendeu o que ele disse: seriam levados àquela noite para Moscou. Todas nós, esposas, nos juntamos. Decidimos: vamos com eles. "Que nos deixem ir com os nossos maridos! Vocês não têm direito!" Lutamos, nos atracamos com os soldados, que já haviam formado um cordão duplo e nos empurravam. Foi então que um médico surgiu e confirmou que os doentes seriam levados de avião para Moscou, e que era preciso roupas para eles, pois as usadas na central haviam sido queimadas. Os ônibus já não circulavam, então atravessamos a cidade correndo. Quando finalmente voltamos com as sacolas, o avião já tinha partido. Fomos enganadas de propósito. Para evitar que gritássemos, que chorássemos...

Noite... De um lado da rua havia muitos ônibus, centenas de ônibus (já preparavam a cidade para a evacuação), e do outro centenas de carros de bombeiro, que haviam sido trazidos de toda parte. A rua inteira estava coberta por uma espuma branca, e nós caminhávamos por ela... Gritando e praguejando...

Pelo rádio, éramos advertidos da necessidade de evacuar a cidade dentro de três a cinco dias, que levássemos conosco agasalhos e roupas esportivas, que iríamos viver nos bosques. Em barracas. As pessoas chegaram a se alegrar: "Vamos à natureza! Vamos comemorar o feriado de Primeiro de Maio". Algo incomum. Prepararam carne assada, compraram vinho. Levaram violões, toca-fitas. Adoráveis festas de maio. Só as mulheres que tiveram os maridos vitimados choravam.

Não me recordo da viagem… Só despertei quando vi a mãe dele: "Mamãe, Vássia está em Moscou! Foi levado num voo especial!".

Terminamos de semear a horta: batatas, repolho (e daí a uma semana a aldeia seria evacuada!). Quem poderia saber? Quem poderia então saber? À noite, tive um ataque de vômito. Estava no sexto mês de gravidez, me sentia tão mal… Durante a madrugada, sonhei que ele me chamava, ainda estava vivo, me chamava em sonho: "Liúcia! Liúcienka!". Mas depois que morreu, não me chamou nem uma vez. Nem uma vez… (*Chora*.) Levantei cedo com a ideia de ir sozinha a Moscou… "Aonde você vai desse jeito?", chorava a mãe dele. Encontramos seu pai no caminho: "Deixe que eu a acompanhe". E tirou de uma caderneta o dinheiro que possuía. Todo o dinheiro.

Não me recordo da viagem, nem lembro qual foi o caminho que fizemos… Em Moscou, perguntamos ao primeiro policial que encontramos para que hospital tinham sido transferidos os bombeiros de Tchernóbil, e ele nos respondeu; eu até me surpreendi, porque nos haviam assustado: seria um segredo de Estado, totalmente secreto.

"Para a clínica número 6, na Schúkinskaia."

Nesse hospital, que era uma clínica especial de radiologia, era proibido entrar sem autorização. Ofereci dinheiro ao vigia, que me disse: "Entre". Disse também a qual andar eu deveria me dirigir. Não sei a quem mais tive de suplicar, implorar… mas, por fim, cheguei ao gabinete da chefe de seção de radiologia, Anguelina Vassílievna Guskova. Até então eu ainda não sabia como ela se chamava, não conseguia pensar em nada. A única coisa que eu sabia é que tinha de ver, encontrar o meu marido…

Ela imediatamente me perguntou: "Querida! Pobrezinha… Você tem filhos?".

Como dizer a verdade? Estava claro que eu devia esconder a minha gravidez, ou não me deixariam vê-lo! Ainda bem que eu era muito magra e não se notava nada.

"Tenho", respondi.

"Quantos?"

Eu pensei: "É melhor dizer dois. Se disser um, talvez não passe".

"Um menino e uma menina."

"Se são dois, então, creio que não terá mais. Agora escute: o sistema nervoso central foi completamente atingido, a medula está totalmente afetada."

"Bem", pensei, "ele deve estar mais nervoso."

"Mais uma coisa: se você chorar, eu a retiro de lá imediatamente. É proibido abraçar e beijar. Não se aproxime muito. Você tem meia hora."

Mas eu sabia que não iria embora dali. Só iria com ele. Eu havia jurado a mim mesma!

Entrei... Os rapazes estavam sentados na cama, jogando cartas e rindo.

"Vássia!", gritei.

"Ô, meu pai, estou perdido! Até aqui ela me encontra!"

Ele estava engraçado, vestia um pijama número 48, quando o seu número era 52. As mangas e as calças estavam curtas. O inchaço do rosto havia regredido, e estavam lhe injetando alguma solução.

"Por que perdido?", perguntei.

Ele quis me abraçar.

"Fique aí sentado", disse o médico, impedindo que se aproximasse de mim. "Nada de abraços aqui."

Não sei por quê, mas tomamos isso como brincadeira. E nesse momento todos se aproximaram de nós, vieram também de outros quartos. Eram todos nossa gente. De Prípiat. Ao todo, 28 pessoas foram trazidas de avião. "O que está acontecendo por lá?

Como estão as coisas na nossa cidade?" Eu respondi que ela estava começando a ser evacuada, que tinham levado as pessoas para fora da cidade por três ou cinco dias. Os rapazes ficaram em silêncio; havia duas mulheres, uma delas estava de guarda no dia do acidente e chorou:

"Meu Deus! Os meus filhos estão lá. O que será deles?"

Eu queria ficar a sós com o meu marido, nem que fosse por uns minutinhos. Os rapazes perceberam isso, arrumaram pretextos e saíram para o corredor. Eu então o abracei e beijei. Ele se afastou:

"Não fique perto de mim. Pegue uma cadeira."

"Tudo isso é bobagem", respondi, dando de ombros. "Você viu o local da explosão? O que aconteceu? Vocês foram os primeiros a chegar lá...

"É claro que foi sabotagem. Alguém fez de propósito. Todos os rapazes são dessa opinião."

Então era isso que diziam. E acreditavam.

No dia seguinte, quando cheguei, eles estavam alojados cada um num quarto, separados. Tinham proibido categoricamente que saíssem até o corredor. E que falassem entre si. Mas eles se comunicavam por batidas na parede: ponto-traço, ponto-traço... Ponto... Os médicos justificaram a separação dizendo que cada organismo reage de maneira diferente às doses de radiação: o que um suporta, outro pode não suportar. No quarto em que eles estavam antes, até as paredes reagiam ao contador Geiger. À direita, à esquerda, e no andar de baixo... Todos foram tirados dali. Esvaziaram os espaços abaixo e acima deles...

Passei três dias na casa de conhecidos em Moscou. Eles me diziam: pegue panelas, tigelas, tudo de que precisar, não se acanhe. Assim é que eram essas pessoas... Assim é que eram! Eu fazia sopa de peru para seis pessoas. Seis dos nossos rapazes... Os bombeiros... Do mesmo turno... Todos eles estavam de plantão naquela noite: Vaschúk, Kibénok, Titiónok, Pravík, Tischúra. Comprei escovas, pasta de dentes e sabonetes para todos. Não havia nada disso no hospital. Comprei toalhas pequenas... Hoje fico impressionada com aqueles amigos que aceitaram me receber; eles, evidentemente, temiam o contágio, não podia ser diferente, já corria todo tipo de rumores, mas, apesar disso, estavam dispostos a me ajudar: "Pegue tudo o que for necessário. Pegue! Como ele está? Como estão todos? Eles vão viver?". Viver... (*Silêncio*.)

Naqueles dias encontrei muitas pessoas solidárias, não me lembro de todas. E o meu mundo se reduziu a um único ponto... Ele... Apenas ele... Eu me lembro de uma enfermeira auxiliar mais velha que começou a me preparar: "Algumas enfermidades não se curam. Você deve sentar ao lado dele e acariciar a sua mão".

De manhã cedo eu ia ao mercado e voltava para preparar a sopa dos rapazes. Tinha de limpar as carnes e os legumes, esfarelar e repartir em porções. Um deles me pediu: "Traga uma maçã". Seis jarras com meio litro de sopa... Sempre seis! No hospital, eu ficava até o anoitecer. E à noite, voltava para o outro lado da cidade. Por quanto tempo eu resistiria? Mas depois de três dias me ofereceram ficar no hotel destinado ao pessoal do hospital, na área do próprio hospital. Deus, que felicidade!

"Mas lá não tem cozinha. Como posso preparar as refeições deles?"

"Você não precisa preparar mais nada. O estômago deles parou de absorver alimentos."

O meu marido começou a mudar; cada dia eu via nele uma pessoa diferente... As queimaduras saíam para fora... Na boca, na língua, nas maçãs do rosto; de início eram pequenas chagas, depois iam crescendo. As mucosas caíam em camadas, como películas brancas. A cor do rosto, a cor do corpo... Azulada... Avermelhada... Cinza-escuro... E, no entanto, tudo nele era tão meu, tão querido! É impossível contar! Impossível escrever! E mesmo sobreviver... O que salvava era que tudo acontecia de maneira instantânea, de forma que não dava tempo de pensar, não dava tempo de chorar.

Eu o amava! Eu ainda não sabia como o amava! Tínhamos nos casado havia tão pouco tempo... Ainda não tínhamos tido tempo de nos saciar um do outro... Andávamos na rua, ele me tomava nos braços e me girava. E me beijava, beijava. As pessoas passavam por nós e sorriam.

O processo clínico de uma doença aguda do tipo radiativo dura catorze dias. No 14º dia, o doente morre.

No primeiro dia que passei no hotel, os dosimetristas já mediram os meus níveis. A roupa, a bolsa, o porta-moedas, os sapatos, tudo "ardia". Levaram tudo. Até a roupa de baixo. Só não tocaram no dinheiro. Em troca, deixaram uma bata de hospital tamanho 56, apesar de eu vestir 44; e sapatos 43, em vez dos meus 37. Disseram que talvez pudessem devolver a roupa, talvez não, porque dificilmente se poderia "limpar". Foi desse jeito que eu apareci para ele. Ele se assustou:

"Minha nossa, o que houve com você?"

Apesar de tudo, eu dava um jeito de preparar a sopa. Punha uma jarra de vidro no aparelho de ferver água e jogava ali pedacinhos de frango, bem pequenininhos. Depois alguém me emprestou uma panela, acho que foi a faxineira ou a auxiliar. Alguém conseguiu uma tábua de cortar verduras. Eu não podia ir ao mercado com a roupa do hospital, mas alguém sempre me trazia verduras. Era tudo em vão, ele já não conseguia beber, nem mesmo engolir um ovo cru. E eu que estava sempre tentando conseguir alguma coisa apetitosa! Achava que isso poderia ajudar.

Um dia, fui até o correio:

"Moça, eu preciso ligar com urgência para os meus pais em Ivano-Frankovsk. O meu marido está morrendo."

Por alguma razão, adivinharam do que se tratava e imediatamente fizeram a ligação. O meu pai, a minha irmã e o meu irmão voaram para Moscou no mesmo dia. Trouxeram as minhas coisas e dinheiro.

Isso foi no dia 9 de maio... Ele sempre me dizia: "Você não imagina como Moscou é bonita! Principalmente no Dia da Vitória, com os fogos de artifício. Quero que você veja".

Sentei perto dele, que abriu os olhos:

"É dia ou noite?"

"Nove da noite."

"Abra a janela! Os fogos vão começar!"

Eu abri a janela. Estávamos no oitavo andar, toda a cidade ali diante de nós! Um buquê de luzes subiu ao céu.

"Olhe, então é isso!"

"Eu prometi que iria te trazer a Moscou. Prometi que nos dias de festa te daria flores, por toda a vida..."

Olhei para ele e vi que puxava de debaixo do travesseiro três cravinhos. Tinha dado dinheiro à enfermeira para comprá-los...

Aproximei-me dele e o beijei:

"Meu amor! Minha vida!"

Ele protestou:

"O que foi que o médico disse? Você não pode me abraçar! Não pode me beijar!"

Fui proibida de abraçar, de acariciar o meu marido... Mas eu... Era eu que o apoiava e o sentava na cama. Era eu que trocava os lençóis, tirava a temperatura, levava e trazia a comadre... Eu que o limpava... Passava todas as noites ao lado dele. Vigiava cada um dos seus movimentos, dos seus suspiros. Apesar de eu estar no corredor e não no quarto... Um dia, senti a minha cabeça girar e me agarrei ao peitoril da janela. Nesse momento um médico passou e me segurou pela mão. Perguntou-me de supetão:

"Você está grávida?"

"Não, não!"

Tinha tanto medo que nos tivessem ouvido.

"Não minta", suspirou ele.

Senti-me tão perdida que nem me ocorreu contestar.

No dia seguinte, fui chamada pela médica-chefe:

"Por que você me enganou?", perguntou, em tom severo.

"Eu não tinha saída. Se dissesse a verdade, me mandariam para casa. Foi uma mentira piedosa!"

"Você não vê o que fez?"

"Sim. Mas estou com ele…"

"Pobrezinha! Pobrezinha…"

Serei grata por toda a vida a Anguelina Vassílievna Guskova. Toda a vida!

Outras esposas também vieram, mas não permitiram que elas entrassem. Apenas as mães deles estavam comigo, às mães a entrada era permitida. A mãe de Volódia Pravík não parava de rogar a Deus: "Leve a mim, Senhor!".

O professor norte-americano dr. Gale — o médico que lhe fez a operação de transplante de medula — procurava me consolar: existe uma esperança; pequena, mas existe. Um organismo tão vigoroso, um rapaz tão forte! Chamaram a família do meu marido. Duas irmãs vieram da Belarús e um irmão veio de Leningrado, onde cumpria serviço militar. A pequena Natacha de catorze anos chorava muito, estava assustada. Mas a medula dela era a melhor de todas. (*Silêncio.*) Agora posso falar sobre isso… Antes não podia. Eu me calei por dez anos… Dez anos… (*Silêncio.*)

Quando ele soube que a medula seria doada pela irmãzinha mais nova, recusou com veemência:

"Prefiro morrer. Não toquem em Natacha, ela é pequena."

A irmã mais velha, Liúda, tinha 28 anos, era enfermeira e sabia do que se tratava. "Que se faça o necessário para ele viver", disse ela. Eu assisti à operação. Os dois estavam deitados lado a lado em duas mesas… Havia uma grande janela no centro cirúrgico. A operação durou duas horas… Quando terminou, Liúda estava pior que ele, tinha no peito dezoito injeções, saiu com dificuldade da anestesia. Ainda hoje continua doente, aposentaram-na por invalidez… Era uma moça bonita e forte. Não se casou…

Eu corria de um quarto a outro, para ajudar os dois. Ele já não estava no mesmo quarto, mas numa câmara hiperbárica especial, atrás de uma cortina transparente, onde era proibido entrar. Havia uns instrumentos especiais para, sem atravessar a cortina, aplicar as injeções e pôr os cateteres. Tudo era feito com ventosas e tenazes que eu aprendi a manipular. Tirar de um ponto e levar até ele… Perto da sua cama havia uma cadeirinha.

Ele estava tão mal que eu não ousava sair dali nem por um minuto. Chamava o meu nome constantemente: "Liúcia, onde você está? Liúcienka!". Chamava, chamava sem parar.…

As outras câmaras hiperbáricas em que os nossos rapazes estavam eram cuidadas por alguns soldados, porque os auxiliares civis se recusaram a fazê-lo, exigiam roupas isolantes. Os soldados transportavam as comadres. Limpavam o chão, trocavam os lençóis, faziam toda a faxina. De onde surgiram aqueles soldados? Não perguntei. Para mim só havia ele. Ele… E todo dia eu ouvia: "morreu, morreu…". "Morreu Tischúra." "Morreu Titiónok." "Morreu…" Isso me martelava a cabeça.

Ele evacuava 25, trinta vezes por dia. Com sangue e mucosidade. A sua pele começava a rachar nas mãos e nos pés. O corpo ficou coberto de furúnculos. Quando ele virava a cabeça, caíam chumaços de cabelo sobre o travesseiro. E tudo isso era tão meu. Tão querido… Eu tentava gracejar:

"É mais cômodo. Assim, você não precisa mais de pente."

Logo cortaram os cabelos de todos. Eu mesma cortei o dele. Eu sempre queria fazer tudo por conta própria. Se eu aguentasse fisicamente, ficaria 24 horas ao lado dele. Eu lamentava perder qualquer minuto que fosse... qualquer tempinho, me doía perder... (*Cobre o rosto com as mãos e silencia.*)

O meu irmão veio e se assustou:

"Não vou te deixar voltar mais lá!"

E o meu pai disse a ele:

"Essa aí, você não vai deixar? Ela é capaz de se esgueirar pela janela! Pela escada de incêndio!"

Um dia me ausentei. Ao voltar, vejo sobre a mesa uma laranja grande. Não amarela, mas rosada. Ele sorri:

"Ganhei de presente. Pegue para você."

A enfermeira me faz um sinal através da cortina para não comer. Uma vez que ficou algum tempo ao seu lado, não é que não se possa comer, é que até tocar é uma temeridade.

"Venha comer", pede ele. "Você adora laranja."

Eu peguei a laranja. Nesse momento, ele fechou os olhos e adormeceu. Tomava constantes injeções para dormir. Narcóticos. A enfermeira me olhava horrorizada... E eu? Eu estava decidida a fazer de tudo para que ele não pensasse na morte. Nem no que havia de terrível na sua doença, nem que eu sentia medo dele.

Há um fragmento de uma conversa... Agora me veio à lembrança. Alguém tentava me convencer:

"Você não deve se esquecer de que isso que está na sua frente não é mais o seu marido, a pessoa que você ama, mas um elemento radiativo com alto poder de contaminação. Não seja suicida. Recobre a sensatez."

Mas eu estava como louca:

"Eu te amo! Eu te amo!"

Enquanto ele dormia, eu sussurrava: "Eu te amo!". Caminhava no pátio do hospital: "Eu te amo!". Levava a comadre: "Eu te amo!". Ficava me lembrando de como vivíamos antes, da nossa casa... Ele só dormia segurando a minha mão. Tinha esse hábito, pegar no sono segurando a minha mão. A noite toda.

E no hospital, era eu que segurava a mão dele e não largava. Certa noite, tudo estava silencioso. Estávamos sós. Ele olhava para mim longamente e de repente disse:

"Como eu queria ver o nosso filho. Como será que ele vai ser?"

"E como vamos chamá-lo?"

"Bem, é você que vai decidir."

"Por que eu, se nós somos dois?"

"Então, se for menino, pode ser Vássia, e se for menina, Natachka."

"Por que Vássia? Eu já tenho um Vássia. Você! Não preciso de outro."

Eu ainda não sabia como o amava! Ele... Só ele... Estava cega! Eu nem sentia os golpezinhos embaixo do coração, embora já estivesse no sexto mês de gravidez. Eu pensava que a pequena dentro de mim estaria protegida, a minha filhinha. A minha pequena...

Nenhum médico sabia que à noite eu dormia com ele na câmara hiperbárica, nem lhes passava pela cabeça. As enfermeiras consentiam. No início queriam me convencer:

"Você é jovem. O que está inventando? Isso já não é um homem, é um reator nuclear. Vão queimar os dois."

Mas eu corria atrás delas como um cachorrinho. Ficava uma hora de pé na frente da porta. Pedia, implorava. E finalmente elas me diziam: "Ao diabo! Você não é normal".

Pela manhã, antes das oito, quando a ronda médica começava, elas me faziam sinais através da cortina: "Corra!". E eu corria para o hotel. E das nove da manhã às nove da noite eu tinha salvo-conduto. As minhas pernas ficaram azuladas até o joelho, inchadas de cansaço. A minha alma era mais forte que o meu corpo. O meu amor...

Enquanto eu estava com ele, não faziam isso... Mas quando eu saía, eles o fotografavam. Sem roupa. Pelado. Apenas um lençol fino o cobria. Eu trocava o lençol todos os dias, mas à noite já estava todo ensanguentado. Quando eu o levantava, pedaços de pele grudavam nas minhas mãos. Eu suplicava: "Querido! Ajude-me! Apoie-se no braço, no cotovelo, o quanto puder, para que eu possa arrumar o lençol, puxar a costura, as pregas". Qualquer costura feria a sua pele. Cortei as minhas unhas até sangrar, para não machucá-lo. Nenhuma das enfermeiras tinha coragem de se aproximar dele, de tocá-lo. Se era preciso fazer algo, elas me chamavam. E eles... Eles fotografavam... Para a ciência, diziam. Queria poder expulsá-los todos de lá! Queria poder gritar! Como se atreviam! Se eu pudesse, não deixaria que entrassem. Se eu pudesse...

Fui do quarto até o corredor me apoiando nas paredes. Tateei até uma poltrona, porque não enxergava nada. Parei em frente à enfermeira auxiliar e disse:

"Ele está morrendo."

Ela respondeu:

"E o que você esperava? Ele recebeu 1600 roentgen, quando a dose mortal é de quatrocentos roentgen."

Ela também sentia pena, mas de outra maneira. Para mim, ele era tudo o que eu tinha, o que eu mais amava.

Depois que todos morreram, o hospital foi reformado. Rasparam as paredes, arrancaram o assoalho, tudo que fosse de madeira.

Por fim, a última coisa. Lembro disso em fragmentos, tudo se desvanece...

À noite, sentei-me na cadeira ao lado dele. Às oito da manhã, falei:

"Vássienka, vou sair um instante. Vou descansar um pouquinho."

Ele abriu e fechou os olhos, e então me soltou. Assim que cheguei ao hotel, ao meu quarto, deitei no chão, era impossível deitar na cama, o meu corpo todo doía, mas logo uma enfermeira auxiliar bateu à porta:

"Vá! Corra! Ele está te chamando feito um louco!"

Mas nessa manhã, Tânia Kibénok havia me suplicado: "Venha comigo ao cemitério. Sem você, eu não vou conseguir". Naquela manhã estavam enterrando o marido dela, Vítia Kibénok, e também Volódia Pravík. Nós éramos muito amigos do casal, vivíamos como uma família. Um dia antes da explosão, nos fotografamos todos juntos na residência dos bombeiros, onde morávamos. Como eles estavam bonitos, os nossos maridos! E alegres! O último dia daquela nossa vida, antes de Tchernóbil... Como éramos felizes!

Ao voltar do cemitério, chamei logo a enfermeira:

"Como ele está?"

"Morreu há quinze minutos."

Como? Eu estive com ele a noite toda. Só me afastei por três horas! Apoiei-me à janela e gritei:

"Por quê? Por quê?"

Olhei para o céu e gritei. Todos no hotel ouviram... Tinham medo de se aproximar de mim. Então, me recompus e pensei: "É a última vez que o verei! Vou vê-lo!". Desci a escada, tropeçando... Ele ainda estava na câmara hiperbárica, não o haviam levado. As últimas palavras dele foram: "Liúcia! Liúcienka!".

"Acaba de partir. Agora mesmo", tentou me acalmar a enfermeira.

Ele suspirou e silenciou.

Eu não me afastei mais dele. Fui com ele até o túmulo, embora me recorde não do ataúde, mas de um saco de polietileno. Esse saco... No necrotério, perguntaram: "Quer que lhe mostremos como vamos vesti-lo?". "Quero!" Vestiram-lhe um traje de gala e puseram o seu quepe sobre o peito. Não calçaram sapatos, pois os pés estavam inchados. Eram bombas em vez de pés. O traje de gala também foi cortado, não era possível esticá-lo, o corpo estava se desfazendo. Todo ele era uma chaga sanguinolenta.

No hospital, nos últimos dias, eu levantava a mão dele e os ossos se moviam, dançavam, se separavam da carne. Saíam pela boca pedacinhos do pulmão, do fígado. Ele se asfixiava com as próprias vísceras. Eu envolvia a minha mão com gaze e a enfiava na boca dele para retirar tudo aquilo... É impossível contar isso! É impossível escrever sobre isso! E sobreviver... E tudo isso era tão querido... Tão meu... Nenhum número de sapato serviria... Puseram-no descalço no ataúde.

Sob os meus olhos, vestido de gala, meteram-no dentro de um saco plástico, que ataram. E esse saco foi posto no ataúde de madeira. E o ataúde também foi envolvido por outro saco. Um celofane transparente, mas grosso como uma lona. E puseram tudo isso num féretro de zinco, tiveram que forçar. O quepe ficou por cima.

Vieram todos. Os pais dele, os meus pais. Compraram lenços pretos em Moscou. Fomos recebidos por uma comissão extraordinária. Falavam a todos sempre a mesma coisa: "Não podemos entregar o corpo dos seus maridos, dos seus filhos, são muito radiativos, serão enterrados de uma maneira especial num cemitério de Moscou. Em féretro de zinco soldado, sob pranchas de concreto. E vocês devem assinar este documento. É necessário o seu consentimento". E se alguém, indignado, queria levar o ataúde para casa, convenciam-no de que se tratava de heróis, diziam que já não pertenciam às suas famílias. Que eram personalidades. Pertenciam ao Estado.

Subimos para o ônibus funerário. Os familiares e alguns militares. Um coronel com um rádio. Pelo rádio se ouvia: "Esperem as nossas ordens! Esperem!". Rodamos duas ou três horas por

Moscou, seguimos por vias circulares. Voltamos a Moscou. Pelo rádio, diziam: "Não podem entrar no cemitério. Está rodeado de correspondentes estrangeiros. Esperem mais um pouco". Os familiares estavam calados. Mamãe estava com um lenço preto.

Sinto que vou perder a consciência. Tenho um ataque de histeria: "Por que estão escondendo o meu marido? O que ele é? Um assassino? Um criminoso? Presidiário? Quem está sendo enterrado?". A minha mãe diz: "Calma, calma, filhinha". Ela segura o meu rosto e o acaricia.

O coronel informa pelo rádio: "Solicito permissão para me dirigir ao cemitério. A esposa está com ataque de histeria".

No cemitério, fomos rodeados por soldados. Seguimos sob escolta. O ataúde seguiu sob escolta. Não deixavam ninguém passar para se despedir, apenas os familiares. Cobriram-no de terra rapidamente. "Rápido! Rápido!", o oficial ordenava. Nem nos deixaram abraçar o ataúde.

E tivemos de voltar correndo para o ônibus.

Imediatamente compraram e nos trouxeram as passagens de volta para casa. Já para o dia seguinte. O tempo todo esteve conosco um homem vestido de civil, mas com porte militar, que não nos permitia nem sair do quarto e comprar comida para a viagem. Temia que falássemos com alguém, sobretudo eu. Como se naquele momento eu pudesse falar! Nem chorar eu podia.

A funcionária do hotel, à nossa saída, contou todas as toalhas e lençóis. Enfiou tudo num saco de polietileno. Com certeza os queimou. Nós pagamos pelo hotel. Por catorze dias.

O processo clínico das doenças radiativas dura catorze dias. Depois de catorze dias, as pessoas morrem.

Assim que cheguei em casa, adormeci profundamente. Entrei e desmoronei na cama. Dormi três dias, ninguém conseguia me acordar. Chamaram o pronto-socorro. O médico disse: "Não, ela não morreu. Ela vai acordar. É uma espécie de sono terrível".

Eu tinha 23 anos...

Eu me lembro de um sonho... Nele, a minha avó já falecida vem me ver, com a mesma roupa que a enterramos. Ela está enfeitando um pinheiro. "Vovó, por que temos um pinheiro? Não é verão?" "Porque deve ser assim. O teu Vássienka logo estará aqui comigo." E ele, que cresceu no bosque...

Em outro sonho, Vássia chegava de branco e chamava por Natacha. A nossa filhinha, que ainda não tinha nascido. No sonho ela já era grande e eu me perguntava, assombrada, quando é que ela havia crescido tanto. Ele a lançava para cima, no ar, e os dois riam... Eu olhava para eles e pensava que a felicidade é simplesmente isso. Simplesmente isso.

Tive mais um sonho: nós dois andávamos pela água. Andamos muito, muito tempo... Ele pedia que eu não chorasse. Dava sinais de lá... De cima. (*Longo silêncio.*)

Depois de dois meses, voltei a Moscou. Da estação de trem para o cemitério, para vê-lo. E ali, no cemitério, começaram as contrações. Logo que comecei a falar com ele... Chamaram a ambulância. Eu lhes dei o endereço do hospital. Dei à luz ali mesmo, com a mesma médica, Anguelina Vassílievna Guskova. Ela tinha me dito: "Venha fazer o parto conosco". E para onde mais eu iria? Dei à luz duas semanas antes do previsto.

Me mostraram... Uma menina...

"Natáchenka! Papai te deu o nome de Natáchenka", eu disse.

Pelo aspecto, parecia um bebê saudável. Bracinhos, perninhas... Mas tinha cirrose. No fígado havia 28 roentgen, e uma lesão congênita no coração. Depois de quatro horas, me disseram que ela tinha morrido. E me falaram de novo: "Nós não vamos te dar o corpo dela". "Como não vão me dar o corpo?! Sou eu que não o darei a vocês! Vocês querem tomar a minha filha para a ciência, pois eu odeio a sua ciência! Odeio! A sua ciência já levou o meu marido e agora quer mais... Não darei! Eu mesma a enterrarei. Ao lado dele..." (*Passa a falar em sussurros.*)

Não consigo dizer o que quero, não com palavras... Depois do ataque do coração, não posso gritar. Nem chorar. Mas eu quero... Quero que saibam... Ainda não confessei a ninguém... Quando me recusei a entregar a minha filhinha, a nossa filhinha... Então trouxeram uma caixinha de madeira: "Aqui está ela". Olhei: ela estava envolvida em panos. Ela jazia envolta em panos. Eu então chorei.

"Ponham-na aos pés do meu marido. Digam que é a nossa Natáchenka."

Ali, na tumba, não está escrito Natália Ignátienko. Há só o nome dele. Ela não teve nome, não teve nada, apenas alma... E foi ali que eu enterrei a sua alma.

Sempre que os venho ver, trago dois buquês: um para ele, o segundo eu ponho num cantinho para ela. Eu me arrasto de joelhos pela tumba, sempre de joelhos... (*De maneira desconexa.*) Eu a matei... Fui eu... Ela... Ela me salvou... A minha filhinha me salvou. Recebeu todo o impacto radiativo, foi uma espécie de receptor desse impacto. Tão pequenininha. Uma bolinha. (*Suspira.*) Ela me salvou. Mas eu amava os dois. Será... Será possível matar com o amor? Com um amor como esse! Por que andam juntos, amor e morte? Estão sempre juntos. Alguém pode explicar? Alguém tentaria? Eu me arrasto sobre a tumba de joelhos... (*Longo silêncio.*)

Recebi um apartamento em Kíev. Num grande edifício onde hoje vivem os que foram evacuados da central atômica. Todos eles são conhecidos. O apartamento é grande, com dois quartos, como eu e Vássia tínhamos sonhado. Mas ali eu ficava louca! Em todo lugar, olhasse para onde olhasse, lá estava ele. Os seus olhos... Decidi reformar, qualquer coisa para não ficar parada, qualquer coisa para não pensar. E assim se passaram dois anos.

Certo dia, tive um sonho. Nós caminhávamos, mas ele estava descalço. "Por que você está sempre descalço?" "Porque eu não tenho nada." Fui à igreja, o padre me disse: "Compre sapatos grandes e deposite sobre o túmulo de algum defunto. Escreva que é para Vássia". Assim fiz. Fui a Moscou e imediatamente me dirigi a uma igreja. Em Moscou estava mais perto dele, porque ele está lá, no cemitério Mítinski. Expliquei a um clérigo o que acontecia, que precisava fazer chegar os sapatos ao meu marido. Ele me pergunta: "E você sabe como deve fazer isso?". Então me explica mais uma vez... Justo nesse momento, trazem um ancião defunto para as orações. Eu me aproximo do ataúde, levanto o véu e ponho ali os sapatos. "E a nota, você escreveu?" "Sim, escrevi, mas sem indicar o cemitério onde está enterrado." "Lá, estão todos no mesmo mundo. Certamente o encontrarão."

Eu já não tinha nenhum desejo de viver. Passava as noites à janela, olhando o céu: "Vássienka, o que eu faço? Eu não quero viver sem você". De dia passava pelo jardim de infância, parava, ficava ali... Observava as crianças por muito tempo. Estava enlouquecendo! E à noite pedia: "Vássia, vou ter um filho. Tenho medo de ficar sozinha. Não aguento mais. Vássienka!". E no outro dia voltava a pedir: "Vássienka, não preciso de um homem. Não há ninguém melhor que você. Eu quero um filho".

Eu tinha 25 anos...

Encontrei um homem. Contei tudo a ele. Toda a verdade: que tenho um só amor por toda a vida. Confessei tudo para ele. Nós nos encontrávamos, mas eu nunca o chamei à minha casa, em casa era impossível. Lá havia Vássia.

Eu trabalhava numa confeitaria. Fazia tortas, e as lágrimas caíam. Eu não chorava, as lágrimas é que caíam. Só pedi uma coisa às outras moças: "Não tenham pena de mim. Se tentarem me consolar, vou embora". Eu queria ser como todo mundo. Não queria consolo. Houve um tempo em que fui feliz.

Trouxeram a medalha de Vássia, de cor vermelha. Eu não podia olhá-la por muito tempo, as lágrimas caíam.

Tive um filho. Andrei... Andreika. As amigas me alertavam: "Você não deve ter filhos". E os médicos se assustavam: "O seu organismo não suportará". Depois... Depois, disseram que a criança nasceria sem mão. Sem a mão direita. Via-se pelo aparelho. "Bem, e daí?", eu pensava. "Vou ensiná-lo a escrever com a mão esquerda." Mas nasceu normal, um menino lindo. Já vai à escola e tira notas excelentes. Agora eu tenho alguém por quem respirar e viver. É a luz da minha vida. Ele compreende tudo perfeitamente: "Mamãe, se eu for à casa da vovó por dois dias, você conseguirá respirar?". Não consigo! Tenho medo de me separar dele por um dia.

Estávamos caminhando pela rua, e senti que estava caindo... Foi quando tive o primeiro ataque, ali, na rua. "Mamãe, quer um pouco de água?" "Não, fique do meu lado. Não vá a parte alguma." E agarrei a mão dele. Depois disso, não me lembro de nada. Abri os olhos no hospital. Agarrei-o com tanta força que os médicos tiveram dificuldade em soltar os meus dedos. E a mão dele ficou azul por algum tempo. Agora, quando saímos de casa, ele me pede: "Mamãe, não me segure pela mão. Eu nunca vou me afastar de você".

Ele também adoece: vai duas semanas à escola e passa duas em casa, com o médico. E vamos vivendo. Tememos um pelo outro. E em todos os cantos está Vássia. As suas fotografias... À noite, converso com ele sem parar. Às vezes, ele me pede em sonho: "Mostre-me o nosso filhinho". E Andrei e eu vamos vê-lo. E ele traz pela mão a nossa filhinha. Sempre com a pequena. Sempre brincando com ela.

Assim vou vivendo. Vivo ao mesmo tempo num mundo real e irreal. Não sei onde me sinto melhor. (*Levanta-se e se aproxima da janela.*)

Aqui nós somos muitos, ocupamos toda uma rua. Chama-se "a rua de Tchernóbil". Essa gente trabalhou a vida toda na central nuclear. Muitos até hoje vão ali fazer guarda; na central só há turnos de guarda. Ninguém mais vive ali nem viverá, nunca mais. Muitos sofrem de enfermidades terríveis, são inválidos, mas não deixam a central, têm medo até de pensar que ela possa fechar. Não imaginam a vida sem o reator, o reator é a vida deles. E para que mais eles serviriam hoje?

Muitos vão morrendo. Morrem de repente. Caminhando. Estão andando e caem mortos. Adormecem e não acordam mais. Está levando flores para uma enfermeira, e o coração para. Está no ponto de ônibus... Estão morrendo, e ninguém lhes perguntou de verdade sobre o que aconteceu. Sobre o que sofremos, o que vimos. As pessoas não querem ouvir falar da morte. Dos horrores...

Mas eu falei do amor... De como eu amei.

Liudmila Ignátienko, esposa do bombeiro falecido
Vassíli Ignátienko

Entrevista da autora consigo mesma sobre a história omitida e sobre por que Tchernóbil desafia a nossa visão de mundo

"Sou testemunha de Tchernóbil. O principal acontecimento do século XX, além das terríveis guerras e revoluções que já marcam essa época. Passaram-se vinte anos desde a catástrofe, mas até hoje me persegue a pergunta: eu sou testemunha do quê, do passado ou do futuro? É tão fácil deslizar para a banalidade. Para a banalidade do horror. Mas olho para Tchernóbil como para o início de uma nova história; Tchernóbil não significa apenas conhecimento, mas também pré-conhecimento, porque o homem pôs em discussão a sua concepção anterior de si mesmo e do mundo. Quando falamos de passado e futuro, imiscuímos nessas palavras a nossa concepção de tempo, mas Tchernóbil é antes de tudo uma catástrofe do tempo. Os radionuclídeos espalhados sobre a nossa terra viverão cinquenta, cem, 200 mil anos. Ou mais. Do ponto de vista da vida humana, são eternos. Então, o que somos capazes de entender? Está dentro da nossa capacidade alcançar e reconhecer um sentido nesse horror que ainda desconhecemos?

"De que trata o livro? Por que o escrevi?

"Este livro não é sobre Tchernóbil, mas sobre o mundo de Tchernóbil. Sobre o evento propriamente, já foram escritos milhares de páginas e filmados centenas de milhares de metros em película. Quanto a mim, eu me dedico ao que chamaria de história omitida, aos rastros imperceptíveis da nossa passagem pela Terra e pelo tempo. Escrevo os relatos da cotidianidade dos sentimentos, dos pensamentos e das palavras. Tento captar a vida cotidiana da alma. A vida ordinária de pessoas comuns. Aqui, no entanto, nada é ordinário: nem as circunstâncias nem as pessoas que, obrigadas pelas circunstâncias, colonizaram esse novo espaço, vindo a assumir uma nova condição. Tchernóbil para elas não é uma metáfora ou um símbolo, mas a sua casa. Quantas vezes a arte ensaiou o Apocalipse, experimentou diversas versões tecnológicas do fim do mundo, mas agora sabemos com certeza que a vida é mais fantástica ainda.

"Um ano depois da catástrofe, alguém me perguntou: 'Todos estão escrevendo. Mas você, que vive aqui, não escreve. Por quê?'. Eu não sabia como escrever sobre isso, com que ferramentas, a partir de que perspectiva. Se antes, quando escrevia os meus livros, eu observava o sofrimento dos outros, dessa vez éramos, a minha vida e eu, parte do acontecimento. Fundiram-se numa só coisa, não havia distância. O nome do meu país, pequeno e perdido na Europa, quase nunca pronunciado no mundo, passou a ecoar em todas as línguas; o meu país converteu-se no diabólico laboratório de Tchernóbil, e nós, bielorrussos, no povo de Tchernóbil. Onde quer que eu fosse, olhavam com curiosidade: 'Ah, você é de lá? O que está acontecendo?'.

"É claro que eu poderia ter escrito um livro rapidamente, uma obra como as que logo começaram a sair, uma depois da outra: o que aconteceu naquela noite na central, quem é culpado, como o acidente foi ocultado do mundo e da própria população, quantas toneladas de areia e concreto foram necessárias para construir o sarcófago sobre o reator mortífero... Mas havia algo que me detinha. Algo que me segurava a mão. O quê? Uma sensação de mistério. Essa impressão que se instalou como um raio em nosso foro íntimo impregnava tudo: as nossas conversas, as nossas ações, os nossos temores, e seguia os passos dos acontecimentos. O acontecimento se assemelhava a um monstro. Em todos nós se instalou, explicitamente ou não, o sentimento de que havíamos alcançado o nunca visto.

"Tchernóbil é um enigma que ainda tentamos decifrar. Um signo que não sabemos ler. Talvez um enigma para o século xxi. Um desafio para o nosso tempo. Tornou-se evidente que, além dos desafios religiosos, comunistas e nacionalistas em meio aos quais vivíamos e sobrevivíamos, nos aguardavam novos desafios mais selvagens e totais, embora ainda ocultos aos nossos olhos. No entanto, depois de Tchernóbil algo se deixou entrever.

"Na noite de 26 de abril de 1986... Em apenas uma noite nos deslocamos para outro lugar da história. Demos um salto para uma nova realidade, uma realidade que está acima do nosso saber e acima da nossa imaginação. Rompeu-se o fio do tempo... O passado de súbito surgiu impotente, não havia nada nele em que pudéssemos nos apoiar; e no arquivo onipotente (assim acreditávamos) da humanidade, não se encontrou a chave que abria a porta. Mais de uma vez ouvi naqueles dias: 'Não encontro palavras para expressar o que eu vi e vivi'; 'Ninguém antes me contou nada parecido'; 'Nunca li nada semelhante em livro algum, nem vi algo assim em filme algum'. Entre o momento em que aconteceu a catástrofe e o momento em que começaram a falar dela, houve uma pausa. Um momento de mudez. E todos se lembram dele...

"Nas altas esferas, decisões eram tomadas, instruções secretas eram passadas, os helicópteros subiam aos céus, uma enorme quantidade de caminhões militares se deslocava pelas estradas; embaixo, esperavam-se as ordens e temiam-se, vivia-se de rumores, mas todos guardavam silêncio sobre o principal: o que de fato havia acontecido? Não se encontravam palavras para novos sentimentos, e não se encontravam sentimentos para novas palavras, as pessoas não ousavam ainda se expressar, mas aos poucos emergia da atmosfera uma nova maneira de pensar; é assim que hoje podemos definir aquele nosso estado. Os fatos já não bastavam, devia-se olhar além dos fatos, penetrar no significado do que acontecia. Estávamos sob o efeito da comoção. E eu buscava essa pessoa abalada... E ela pronunciava um texto novo... As vozes por vezes irrompiam como de um sonho ou de um pesadelo, de um mundo paralelo.

"Diante do acidente de Tchernóbil, todo mundo se punha a filosofar. Todos se tornavam filósofos. As igrejas ficaram repletas de crentes e de pessoas ainda havia pouco ateias, as quais buscavam respostas que não podiam obter da física e da matemática. O mundo tridimensional se abriu, e eu já não encontrava aqueles valentões que haviam jurado sobre a Bíblia do materialismo. Incendiou-se a chama da eternidade. Calaram-se os filósofos e os escritores, expulsos dos seus canais habituais da cultura e da tradição. Naqueles primeiros dias, era mais interessante conversar não com cientistas, funcionários ou militares com muitas medalhas, e sim com os velhos camponeses. Gente que vivia sem Tolstói e Dostoiévski, sem internet, mas cuja consciência de algum modo continha uma nova imagem de mundo. E ela não se destruiu.

"Teria sido mais fácil nos acostumar à situação de uma guerra atômica como a de Hiroshima, pois sempre nos preparamos para ela. Mas a catástrofe aconteceu num centro atômico não militar, e nós éramos pessoas do nosso tempo e acreditávamos, tal como nos haviam ensinado, que as centrais nucleares soviéticas eram as mais seguras do mundo, que poderiam ser construídas até mesmo na Praça Vermelha. O átomo militar era o de Hiroshima e Nagasaki, o átomo da paz era o da lâmpada elétrica de cada casa. Ninguém imaginava que ambos os átomos, o de uso militar e o de uso pacífico, fossem gêmeos. Que houvesse correspondência. Nós nos tornamos mais sábios, o mundo todo vem se tornando mais inteligente, mas depois de Tchernóbil. Hoje cada bielorrusso é uma espécie de 'caixa-preta' viva, registra as informações para o futuro. Para todos.

"Eu levei muitos anos escrevendo este livro. Quase vinte anos. Encontrei e conversei com ex-trabalhadores da central, cientistas, médicos, soldados, evacuados, residentes ilegais em zonas proibidas. Com aqueles para quem Tchernóbil representa o conteúdo fundamental do mundo, cujo interior e entorno, e não só a terra e a água, Tchernóbil envenenou. Essas pessoas conversavam, buscavam respostas. Nós pensávamos juntos. Frequentemente tinham pressa, temiam não chegar ao fim, eu ainda não sabia que o preço do seu testemunho era a vida. 'Anote', repetiam eles. 'Nós não compreendemos tudo o que vimos, mas deixe assim. Alguém lerá e entenderá. Mais tarde. Depois de nós...' Tinham razão em ter pressa; muitos deles já não estão entre os vivos. Mas conseguiram mandar um sinal...

"Tudo o que conhecemos sobre o horror e o medo tem mais a ver com a guerra. O gulag stalinista e Auschwitz são recentes aquisições do mal. A história sempre foi a história das guerras e dos caudilhos, e a guerra se tornou, como costumamos dizer, a medida do horror. Por isso as pessoas confundem os conceitos de guerra e catástrofe. Em Tchernóbil, pode-se dizer que estão presentes todos os sinais da guerra: muitos soldados, evacuação, locais abandonados. A destruição do curso da vida. As informações sobre Tchernóbil nos jornais estão cheias de termos bélicos: átomo, explosão, heróis... E isso dificulta o entendimento de que nos encontramos diante de uma história nova: teve início a história das catástrofes... Mas o homem não quer pensar nisso, porque nunca ninguém pensou nisso antes. Esconde-se atrás do que já é conhecido. Atrás do passado. Até os monumentos aos heróis de Tchernóbil parecem militares...

"Na minha primeira visita à zona, os jardins floresciam, a relva jovem brilhava alegremente à luz do sol. Os pássaros cantavam. Um mundo tão... tão familiar. O meu primeiro pensamento foi que tudo estava no lugar, tudo era como antes. A mesma terra, a mesma água, as mesmas árvores. As formas, as cores e os aromas eram eternos e ninguém seria capaz de modificá-los. Mas já no primeiro dia me explicaram que não se deve arrancar flores, que é melhor não se sentar na terra e tampouco beber a água dos mananciais. À tardinha, observei os pastores conduzindo o rebanho cansado ao rio; as vacas, ao se aproximarem da água, imediatamente retrocediam. De algum modo intuíam o perigo. E os gatos, me diziam, deixaram de comer os ratos mortos, que se amontoavam no campo e nos pátios. A morte se escondia por toda parte, mas era um tipo diferente de morte, com uma nova máscara. Com aspecto falso.

"O homem se surpreendeu, não estava preparado para isso. Não estava preparado como espécie biológica, pois todo o seu instrumental natural, os sentidos constituídos para ver, ouvir e tocar, não funcionava... Os sentidos já não serviam para nada; os olhos, os ouvidos e os dedos já não serviam, não podiam servir, porque a radiação não se vê, não tem odor nem som. É incorpórea. Passamos a vida lutando e nos preparando para a guerra, tão bem a conhecíamos, e, de súbito, isso! A imagem do inimigo se transformou. Surgiu diante de nós um outro inimigo... Inimigos... que tocavam a relva ceifada, o peixe pescado, a caça aprisionada. As maçãs... O mundo à nossa volta, antes maleável e amistoso, agora infundia pavor. As pessoas mais velhas, ao serem evacuadas e ainda sem perceber que isso seria para sempre, olhavam para o céu e diziam: 'O sol está brilhando, não se vê fumaça nem gás. Não se escutam tiros. Como isso pode ser uma guerra? No entanto, devemos nos tornar refugiados'. O conhecido — desconhecido — mundo.

"Como entender onde estamos? O que aconteceu? Aqui... Agora... Não há a quem perguntar...

"Na zona e ao redor da zona, a enorme quantidade de equipamentos militares era assombrosa. Soldados em formação marchando com as suas armas novinhas em folha. Com todos os acessórios de combate. Não sei bem por quê, das armas me recordo mais que tudo, e não dos helicópteros e dos blindados. Das armas... De pessoas armadas na zona. Em quem eles poderiam atirar ali? De quem iriam se defender? Da física? Das partículas invisíveis? Metralhar a terra contaminada ou as árvores? A KGB trabalhava na central. Procuravam espiões e terroristas, corria o rumor de que o acidente fora resultado de uma ação planejada pelos serviços secretos ocidentais a fim de minar o bloco socialista. Era preciso se manter vigilante.

"Esse cenário de guerra... Essa cultura da guerra ruiu aos meus olhos. Ingressamos num mundo opaco, onde o mal não dá explicações, não se revela e não conhece leis.

"Eu vi como o homem pré-Tchernóbil se converteu no homem de Tchernóbil.

"Mais de uma vez — e aqui há o que se pensar — escutei a opinião de que o comportamento dos bombeiros que apagaram o incêndio da primeira noite na central atômica, assim como o dos liquidadores, assemelhava-se a um suicídio. Um suicídio coletivo. Os liquidadores, via de regra, trabalharam sem roupas especiais de proteção, dirigiram-se sem protestar para lá, onde morriam os robôs, esconderam deles a verdade sobre as altas doses recebidas, e eles se resignaram a isso, e ainda se alegraram ao receber os diplomas e as medalhas que o governo lhes conferiu pouco antes de morrerem. Muitos nem chegaram a recebê-las.

Então, o que são eles, heróis ou suicidas? Vítimas das ideias e da educação soviética? Por alguma razão, esquece-se, com o tempo, de que eles salvaram o país. De que salvaram a Europa. Imagine por um segundo o quadro, caso o incêndio tivesse se espalhado e os outros três reatores houvessem explodido...

"Eles são heróis. Heróis de uma história nova. Comparam-nos aos heróis das batalhas de Stalingrado ou de Waterloo, mas eles salvaram algo mais importante que a sua pátria, salvaram a vida. O tempo da vida. O tempo vivo. Com Tchernóbil, o homem levantou a mão contra tudo, atentou contra toda a criação divina, onde vivem, além do homem, milhares de outros seres vivos. Animais e plantas.

"Quando fui vê-los, escutei os relatos sobre como eles (os primeiros e pela primeira vez!) levaram adiante a tarefa inédita, humana e desumana, de enterrar a terra com a terra, ou seja, de cobrir com terra as camadas contaminadas e os seus habitantes — escaravelhos, aranhas, larvas —, confinando-os em bunkers de concreto especiais. Havia uma enorme diversidade de insetos, cujos nomes eles nem sabiam ou não conheciam. Esses homens tinham uma compreensão totalmente distinta da morte, que estendiam a todas as coisas, dos pássaros às borboletas; o seu mundo já era um outro mundo, um mundo com um novo direito à vida, com uma nova responsabilidade e um novo sentimento de culpa. Nos seus relatos, frequentemente se apresenta o tema do tempo, nas expressões 'primeira vez', 'nunca mais', 'para sempre'. Lembram-se das aldeias desertas por que passaram, encontrando por vezes idosos solitários que haviam se recusado a partir com os outros, ou que mais tarde haviam regressado do exílio: homens que viviam à luz da lamparina, que ceifavam com a gadanha e a foice, que cortavam lenha com o machado, que dirigiam as preces aos animais e aos espíritos. A Deus. Tudo como há duzentos anos, enquanto naves espaciais sulcavam o céu.

"O tempo mordeu o próprio rabo, o início e o fim se tocaram. Para aqueles que lá estiveram, Tchernóbil não terminava em Tchernóbil. Esses homens não regressaram de uma guerra, mais parece que voltaram de outro planeta... Eu compreendi que de maneira totalmente consciente aqueles homens convertiam os seus sofrimentos em novo conhecimento. Presenteavam-nos, dizendo: vocês haverão de fazer algo com isso, saberão como empregá-lo.

"Há um monumento aos heróis de Tchernóbil. É o sarcófago que construíram com as próprias mãos e no qual depositaram a chama nuclear. Uma pirâmide do século xx.

"Na terra de Tchernóbil, sente-se pena do homem. Mas o bicho dá mais pena ainda... Não estou denegrindo, vou explicar. O que restou na zona morta depois que as pessoas foram embora? As velhas tumbas e as fossas biológicas, como chamam os cemitérios de animais. O homem só salvou a sua pele, todo o resto ele atraiçoou. Depois que as populações partiram das aldeias, pelotões de soldados e caçadores foram lá e abateram os animais. E os cachorros acorriam à voz humana, e também os gatos... E os cavalos não podiam entender nada. E eles não tinham culpa, nem as feras nem os pássaros, e morriam em silêncio, isso é ainda mais terrível. Houve um tempo em que os índios do México e mesmo as populações russas pré-cristãs pediam perdão aos animais e aos pássaros quando os sacrificavam para se alimentar. No Egito antigo, o animal tinha direito a se queixar do homem. Num dos papiros guardados nas pirâmides está escrito: 'Não há nenhuma queixa do touro contra N'. Antes de partir para o reino dos mortos, os egípcios liam uma prece que dizia: 'Não ofendi nenhum animal. E não o privei nem de grão nem de erva'.

"O que a experiência de Tchernóbil nos deu? Terá nos conduzido a esse mundo secreto e silencioso dos 'outros'?

"Certa vez, vi como os soldados entraram numa aldeia já evacuada e começaram a atirar. Os gritos impotentes dos animais...

Eles gritavam nas suas diversas línguas. Sobre isso já se escreveu no Novo Testamento. Jesus Cristo chegou ao templo de Jerusalém e lá viu animais preparados para o ritual de sacrifício: com o pescoço cortado, esvaindo-se em sangue. Jesus gritou: 'Haveis convertido a casa de orações em covil de bandidos'. Poderia ter acrescentado: 'em matadouro'. Para mim, as centenas de fossas biológicas abandonadas na zona são o mesmo que os túmulos funerários da Antiguidade. Mas dedicados a que deuses? Ao deus da ciência e do conhecimento ou ao deus do fogo? Nesse sentido, Tchernóbil foi mais longe que Auschwitz e Kolimá. Mais longe que o Holocausto. Tchernóbil sugere um ponto final. Não se apoia em nada.

"Observo o mundo ao redor com outros olhos. Uma pequena formiga se arrasta pela terra, e ela agora me é próxima. Um pássaro voa no céu e também me é próximo. Entre mim e eles, o espaço se reduziu. Não há mais o abismo de antes. Tudo é vida.

Lembro-me também do que me contou um velho apicultor (e depois ouvi de outras pessoas): 'Saí pela manhã ao jardim e notei que faltava algo, faltava o som familiar. Nem sequer uma abelha... Eu não ouvia nem uma abelha! Nem uma! O que é isso? O que está acontecendo? No segundo dia, elas não voaram. E também no terceiro... Depois nos informaram que tinha acontecido um acidente na central atômica, que era perto. Durante muito tempo não soubemos de nada. As abelhas sabiam, mas nós não. Agora, se noto algo estranho, vou observá-las. Nelas está a vida'.

"Outro exemplo. Eu conversava com pescadores junto ao rio e eles me contaram: 'Nós esperávamos que nos explicassem pela televisão, que dissessem como nos salvar. E as minhocas. Minhocas comuns. Elas entravam na terra, desciam fundo, meio metro, talvez um metro. E nós não entendíamos. Nós cavávamos, cavávamos. Não conseguíamos nenhuma minhoca para pescar'.

"Quem de nós é o primeiro, quem está mais sólida e eternamente ligado à terra, nós ou eles? Devíamos aprender com eles como sobreviver. E como viver.

"Confluíram duas catástrofes: a social — aos nossos olhos arruinou-se a União Soviética, submergiu sob as águas o gigantesco continente socialista — e a cósmica — Tchernóbil. Duas explosões globais. A primeira nos é mais próxima, mais compreensível. As pessoas estão preocupadas com o dia a dia, com o cotidiano: o que comprar, aonde ir? No que acreditar? Levantar-se novamente sob que bandeira? Ou será preciso aprender a viver para si, viver a sua vida? Já a última nos é desconhecida, não sabemos o que fazer, porque ninguém nunca viveu assim. Isso é algo que experimentamos todos e cada um. Gostaríamos de esquecer Tchernóbil, porque diante dele a nossa consciência capitula. É uma catástrofe da consciência. O mundo das nossas representações e valores explodiu. Se tivéssemos vencido Tchernóbil ou compreendido o fenômeno até o fim, pensaríamos e escreveríamos mais a respeito. E assim, vivemos em um mundo enquanto nossa consciência vive em outro. A realidade resvala, não cabe no homem.

"Sim. Não há meio de alcançar a realidade…

"Um exemplo. Até hoje usamos os termos antigos: 'longe-perto', 'próprio-alheio'… Mas o que significa longe e perto depois de Tchernóbil, quando já no quarto dia as suas nuvens sobrevoavam a África e a China? A Terra parece tão pequena, não é mais aquela Terra do tempo de Colombo. Infinita. Hoje possuímos outra sensação de espaço. Vivemos num espaço arruinado. E ainda… Nos últimos cem anos, o homem passou a viver mais, mas o seu tempo de vida continua a ser minúsculo e insignificante se comparado à vida dos radionuclídeos instalados na nossa terra. Muitos deles viverão mil anos. Impossível atingirmos tamanha dimensão! Diante disso, experimenta-se uma nova sensação de tempo. E tudo é Tchernóbil. As suas marcas. O mesmo ocorre nas nossas relações com o passado, com a ficção científica, com o conhecimento… O passado se faz impotente; a única coisa que se salva no nosso conhecimento é saber que nada sabemos. Está acontecendo uma perestroika, uma reestruturação dos sentimentos…

"Agora, em lugar das frases habituais de consolo, o médico diz à esposa sobre o marido moribundo: 'Não se aproxime! Você não deve beijá-lo! Não deve acariciá-lo! Ele já não é a pessoa amada, mas um elemento que deve ser desativado'. Aqui, até Shakespeare emudece. E também o grande Dante. Beijar ou não beijar, eis a questão. Aproximar-se ou não se aproximar? Uma das minhas heroínas (grávida naquele momento) nunca deixou de se aproximar do marido e beijá-lo, e não o abandonou até a morte. Por essa ousadia, ela pagou com a saúde e com a vida da filha. Mas como escolher entre o amor e a morte? Entre o passado e o presente desconhecido? E quem poderá condenar as esposas e mães que não ficaram ao lado dos maridos e filhos? Ao lado de elementos radiativos? No seu mundo, o amor se modificou. E também a morte.

"Tudo se modificou, menos nós.

"Para que um acontecimento se torne história, são necessários uns cinquenta anos. Mas nesse caso as marcas ainda estarão quentes.

"A zona é um mundo à parte. Outro mundo em meio ao restante da Terra. Primeiro foi inventada pelos escritores de ficção científica, mas a literatura cedeu o passo à realidade. Agora já não podemos mais crer, como os heróis de Tchékhov, que dentro de cem anos o ser humano será maravilhoso. Que a vida será maravilhosa! Esse futuro nós já perdemos. Nesses cem anos houve o gulag de Stálin, Auschwitz, Tchernóbil. O Onze de Setembro de Nova York. É incompreensível como se sucederam tantos fatos, como couberam na vida de uma geração, nas suas proporções. Na vida do meu pai, por exemplo, que está com 83 anos. E o homem sobreviveu!

"Destino é a vida de um homem, história é a vida de todos nós. Eu quero narrar a história de forma a não perder de vista o destino de nenhum homem.

"Antes de tudo, em Tchernóbil se recorda a vida 'depois de tudo': objetos sem o homem, paisagem sem o homem. Estradas para lugar nenhum, cabos para parte alguma. Você se pergunta o que é isso: passado ou futuro?

"Algumas vezes, parece que estou escrevendo o futuro…"

PRIMEIRA PARTE

A TERRA DOS MORTOS

MONÓLOGO SOBRE PARA QUE AS PESSOAS RECORDAM

Eu também tenho uma pergunta. Uma pergunta a que não posso responder...

Mas você se propôs a escrever sobre isso. Sobre isso, não? Mas eu não queria que soubessem isso de mim. Que eu vivi ali... Por um lado, sinto o desejo de me abrir, de desabafar, mas por outro, é como se eu me desnudasse, e eu não gostaria de fazer isso...

Você se lembra de Tolstói? Depois da guerra, Pierre Bezúkhov* está tão abalado que sente como se ele e o mundo tivessem mudado para sempre. Mas depois de algum tempo ele percebe que voltou a ralhar com o cocheiro e a resmungar. Então, para que as pessoas recordam? Para restabelecer a verdade? A justiça? Para se libertar e esquecer? Ou porque compreendem que participaram de um evento grandioso? Porque buscam no passado alguma proteção? E, além disso, a recordação é uma coisa frágil, efêmera, não é

---

* Personagem do romance *Guerra e paz*, de Liev Tolstói.

um conhecimento exato, é uma suposição do homem sobre si mesmo. Isso ainda não é conhecimento, é apenas sentimento.

O que eu sinto... Eu me torturei e me revirei na memória, lembrei...

O que eu vivi de mais terrível aconteceu na infância. Foi a guerra...

Eu me lembro de como nós, uns garotos, brincávamos de "papai e mamãe", despíamos os pequenininhos e os amontoávamos uns sobre os outros. Eram as primeiras crianças que nasciam depois da guerra. Toda a aldeia sabia quais as palavras que eles já falavam, quando tinham começado a andar, pois durante a guerra as crianças foram esquecidas. Nós esperávamos o surgimento da vida. A nossa brincadeira se chamava "papai e mamãe". Queríamos ver o surgimento da vida. E tínhamos apenas oito, dez anos.

Vi como uma mulher se suicidou. Nos arbustos perto do rio. Pegou um tijolo e bateu na própria cabeça. Estava grávida de um policial que a aldeia inteira odiava. Embora eu ainda fosse uma criança, já tinha visto como os gatinhos nasciam; tinha ajudado a minha mãe a tirar um bezerrinho do ventre da vaca, tinha levado a nossa porca para acasalar. Lembro... Lembro quando trouxeram o meu pai morto, ele usava um suéter feito pela minha mãe; parece que meu pai foi fuzilado por uma metralhadora ou um fuzil automático, e pedaços de alguma coisa ensanguentada saíam do suéter. Ele jazia na nossa única cama, não havia outro lugar para deixá-lo. Depois o enterramos perto de casa. E a terra não foi leve, era barro duro. Debaixo dos canteiros da horta. À nossa volta, prosseguiam os combates. A rua estava coberta de pessoas e cavalos mortos.

Para mim, são lembranças tão difíceis que não falo delas em voz alta.

Então, passei a entender a morte e o nascimento como a mesma coisa. Tive o mesmo sentimento quando o bezerro saiu de dentro da vaca. Quando nasceram os gatinhos. E quando a mulher se suicidou nos arbustos. Por alguma razão, tudo isso me parecia ser a mesma coisa. Nascimento e morte.

Recordo desde a infância o cheiro da nossa casa quando sacrificavam um javali. Basta você tocar nesse ponto para que eu caia, desmorone. Nesse pesadelo... Nesse horror... A minha cabeça viaja...

Lembro como as mulheres nos levavam, crianças, com elas para o banho. E todas as mulheres, inclusive a minha mãe, tinham o ventre caído (isso nós já entendíamos), e elas o amarravam com panos. Eu vi isso. O ventre caído se devia ao trabalho pesado. Não havia homens, estavam todos mortos no front, *partisans*, também não havia cavalos, as mulheres puxavam os arados com a própria força. Lavravam as suas hortas e os campos dos colcozes. Depois que eu cresci e passei a me relacionar com uma mulher, isso me veio à memória... O que vi no banho...

Queria esquecer. Esquecer tudo... Esquecer... Eu pensava que o acontecimento mais terrível da minha vida já tinha passado. A guerra. Que já estava protegido, já estava a salvo. A salvo graças ao que sabia, ao que tinha vivido. Mas...

Fui à zona de Tchernóbil. Já estive lá muitas vezes. E lá eu entendi que era impotente. Que não compreendo. E esse sentimento de impotência está me destruindo. Porque não reconheço este mundo. Tudo nele mudou. Até o mal é outro. O passado já não me protege. Não me tranquiliza. Não dá respostas. Antes sempre dava, agora não mais. O futuro me arruína, não o passado. (*Pensativo.*)

Para que as pessoas recordam? É a minha pergunta. Mas eu falei com você, pronunciei algumas palavras. E compreendi alguma coisa... Agora não me sinto tão sozinho. Mas o que acontece com os outros?

Piotr S., psicólogo

MONÓLOGO SOBRE O QUE SE PODE CONVERSAR COM OS VIVOS E COM OS MORTOS

À noite um lobo entrou no pátio. Eu olhava pela janela e ali estava ele com os olhos brilhando, como faróis.

Estou acostumada a tudo. Há sete anos vivo sozinha, há sete anos, desde que as pessoas foram embora. À noite, às vezes fico acordada até clarear, pensando, pensando... Hoje, inclusive, passei a noite sentada na cama como um dois de paus, e depois fui ver que sol fazia. O que eu posso dizer? A coisa mais justa no mundo é a morte. Ninguém ainda pôde evitá-la. A terra dá abrigo a todos: aos bons, aos maus e aos pecadores. Não há maior justiça neste mundo. Passei a vida trabalhando pesado, como uma pessoa honrada. Sempre tive a minha consciência em paz. Mas para mim não houve justiça. Vê-se que quando Deus repartia a sorte, ao chegar a minha vez já não havia mais nada para dar, não restava nada. O jovem *pode* morrer, mas o velho *deve* morrer... Ninguém é imortal, nem o tsar nem o comerciante. No início eu esperei, achava que as pessoas regressariam. Que ninguém iria embora para sempre, que sairiam por um tempo. Hoje eu só espero a morte. Morrer não é difícil, mas dá medo. Não há mais igreja e o padre não vem por aqui. Não tenho a quem confessar os meus pecados...

Da primeira vez em que nos disseram que tínhamos radiação, pensamos que se tratava de alguma doença, uma doença que logo levava a pessoa à morte. Mas nos diziam que não era isso, era algo que estava na terra, penetrando a terra, algo que não se podia ver. Que os animais talvez tenham visto e escutado, mas o homem, não. Mas isso não é verdade! Eu vi... O césio estava na minha horta até que a chuva o molhou. Tem uma cor assim como de tinta. Estava lá em pedaços. Eu cheguei do colcoz e me aproximei da horta. E havia um pedaço azul, e a duzentos metros outro. Do tamanho desse lenço que eu tenho na cabeça. Chamei a vizinha e outras mulheres e percorremos todos os lugares. Todas as hortas, o campo ao redor. Uns dois hectares. Acho que encontramos quatro pedaços grandes. Um deles era vermelho. No dia seguinte choveu. Desde cedo. E pela hora do almoço já não estavam lá. Veio a polícia, mas não havia mais nada para mostrar. Apenas contamos. Os pedaços eram assim (*mostra com as mãos*). Como o meu lenço. Azul e vermelho.

Nós não tínhamos nenhum grande medo da radiação. Se não tivéssemos visto, se não soubéssemos o que era talvez sentíssemos medo; mas, como vimos, não nos pareceu tão terrível assim. A polícia e os soldados pregaram tabuletas. Em cada uma, perto das nossas casas ou na rua, escreviam: setenta curie, sessenta curie. Sempre vivemos das nossas batatas, da nossa colheita e, de repente, dizem: é proibido! E não nos permitem colher cebolas e cenouras. Para alguns pareceu desgraça, para outros, piada. Éramos aconselhados a trabalhar a horta com máscaras de gaze e luvas de resina. E a enterrar a cinza do forno. Enterrar a cinza! Ah-ah-aha!

E então veio um cientista importante e pronunciou um discurso no clube dizendo que devíamos lavar a lenha. Essa é boa! Eu não podia acreditar nos meus ouvidos! Mandaram que lavássemos as mantas, os lençóis, as cortinas. Mas se estavam dentro de casa! Nos armários e baús! Que radiação poderia haver nas casas? Atrás das vidraças? Atrás das portas? Essa é boa! Deveriam buscar a radiação no bosque, no campo. Taparam os poços, puseram cadeados e envolveram tudo com plástico. A água estava "suja". Como assim, suja, se era tão limpa e pura! Botaram na nossa cabeça que iríamos todos morrer… Que era preciso partir… Evacuar a área…

As pessoas se assustaram. Ficaram com medo. Alguns começaram a enterrar os seus bens à noite. Eu juntei as minhas roupas, os diplomas que recebi pelo meu trabalho honrado e as moedas que guardava para alguma eventualidade. Que tristeza! Que tristeza me roía o coração! Que eu morra se não estou dizendo a verdade! E um dia escuto que os soldados evacuaram uma aldeia, mas que um casal de velhos ficou. No dia que conduziram as pessoas para os ônibus, os dois pegaram uma vaca e se esconderam no bosque. Esperaram lá. Como na guerra. Quando os destacamentos queimavam as aldeias... De onde vem tanta desgraça? (*Chora.*) Como é precária a nossa vida... Queria não chorar, mas as lágrimas caem...

Oh! Olhe pela janela, uma gralha. Eu não as espanto, embora às vezes me roubem ovos do celeiro. Mesmo assim, não as espanto. A nossa desgraça hoje é a mesma. Não espanto ninguém! Ontem veio uma lebre.

Se todo dia viesse gente em casa... Aqui perto também vive uma senhora, em outra aldeia, eu a convidei para vir à minha casa. Se isso ajuda ou não, ao menos tenho com quem falar. A quem chamar. À noite me dói tudo. Sinto as pernas retorcidas, um formigamento, os nervos à flor da pele. Então, pego o que estiver à mão. Um punhado de cereais... E glub, glub. Os nervos se acalmam. Quanto eu já não trabalhei e padeci nesta vida! Mas o que eu tive sempre me bastou e não quero mais nada. Se eu morrer, ao menos descansarei. Não sei quanto à alma, mas o corpo descansará. Tenho filhas e filhos. Todos estão na cidade. Mas eu não quero sair daqui para lugar nenhum! Deus não me livrou de danos, mas me deu anos. Eu sei a carga que é uma pessoa velha, os filhos te aguentam, aguentam e no final te ofendem. Os filhos te dão alegrias quando são pequenos. As nossas mulheres que foram para a cidade, todas lamentam. Ou é a nora que a ofende, ou a filha. Querem voltar.

O meu marido está aqui. No cemitério. Se não estivesse aqui, ele teria ido viver em outro lugar. E eu teria ido com ele. (*De re-*

pente se alegra.) Mas para que ir embora? Aqui está bom! Tudo cresce, tudo floresce. Do mosquito à fera, tudo vive.

Agora me lembro de tudo... Passavam mais e mais aviões. Todo dia. Passavam bem baixo, sobre a cabeça da gente. Voavam para o reator. Para a central. Um depois do outro. E nos evacuavam. Trasladavam. Tomavam de assalto as casas. As pessoas se trancavam, se escondiam. O gado mugia, as crianças choravam. A guerra! E o sol brilhava... Eu me fechei em casa e não saía. Na verdade, não me tranquei com chave. Os soldados bateram: "E aí, senhora, está pronta?". Eu disse: "Vão me amarrar as pernas e os braços e me tirar à força?". Os rapazes ficaram em silêncio por um tempo e se foram. Eram tão jovens. Uns garotos! As velhas se arrastavam de joelhos diante das suas casas. Rezavam. Os soldados as seguravam pelos braços e as levavam ao caminhão. Eu os ameacei: se encostassem em mim, se usassem de força, dava-lhes com o machado. Briguei! Como briguei! Não chorei. Naquele dia não deixei cair nem uma lágrima.

Fiquei dentro de casa. Lá fora eram só gritos. Só gritos! Mas depois, silêncio. Tudo silenciou. E aquele dia... No primeiro dia, eu não saí de casa...

Contam que seguia uma coluna de gente. E uma coluna de gado. A guerra!

O meu marido costumava dizer que o homem atira e Deus conduz a bala. A cada um a sua sorte! Dos jovens que se foram, alguns já morreram. No novo lugar. E eu continuo aqui, com a minha bengala, de pé. Sinto-me triste e choro. A aldeia está vazia. Mas há todo tipo de pássaros. Voam. Até corça passa por aqui como se não tivesse acontecido nada. (*Chora.*)

Eu me lembro de tudo. As pessoas foram embora, mas os gatos e cachorros ficaram. Nos primeiros dias eu levava leite para todos e dava um pedaço de pão aos cachorros. Eles haviam se postado na frente das casas e esperavam os donos. Esperaram durante muito tempo. Os gatos esfomeados comiam pepinos, tomates. Até o outono eu ainda cortava o mato que crescia no portão da vizinha. Parte da cerca caiu e eu consertei. Esperava as pessoas... Na casa da vizinha vivia um cachorrinho chamado Jutchók. "Jutchók", eu dizia a ele, "se você encontrar alguém, venha me chamar."

À noite, sonho que me levam. Um oficial grita: "Senhora, dentro de instantes nós vamos queimar e enterrar tudo. Saia!". E me conduzem para um lugar qualquer, desconhecido. Incompreensível. Não é uma cidade nem uma aldeia. Tampouco uma terra.

Lembrei de outra história. Eu tinha um gatinho. Chamava-se Vaska. No inverno surgiram ratazanas esfomeadas, não havia como me livrar delas. Metiam-se embaixo da manta. Roeram o tonel onde eu guardava grãos. Vaska me salvou. Sem ele, eu teria morrido. Nós comíamos, conversávamos. Até que Vaska desapareceu. Talvez algum cachorro esfomeado o tenha apanhado e devorado. Eles corriam famélicos por ali até morrerem; os gatos tinham tanta fome que comiam as suas crias, no verão não comiam, mas no inverno sim. Perdoe, Senhor! As ratazanas roeram até uma mulher. Na casa dela. As ratazanas ruivas. Se isso é verdade, não sei, mas é o que contam.

Vagavam por aqui uns vagabundos. Nos primeiros anos, não faltavam coisas nas casas: camisas, suéter, casacos. Peguem o que quiserem e levem para vender. Mas se embriagavam, cantavam. Os filhos da mãe. Um caiu da bicicleta e dormiu ali mesmo, no meio da rua. De manhã, só encontraram os ossos e a bicicleta. Se isso é verdade ou não, não sei. Dizem.

Aqui tudo vive. Sim, tudo, tudo! Vivem lagartos, as rãs coaxam. E as minhocas rastejam. E há camundongos! Há de tudo! É bom, em especial na primavera. Eu gosto quando os lilases florescem. Quando as cerejeiras exalam o seu perfume. Enquanto as pernas aguentavam, eu mesma ia comprar pão: há um único local que vende, a quinze quilômetros daqui. Quando era jovem, fazia isso correndo. Estava acostumada. Depois da guerra, íamos buscar sementes na Ucrânia. Andávamos trinta, cinquenta quilômetros. As pessoas carregavam um *pud*,* e eu três. E agora nem em casa eu posso andar. As velhas sentem frio mesmo no verão.

Às vezes os policiais passam por aqui, para controlar a aldeia, e então me trazem pão. Mas o que eles controlam? Aqui vivemos apenas eu e o gatinho. Esse já é outro gatinho. Os policiais tocam a buzina, e para nós é uma festa. Corremos para vê-los. Trazem ossos para o gato. E me perguntam: "E se aparecerem assaltantes?". "O que vão roubar de mim? O que vão levar? A alma? A alma é só o que me resta." São bons rapazes. Riem. Trouxeram pilhas, agora escuto rádio. Gosto de Liudmila Zíkina,** mas agora, não sei por quê, ela raramente canta. Pelo jeito envelheceu, como eu. O meu marido gostava de dizer… dizia assim: fim de festa, viola na cesta.

Vou contar como me encontrei com o gatinho. O meu Vaska tinha desaparecido. Espero por ele um dia, dois… um mês. Enfim, eu tinha ficado completamente só. Não havia ninguém com quem falar. Um dia, decido correr a aldeia pelos jardins vizinhos e vou chamando: Vaska, Murka. Vaska! Murka! Nos primeiros tempos se viam muitos deles, depois sumiram. Foram exterminados. A morte não perdoa. A terra cobre todos. Caminhei por ali um dia, dois, sempre chamando. No terceiro dia, eu o vejo sentado junto ao armazém. Olhamos um para o outro. Eu fiquei alegre e ele também, mas não demonstrou. "Bem, vamos para casa." Ele não se move. Eu digo: "O que você vai fazer aqui sozinho? Os lobos vão te devorar. Vão te fazer em pedacinhos. Venha. Eu tenho ovos e toucinho". Como explicar? Se o gato não entende a língua

* *Pud*: medida de peso russa, equivalente a 16,3 quilos.
** Liudmila Zíkina (1929-2009) foi uma intérprete russa de canções populares.

humana, então como esse me entendeu? Eu andava na frente e ele me seguia. Miau. "Vou te dar um pedaço de toucinho." Miau. "Vamos viver juntinhos." Miau. "Vou te chamar Vaska." Miau. E já atravessamos dois invernos juntos.

À noite, sonho às vezes que alguém me chama. A voz da vizinha: "Zina!". Silêncio. E novamente: "Zina!".

Se fico triste, eu choro um pouco.

Vou ao cemitério. A minha mãe está lá. A minha filhinha pequena... O tifo a consumiu durante a guerra. Assim que a depositamos na sepultura, o sol saiu de detrás das nuvens. Brilhava tanto... Dava vontade de voltar e desenterrá-la. Também o meu marido está lá. Fídia. Eu me sento perto de todos eles. Suspiro. E até posso falar com eles, tanto com os vivos quanto com os mortos. Para mim não há diferença. Ouço tanto uns quanto os outros. Quando você está só... E quando está triste. Muito triste...

Bem perto dos túmulos, vivia o professor Ivan Prókhorovitch Gavrílienko, que foi para a Crimeia com o filho. Um pouco mais além, morava Piotr Ivánovitch Miusski, o tratorista. Era stakhanovista,* numa época em que todos tentavam ser stakhanovistas. Tinha mãos de ouro. Acepilhava a madeira em rendilhados nunca vistos. E que casa! A melhor da aldeia. Liálka! Ah! Que lástima! O sangue me subiu, quando a destruíram e enterraram. O oficial gritava: "Não se aflija, dona. A casa está na zona da 'mancha'". Mas ele mesmo parecia estar embriagado. Eu me aproximo e noto que está chorando: "Vá embora, dona, vá! Vá!". Expulsou-me dali. E adiante ficava o sítio de Micha Mikhailóv, que cuidava das caldeiras da fazenda agrícola. Micha não durou muito.

---

* Adeptos do stakhanovismo, movimento que surgiu na União Soviética em 1935 e que pregava o aumento de produtividade dos trabalhadores, tendo como exemplo o mineiro Aleksiéi Stakhánov, que superou em catorze vezes a meta diária de extração de carvão.

Foi embora, mas logo morreu. Atrás ficava a casa do zootécnico Stepán Bíkhov. Incendiou-se! Certa noite, uma gente ruim ateou fogo. Forasteiros. Stepán também não viveu muito. Foi enterrado em algum lugar na região de Moguilióv, onde viviam os seus filhos. Uma segunda guerra... Quanta gente nós já perdemos! Vassíli Makárovitch Kovalióv, Anna Kotsura, Maksim Nikiforiénko.

Houve um tempo em que vivíamos felizes. Nos feriados havia canções, danças, acordeão. Agora parece uma prisão. Eu, às vezes, fecho os olhos e caminho pela aldeia... "Que radiação é essa", digo a eles, "se as borboletas estão aí voando, e as abelhas zunindo? E o meu Vaska caçando ratos." (*Chora.*)

Mas você, minha querida, entendeu a minha tristeza? Você a levará às pessoas, mas talvez eu já não esteja mais aqui, poderão me encontrar na terra. Sob as raízes.

Zinaída Ievdokímovna Kovaliénka, residente na zona proibida

MONÓLOGO SOBRE TODA UMA VIDA ESCRITA NAS PORTAS

Eu quero testemunhar. Isso aconteceu há dez anos e todo dia se repete comigo. Agora mesmo. Carrego isso sempre comigo.

Vivíamos na cidade de Prípiat. Nessa mesma cidade que hoje o mundo inteiro conhece. Não sou escritor, não saberia como contar... Mas sou testemunha. Aconteceu assim... Vamos ao início...

Você vive como uma pessoa normal. Uma pessoa comum. Assim, como todo mundo à sua volta: vai ao trabalho e volta para casa. Recebe um salário médio. Uma vez por ano, você sai de férias. Você tem mulher. Filhos. É uma pessoa normal! E de repente, de um dia para o outro, você se torna um homem de Tchernóbil. Um animal raro! Uma coisa que interessa a todo mundo, mas que ninguém conhece. Você quer ser como todas as pessoas, mas isso não é mais possível. Não há como voltar ao mundo anterior. Você passa a ser olhado de forma diferente. As pessoas lhe perguntam: "Lá foi tão terrível assim? Como foi o incêndio da central? O que você viu?". Ou, por exemplo: "Você pode ter filhos? A sua mulher o abandonou?". Nos primeiros tempos, todos nós nos tornamos raridades em exposição. A própria expressão "homem de Tchernóbil" até hoje funciona como sinal acústico. Todos giram a cabeça na sua direção. "Você é de lá!"

Esse foi o sentimento dos primeiros dias. Nós perdemos não a cidade, mas a nossa vida inteira.

Saímos de casa no terceiro dia. O reator queimava. Lembro que um dos nossos conhecidos disse: "Tudo cheira a reator". Um odor indescritível. Mas todos leram sobre isso nos jornais. Transformaram Tchernóbil numa fábrica de horror, embora na realidade esteja mais para desenho animado. É preciso compreender, porque vamos viver com isso. Falo apenas de mim, da minha verdade...

Aconteceu assim. Fomos avisados pelo rádio: é proibido levar gatos! A minha filha se pôs a chorar e, com medo de perder a gatinha querida, começou a gaguejar. Vamos pôr a gata na mala! Mas ela fugia, escapava. Arranhava a gente. Proibiram-nos de levar os objetos! Eu não levei as minhas coisas. Apenas uma: tinha que retirar a porta do apartamento e levá-la comigo, não podia deixá-la. Fechei a entrada com tapumes.

A nossa porta é o nosso talismã! É relíquia familiar. Sobre essa porta velamos o meu pai. Não sei que costume é esse, nem todo lugar é assim, mas entre nós, como disse a minha mãe, devemos pôr o defunto sobre a porta de casa. Velamos a pessoa ali até chegar o caixão. Passei a noite inteira junto do meu pai, que jazia sobre essa porta... A casa ficou aberta... A noite toda... E nessa mesma porta, até o alto, estão as marcas... Conforme eu ia crescendo, anotávamos: primeiro ano.* Segundo. Sétimo. Antes do Exército. E ao lado estão as do meu filho. Da minha filha. Nessa porta está escrita toda a nossa vida, como nos papiros antigos. Como eu poderia deixá-la?

Pedi ajuda a um vizinho que tinha carro. Ele me fez sinal com a cabeça como que dizendo: você está doido, amigo. Mas eu levei a porta. À noite, de motocicleta. Pelo bosque. Eu a levei dois anos mais tarde, quando o nosso apartamento já havia sido saqueado. Estava vazio. Fui perseguido pela polícia: "Vamos atirar! Vamos atirar!". Com certeza me tomaram por ladrão. É como se eu tivesse roubado a porta da minha própria casa.

Mandei a minha filha e a minha mulher para o hospital. O corpo delas estava coberto de manchas negras. Às vezes apareciam, às vezes sumiam. Grandes, do tamanho de uma moeda. Mas não sentiam dor nenhuma. As duas foram examinadas. Eu perguntei: "Qual o resultado?". "Isso não diz respeito a você." "E a quem diz respeito?"

Ao meu redor, todos diziam: vamos morrer, vamos morrer. Até o ano 2000, os bielorrussos terão desaparecido. A minha filha acabava de completar seis anos. Exatamente no dia do acidente. Eu a ponho para dormir e ela me sussurra no ouvido: "Papai, eu quero viver, ainda sou pequena". E eu que pensava que ela não entendia a situação… Quando ela via a professora do jardim de infância de avental branco ou a cozinheira do refeitório, tinha um ataque histérico: "Não quero ir para o hospital! Não quero morrer!". Não suportava a cor branca. Na casa nova, tivemos que trocar as cortinas.

Você é capaz de imaginar sete meninas calvas? Na enfermaria eram sete. Não, basta! Vou parar por aqui! Quando eu começo a contar, vem um sentimento, o coração me diz que estou come-

---

* Refere-se ao ano escolar, que se inicia aos sete anos.

tendo uma traição. Porque tenho que descrever como se não fosse a minha filha, como se fosse outra... Os seus sofrimentos... A minha mulher chegava do hospital e não se aguentava: "É melhor que ela morra, que não sofra desse jeito. Ou que eu morra para não ter de assistir mais a isso". Não, basta! Vou parar por aqui! Não tenho forças. Não!

Pusemos a nossa filha sobre a porta... A mesma em que o meu pai foi velado. Enquanto esperávamos o caixãozinho... Era tão pequeno, como uma caixa de boneca grande.

Eu quero testemunhar, a minha filha morreu por culpa de Tchernóbil. E ainda querem nos calar. Dizem que a ciência ainda não comprovou, não há banco de dados. É preciso esperar cem anos. Mas a minha vida humana... Ela é ainda mais curta. Eu não vou esperar. Anote. Anote ao menos que a minha filha se chamava Kátia. Katiúchenka. Morreu aos sete anos.

Nikolai Fomítch Kalúguin, um pai

MONÓLOGO DE UMA ALDEIA SOBRE COMO SE CONVOCAM AS ALMAS DO CÉU PARA CHORAR E COMER COM ELAS

Aldeia Biéli Biéreg, do distrito de Narovliáski, da região de Gómel.

Falam: Anna Pávlovna Artiuchénko, Eva Adámovna Artiuchénko, Vassíli Nikoláievitch Artiuchénko, Sófia Nikoláievna Moróz, Nadiéjda Boríssovna Nikoláienko, Aleksandr Fiódorovitch Nikoláienko, Mikhail Martínovitch Lis.

"Você veio nos visitar... Que boa pessoa... Sem bruxaria, ninguém aparece. Se a palma da mão pinica é sinal de que alguém vai lhe dar bom-dia. Mas hoje não houve premonição. Só um rouxinol que passou a noite trinando, sinal de dia ensolarado. Ah! As nossas mulheres já estão chegando. A Nádia vem ali voando."

"Sobrevivemos a tudo, e sofremos."

"Ah! Não quero lembrar. É terrível. Fomos expulsos. Os soldados nos expulsaram. Trouxeram montanhas de equipamentos de guerra. Blindados. Um avozinho… Já nem levantava mais. Estava morrendo. Ir para onde? 'Eu me levanto agora', disse chorando, 'e vou direto para o túmulo. Com as minhas próprias pernas.' O que nos pagaram pelas nossas casas? Quanto? Olhe em volta que beleza! Quem pode nos pagar por essa beleza? Era uma zona de repouso!"

"Aviões, helicópteros, um ruído infernal. Caminhões com reboques. Soldados. Começou a guerra", eu pensei. "Contra os chineses ou os americanos."

"O meu marido chega de uma reunião no colcoz e diz: 'Amanhã vão nos evacuar'. E eu pergunto: 'E as batatas? Ainda não as colhemos, não tivemos tempo'. O vizinho bate à porta e os dois começam a beber, ele e o meu marido. Depois de beber, foram brigar com o chefe do colcoz: 'Não vamos e ponto final. Passamos pela guerra e agora é isso de radiação. Nem que você nos enfie na terra. Não vamos!'"

"No início, pensamos que íamos morrer em dois ou três meses. De tanto que nos assustaram. E nos impressionavam para que fôssemos embora. Graças a Deus estamos vivos!"

"Graças a Deus! Graças a Deus!"

"Ninguém sabe o que há em outro lugar. Aqui é melhor, já conhecemos tudo. Como dizia a minha mãe: destaque-se, divirta-se e faça o que quiser."

"Vamos à igreja rezar."

"As pessoas começaram a partir. Apanhei terra do túmulo da minha mãe. E de joelhos, eu dizia: 'Perdoa-nos por te abandonar'. Passei a noite junto dela e não tive medo. As pessoas escreviam o nome nas casas. Nas vigas, nas cercas. No asfalto."

"Os soldados matavam os cachorros. Atiravam neles. Bam! Bam! Depois disso, não posso mais ouvir os gritos dos animais."

"Trabalhei aqui como chefe de brigada durante 45 anos. Cuidei das pessoas. Levamos o nosso linho para uma exposição em Moscou, o colcoz me enviou. Trouxe de volta uma insígnia e um diploma. Todos aqui me respeitavam: 'Vassíli Nikoláievitch. O nosso Nikoláievitch'. Mas quem sou eu em outro lugar? Um velho inútil. É aqui que eu vou morrer, as mulheres me trazem água, aquecem a casa. Tinha pena das pessoas... À tardinha, as mulheres regressavam do campo, cantando; eu sabia que elas não iam receber nada. Só uma marca a mais pela jornada trabalhada. Mas assim mesmo elas cantavam."

"Na nossa aldeia as pessoas vivem juntas. Em comunidade."

"Eu sonho, às vezes, que estou vivendo com o meu filho na cidade. Sonho... que estou esperando a morte, esperando. E digo aos meus filhos: 'Me levem até os nossos túmulos, e fiquem comigo cinco minutos junto à nossa casa'. E de cima vejo os meus filhos me levando até lá."

"Mesmo envenenada pela radiação, esta é a minha terra. Não somos mais necessários em lugar nenhum. Até os pássaros preferem os seus ninhos."

"Vou terminar de contar. Eu vivia na casa do meu filho, no sétimo andar. Sempre me aproximava da janela, olhava para baixo e me benzia. Parecia que escutava um cavalo relinchar. O canto de um galo. E me batia uma tristeza... Outras vezes sonhava com a minha casa: eu prendo a vaca e a ordenho por muito, muito tempo. Acordava e não queria me levantar. Ainda estava lá. Às vezes aqui, às vezes lá."

"De dia vivíamos no novo local, e à noite na nossa terra. Em sonhos."

"No inverno, as noites são longas. Muitas vezes ficávamos pensando e nos perguntando: quem já morreu? Muitos morreram na cidade por doença dos nervos e de tristeza, mesmo aos 45 anos; isso lá é idade para se morrer? E nós estamos vivos. Agradecemos todos os dias a Deus e pedimos saúde."

"É como se diz: na terra que te viu nascer, lá deves morrer."

"O meu marido ficou dois meses acamado. Calado, não me respondia. Como se estivesse ofendido. Vou até o pátio, depois volto: 'Paizinho, como você está?'. Vejo que levanta os olhos ao ouvir a minha voz e me tranquilizo. Que estivesse acamado, calado, mas em casa. Quando uma pessoa morre, não se deve chorar. Isso tornará a morte mais difícil para ela. Eu apanhei uma vela no armário e pus entre as mãos dele. Ele segurou, ainda respirava… Vi que os olhos dele se turvavam… Não chorei… Em vez disso, pedi: 'Dê lembranças à nossa filhinha e à minha mãezinha'. Rezei para reunir-me a eles. De alguns Deus se apieda, mas a mim ainda não concedeu a morte. Continuo viva."

"Pois eu não tenho medo da morte. Ninguém vive duas vezes. Também as folhas caem, a árvore cai."

"Amigas! Não chorem. Éramos as primeiras todos os anos. Stakhanovistas! Sobrevivemos a Stálin. À guerra! Se não tivéssemos rido e nos divertido, há muito tempo já teríamos nos enforcado."

"Duas mulheres de Tchernóbil conversavam. A primeira diz: 'Você sabia que nós estamos com muitos glóbulos brancos?'. A outra: 'Que besteira! Ontem eu cortei o dedo e o sangue jorrou vermelho'."

"Na nossa terra, estamos no paraíso. Mas em outras terras, até o sol brilha de outro jeito."

"A minha mãe me ensinou que se deve virar o ícone ao contrário e deixar pendurado desse jeito por três dias seguidos. Onde quer que a pessoa esteja, acabará voltando para casa. Eu tinha duas vacas e dois bezerros, cinco porcos, gansos e galinhas. E um cachorro. E maçãs, quantas maçãs! Agora, ando pelo quintal arrancando os cabelos. Tudo perdido! Tudo perdido!"

"Eu faço faxina na casa, limpo o forno… A gente deve pôr na mesa o pão e o sal, uma terrina e três colherinhas. Tantas colheres quantas forem as pessoas na casa. Tudo para que elas voltem."

"E as cristas das galinhas ficaram negras, não eram mais vermelhas. Coisa da radiação. E não conseguíamos fazer queijo. Passamos um mês sem nata e sem queijo. O leite não azedava, virava pó, um pó branco. Por causa da radiação."

"Essa radiação estava na minha horta. A horta ficou toda branca, branca, branca, como se estivesse polvilhada. Eram muitos pedacinhos… Eu pensei que fosse alguma coisa do bosque, que o vento tivesse trazido."

"Nós não queríamos ir embora. Ah, não! Os homens se embriagavam, se atiravam debaixo das rodas. As autoridades iam de casa em casa, tentando convencer as pessoas. A ordem era: 'Não levem nada!'"

"O gado ficou três dias sem beber e sem comer. Ao matadouro! Chegou o correspondente de um jornal: 'Como estão os ânimos? Como estão as coisas?'. As mulheres que ordenhavam, embriagadas, por pouco não o matam."

"O chefe do colcoz, com soldados, dava voltas ao redor da minha casa. Eles nos amedrontavam: 'Saiam ou vamos queimar tudo! Tenho aqui um galão de gasolina'. Eu corria de um lado para o outro, ora agarrando uma colcha, ora uma almofada."

"Mas diga, segundo a ciência, como é que atua essa radiação? Fale a verdade, nós vamos morrer, de qualquer forma."

"E por que acham que em Minsk não há radiação, se ela é invisível?"

"O meu neto me trouxe um cachorrinho. Chama-se Radio porque vivemos na zona de radiação. Onde ele se meteu? Radio está sempre debaixo da minha perna. Tenho medo que saia da aldeia e seja comido pelos lobos. Vou ficar sozinha."

"Durante a guerra, os canhões cantavam todas as noites. Baques e explosões. Fizemos um refúgio no bosque. Bombas e bombas sem parar. Incendiaram tudo, não só as casas, mas também as hortas e até as cerejeiras queimaram."

"Que não haja nenhuma guerra... Tenho tanto medo!"

"Na rádio Armênia,* perguntam: 'Pode-se comer as maçãs de Tchernóbil?'. E a resposta: 'Sim, mas depois você tem de enterrar os restos bem fundo na terra'. Outra pergunta: 'Quanto é sete vezes sete?'. Resposta: 'Pergunte a qualquer um de Tchernóbil, que fará a conta nos próprios dedos'. Ha-ha-ha-ha.

"Nos deram uma casinha nova, de pedra. Em sete anos não batemos um prego nela. Era estranha, tudo era estranho. O meu marido chorava, chorava. Durante a semana, trabalhava no colcoz como tratorista, esperava o domingo, mas no domingo ficava deitado, virado para a parede, chorando."

"Ninguém nos engana mais, não vamos sair daqui para lugar nenhum. Não temos armazém nem hospital. Não temos luz. A nossa iluminação é feita com lampiões de querosene e lascas de madeira. Mas para nós está bom. Estamos em casa."

"Na cidade, a minha nora andava atrás de mim pelo apartamento com um pano, limpando a maçaneta da porta, a cadeira. Tudo comprado com o meu dinheiro, todos os móveis, o carro. O dinheiro acabou e a mãe não servia mais para nada."

"Os nossos filhos tomaram o nosso dinheiro. E o que sobrou, a inflação comeu. Tudo o que recebemos das autoridades pelas casas, pelas macieiras."

"Apesar disso, estamos alegres. Perguntam na rádio Armênia: 'O que é uma radiobabá?'. Resposta: 'É uma avó de Tchernóbil'. Ah-ah-aha!"

---

* Estação que transmitia um programa cômico de perguntas e respostas, muito popular na época, com sátiras sobre o cotidiano da União Soviética.

"Passei duas semanas caminhando. Levando a minha vaca. As pessoas não me deixavam entrar na casa delas. Eu dormia no bosque."

"As pessoas têm medo de nós. Dizem que somos contagiosos. Por que Deus nos castigou? Por que se zangou? Não vivemos como gente, pela lei de Deus. Matamos uns aos outros. Por isso."

"No verão, os meus netos vieram aqui. Nos primeiros anos não vinham, também tinham medo. Agora me visitam, levam coisas daqui, embrulham tudo que você dá. 'Vovó', perguntam, 'você leu o livro do Robinson?' Ele também vivia só, como nós. Sem pessoas. Eu trouxe comigo meio saco de fósforos, um machado e uma pá. Hoje tenho toucinho, ovos, leite. Tudo meu. Só o açúcar que não dá para semear. Terra aqui tem à vontade! Você pode lavrar cem hectares. E nenhuma autoridade para mandar em você. Aqui ninguém te perturba. Nem chefes nem nada. Somos livres."

"Com a gente aqui, os gatos voltaram. E os cachorros. Voltamos juntos. Os soldados não nos deixavam passar. Tropas de assalto. Nós, então, à noite... Pelos atalhos do bosque. Como os *partisans*."

"Não precisamos de nada do governo. Nós produzimos tudo. Queremos apenas que nos deixem em paz! Não precisamos de armazém nem de ônibus. E para conseguir pão e sal, caminhamos vinte quilômetros. Fazemos as coisas do nosso jeito."

"Quando chegamos, tivemos de acampar. Três famílias. Tudo tinha sido saqueado: os fornos estavam destruídos, as janelas e portas haviam sido arrancadas. O assoalho. As luminárias, os interruptores, as tomadas; tudo roubado. Nada estava de pé. Com estas mãos, fizemos tudo de novo, com estas mãos. E como não!"

"Os gansos selvagens gritando, a primavera chegando. Era hora de semear. E nós com as casas vazias... Só os telhados estavam inteiros."

"A polícia gritava. Vinham de carro, mas nos escondíamos no bosque. Como fazíamos com os alemães. Uma vez caíram em cima de nós, e um fiscal ameaçou nos prender. Eu disse: 'Pois que me prendam por um ano; assim que eu sair, volto para cá'. O trabalho deles é gritar. O nosso é nos calar. Eu tenho medalha de condutor de ceifadeira, e o sujeito ameaça me levar em cana... Como um criminoso."

"Todo dia eu sonhava com a minha casa. Voltei, e agora planto a minha horta, arrumo a cama... E sempre encontro alguma coisa: sapatos, galinhas... Foi o melhor que podia acontecer. Essa volta."

"De noite rogamos a Deus; de dia, aos policiais. Se você me perguntar: 'Por que está chorando?', lhe direi que não sei por que choro. Estou feliz de viver aqui na minha casa."

"Nós vivemos de tudo, padecemos de tudo..."

"Vou contar uma piada. As ordens do governo sobre os benefícios para a gente de Tchernóbil: aos que vivem a um raio de vinte quilômetros da central nuclear, acrescente-se ao sobrenome o prefixo 'von'. Os que vivem a dez quilômetros, estes já são 'Vossa Ilustríssima'. E os que sobreviveram junto à central, 'Vossa Resplandecência'. Pois assim vivemos, ilustríssimos... Ha-ha-ha-ha!"

"Um dia, fui ao médico: 'Doutor, as minhas pernas não andam bem, sinto dor nas juntas'. 'Você deve entregar a vaca, avó. O leite está envenenado.' 'Ah, isso não', comecei a chorar, 'que me doam as pernas, que doam os joelhos, mas não entrego a vaca. É o meu sustento.'

"Eu tenho sete filhos. Todos vivem na cidade. Aqui, estou sozinha. Quando sinto saudades, eu me sento perto das fotografias. Converso com eles, falo comigo mesma. Eu pintei a casa sozinha, foram seis galões de tinta. Assim vou vivendo. Criei quatro meninos e três meninas. O meu marido morreu cedo. Fiquei sozinha."

"Topei com um lobo. Ele parou, eu parei. Ele olhou, eu olhei. Ele saltou para o lado e... fugiu a toda. Até o meu boné se arrepiou de medo."

"Qualquer bicho tem medo dos humanos. Se você não tocar no animal, ele te deixa em paz. Antes você ia ao bosque e ouvia vozes, corria para encontrar as pessoas; agora as pessoas se escondem umas das outras. Deus me livre de encontrar alguém no bosque!"

"Tudo o que foi escrito na Bíblia está se cumprindo. Até sobre o nosso colcoz está escrito lá... E sobre Gorbatchóv... Que chegará um grande chefe com uma mancha na testa e que a grande potência se desmanchará. E logo chegará o juízo final. Os que vivem nas cidades, todos morrerão, e nas aldeias sobrará só um homem. E o homem se alegrará de ver as pegadas de outro homem! Não de ver outro homem, mas as pegadas dele..."

"A nossa luz é do lampião. De querosene. Ah, as mulheres já disseram isso. Quando matamos um javali, nós ou o levamos para uma adega, ou o enterramos. A carne fica ali três dias. Fazemos a aguardente do nosso grão."

"Eu tenho dois sacos de sal. Não estamos perdidos sem o governo! Lenha não falta: temos o bosque inteiro aqui em volta. A casa é aquecida. O lampião nos dá luz. Estamos bem! Tenho uma cabra, um cabrito, três porcos, catorze galinhas. A terra que quiser, a erva que precisar. Há água no poço. Estamos livres! Estamos bem! Nós aqui não somos um colcoz, somos uma comuna. Comunismo! E ainda vamos comprar um cavalinho. E então já não vamos precisar de ninguém. Um cavalo..."

"Não é simplesmente que voltamos para casa; mas, como disse um jornalista assustado que passou por aqui, voltamos cem anos no tempo. Ceifamos com a gadanha e a foice. Debulhamos os grãos sobre o asfalto. O meu marido trança cestas. E eu aproveito o inverno para coser e tecer."

"Na guerra, mataram dezessete pessoas da minha família. Dois dos meus irmãos. A minha mãe não parava de chorar. Uma velha que andava de aldeia em aldeia pedindo esmola disse a ela: 'Você está sofrendo? Não sofra. Quem dá a vida pelos outros é um homem santo'. Eu posso dar tudo pela pátria... Mas não posso matar... Sou professora, ensinei a amar as pessoas. O bem sempre vence. As crianças são pequenas, têm a alma pura."

"Tchernóbil é a pior de todas as guerras. O homem não tem salvação em parte alguma. Nem na terra, nem na água, nem no céu."

"Não temos televisão nem rádio. Eles foram desligados faz tempo. Não temos nenhuma notícia, mas vivemos tranquilos. Não nos preocupamos. As pessoas vêm e nos contam: há guerra por toda parte. Parece que o socialismo acabou, que vivemos no capitalismo. E que os tsares vão voltar. É verdade?"

"Às vezes aparece no nosso quintal um javali saído do bosque, outras vezes uma corça... Mas gente é raro. Só vêm alguns policiais..."

"Venha até a minha casa."

"Venha à minha também. Faz tempo que não recebo visita em casa."

"Eu me benzo, rezo... Senhor! Duas vezes a polícia destruiu o meu fogão, me arrancaram daqui de trator. Mas eu volto! Se deixassem, as pessoas voltariam para casa até de joelhos. Espalharam pelo mundo a nossa desgraça. Só deixam os mortos voltar. Mas os vivos, apenas de noite. Pelo bosque..."

"Na Radúnitsa* todos querem vir. Qualquer um. Todos querem festejar os seus mortos. A polícia só deixa passar os que têm permissão e proíbe crianças com menos de dezoito anos. Quando eles chegam, ficam tão felizes de encontrar de novo as suas casas, os quintais e as macieiras... Primeiro, eles vão chorar nos túmulos, depois se espalham pelos seus quintais. E lá também choram e rezam. Acendem velas. E se abraçam às suas cercas, como fazem com as cercas dos túmulos. Às vezes deixam um raminho junto à

---

* Na Igreja Ortodoxa russa, data que celebra os mortos. Coincide com a primeira terça-feira depois da Páscoa.

casa. Penduram uma toalha branca no postigo... O padre reza uma oração: 'Irmãos e irmãs! Vocês devem se resignar!'."

"Levam ovos e bolos ao cemitério... Muitos *bliní** em vez de pão. Cada um leva o que tem... E sentam perto dos parentes. E chamam: 'Irmã, eu vim te ver. Venha comer conosco'. Ou: 'Mãezinha querida... Paizinho querido... Irmãzinha...'. Chamam as almas do céu... Choram pelos que morreram esses anos; pelos que morreram antes, não choram. Falam com eles, recordam. Rezam por todos. E até quem não sabe, reza."

"Mas não se deve chorar pelos mortos à noite. Depois que o sol se põe, não se deve mais chorar. Meu Deus, proteja as suas almas. E delas seja o reino dos céus!"

"Chora quem não labora... Veja uma ucraniana, que vende no mercado umas maçãs grandes e vermelhas. Ela grita: 'Comprem maçãs! Maçãs de Tchernóbil!'. Alguém a aconselhou: 'Não diga, moça, que é de Tchernóbil. Assim, ninguém vai comprar'. 'Que nada! Compram sim, e como! Uns levam para a sogra, outros para o chefe.'"

"Anda por aqui um homem que saiu da prisão. Com a anistia. Vivia na aldeia vizinha. A mãe morreu, enterraram a casa. Veio para cá. 'Tia, me dê um pedaço de pão e toucinho que eu corto a lenha.' Vive de esmola."

"O país está um bordel, e as pessoas fogem para cá. Fogem dos homens. E da lei. E vivem sozinhas. Gente estranha. De rosto sério, não tem bondade nos olhos. E quando se embriagam, podem pôr fogo na sua casa. À noite, dormimos com facões e machadinhas debaixo da cama. Na cozinha, perto da porta, guardamos um martelo."

"Na primavera, apareceu uma raposa com raiva por aqui; quando contrai raiva, ela fica mansinha, mansinha. Não pode

* *Bliní*: panquecas russas.

olhar para a água. Se você puser um balde d'água no quintal, pode ficar tranquilo. Ela vai embora."

"Vêm pessoas aqui… Fazem filmes com a gente, mas nós nunca vamos ver. Não temos televisão nem eletricidade. Só olhamos pela janela. E rezamos, claro. Tivemos os comunistas no lugar de Deus, mas agora só restou Deus."

"Nós somos gente honrada. Eu fui *partisan*. Lutei um ano com os *partisans*. E quando os nossos botaram os alemães para correr, fui para o front. Tenho o meu sobrenome escrito no Reichstag: Artiuchénko. Depois que larguei o uniforme, fui construir o comunismo. Mas onde está hoje aquele comunismo?"

"Aqui tudo é comunismo. Vivemos como irmãos e irmãs."

"Quando a guerra começou, naquele ano não nasceu nem cogumelos nem frutos. Você acredita? A terra pressentia a desgraça. Foi em 1941… Lembro tão bem! Nunca me esqueci da guerra. Correu o boato de que traziam os nossos homens prisioneiros, e que se alguém os reconhecesse, eles poderiam voltar para casa. As mulheres foram correndo buscá-los! À noite regressaram, algumas com os seus, outras com pessoas diferentes. Mas aconteceu uma traição… De um homem que vivia como todo mundo, casado, com dois filhos. Denunciou ao comandante que nós tínhamos protegido uns ucranianos. Vaskó, Sachkó… No dia seguinte, os alemães vieram de motocicleta… Nós imploramos de joelhos, pedimos… Eles levaram os rapazes para fora da aldeia e os mataram com metralhadoras. Nove homens. Eram tão jovens, tão gentis! Vaskó, Sachkó… Que não aconteça nenhuma guerra. Tenho tanto medo!"

"As autoridades vêm aqui, gritam e gritam, e nós nos fingimos de surdos e mudos. Já vivemos e sofremos de tudo."

"Eu não paro de pensar no meu homem… Sempre nele… No túmulo… Uns se lamentam em voz alta, outros, em voz baixa. Alguns até dizem assim: 'Abre-te, areia amarela. Abre-te, noite escura'.

Do bosque você ainda pode esperar alguma coisa, mas da terra não sai nada. Mesmo que eu fale com carinho: 'Ivan, Ivan, como posso viver?'. Ele não me responde nada, nem de bom nem de mau.

"E eu, eu não tenho medo de ninguém: nem de defunto nem de bicho. De ninguém. O meu filho vem da cidade e se zanga: 'Por que você fica aqui sozinha? E se alguém te mata?'. E o que levariam de mim? Só tenho algumas almofadas... Numa casa simples, o que há de mais valioso são as almofadas. Se vier um ladrão, se eu vir a cabeça dele entrando pela janela, corto fora com o machado. Pode ser que não exista Deus, vai ver é outro, mas que lá no alto existe alguém, ah, existe! Por isso eu continuo viva."

"No inverno, o avô pendurou no pátio um bezerro despedaçado. E bem naquele dia vieram uns estrangeiros: 'Avô, o que você está fazendo?'. 'Estou expulsando a radiação.'"

"As pessoas contam que um homem enterrou a mulher e ficou sozinho com uma criança pequenininha. Começou a beber de tristeza. Tirou a roupa molhada da criança e pôs debaixo da almofada. E a mulher (ou ela mesma, ou a alma dela) apareceu de noite, lavou, secou e guardou tudo no lugar. Uma vez ele a viu e, quando chamou a esposa, ela imediatamente desapareceu. Ela se converteu em ar. Então, os vizinhos aconselharam: quando a sombra aparecer, tranque a porta com a chave e pode ser que ela não vá embora. Mas ela não voltou mais. O que foi aquilo? O que era aquilo que aparecia? Você não acredita? Então me diga de onde vêm essas histórias. Você que é uma pessoa estudada."

"E por que é que Tchernóbil foi pelos ares? Uns acham que a culpa é dos cientistas. Foram puxar Deus pela barba, agora é Deus que ri por último. E nós aqui sofrendo!"

"Mas bem mesmo, nunca vivemos. Nunca vivemos tranquilos. Antes da guerra, levavam pessoas. Três dos nossos homens. Chegaram em carros pretos e levaram-nos embora, até hoje nunca mais voltaram. Nós vivemos sempre com medo."

"Eu não gosto de chorar. Prefiro ouvir piadas novas. Na zona de Tchernóbil plantaram tabaco. Na fábrica de tabaco, fizeram cigarros. E em cada maço, escreveram: 'O Ministério da Saúde o previne pela última vez! O tabaco é perigoso para a saúde'. Ha-ha--ha-ha! E os nossos velhos fumam."

"A única coisa que tenho é a vaca. Eu só entregaria a minha vaca se fosse para não haver guerra. Tenho tanto medo da guerra!"

"O cuco canta, a maitaca tagarela. As corças correm. Mas se eles ainda vão existir no futuro, ninguém sabe. De manhã fui olhar a horta e vi que os javalis tinham revirado tudo. São selvagens. As pessoas podem mudar de lugar, mas as corças e os javalis não mudam. A água também não tem fronteira, corre pela terra e por baixo dela."

"Uma casa não fica de pé se o homem não a habita. Os animais também precisam do homem. Todos procuram o homem. Hoje veio uma cegonha. E um besouro saiu da toca. E tudo isso me enche de alegria."

"Ai, como me dói, vizinhas, como dói! É melhor falar baixo. Levem o ataúde em silêncio. Com cuidado. Não deixem bater na porta ou na cama, não deixem encostar nem bater em nada. Senão, acontece uma nova desgraça, podemos esperar outro defunto. Que Deus proteja as almas. Que delas seja o reino dos céus! Aqui onde as enterram, aqui mesmo choram. Tudo aqui são túmulos. E também em volta. O zumbido dos caminhões, das escavadeiras. As casas são derrubadas. Os coveiros não param de trabalhar. Enterraram a escola, o soviete, os banhos. O mundo é o mesmo, mas as pessoas, não. Eu mesma não sei se o homem tem uma alma. Que alma é essa? E como é que cabem todas no outro mundo?"

"O avô estava morrendo aos poucos, fazia dois dias; eu ficava quietinha junto do forno, vigiando, que era pra ver como é que a alma dele ia sair voando. Fui ordenhar a vaca. Voltei correndo para casa, chamei-o. Ele estava deitado com os olhos abertos. A alma já tinha voado. Ou isso não aconteceu? Como vamos voltar a nos ver?"

"O padre nos diz e promete que somos imortais. Então, rezamos. Senhor, nos dê forças para aguentar as fadigas da nossa vida."

MONÓLOGO SOBRE MINHOCAS, A ALEGRIA DAS GALINHAS. E SOBRE O QUE FERVE NA PANELA TAMBÉM NÃO SER ETERNO

O primeiro medo... O primeiro medo caiu do céu. Veio boiando na água. Algumas pessoas, e eram muitas, estavam frias como pedra. Juro pela cruz! Os homens mais velhos se punham a beber: "Chegamos a Berlim e vencemos". E diziam isso como se pregassem na parede. Vencedores! E com medalhas.

O primeiro medo foi... De manhã cedo, havia toupeiras no jardim e na horta, asfixiadas. Quem fez isso? Em geral elas não saem de debaixo da terra para a luz. Alguma coisa as expulsou de lá. Juro pela cruz!

O meu filho me telefona de Gómel:

"Os besouros de maio estão voando?"

"Não há besouros nem lagartas em lugar nenhum, eles se esconderam."

"E minhocas?"

"Se você encontrar minhocas, a galinha vai ficar feliz. Não há mais nenhuma."

"Este é o primeiro sinal: onde não se vê besouros e minhocas, é que ali a radiação é alta."

"O que é radiação?"

"Mamãe, é uma espécie de morte. Convença o papai a ir embora. Vocês podem viver conosco."

"Mas se ainda nem plantamos a horta…"

Se todo mundo fosse inteligente, não ia sobrar ninguém para ser tolo. Queima? Pois que queime. O incêndio só dura um tempo, e naquela época ninguém tinha medo de incêndio. Ninguém conhecia o átomo. Juro pela cruz! Nós morávamos ao lado da central nuclear, em linha reta são trinta quilômetros, pela estrada são quarenta. Vivíamos muito bem. Você comprava uma passagem e ia até lá. Éramos abastecidos como em Moscou: salsichas baratas, sempre havia carne nas vendas. Você podia escolher à vontade. Como foi bom esse tempo!

Mas agora só resta o medo… Contam que as rãs e as moscas vão ficar, mas as pessoas não. A vida vai ficar, mas sem as pessoas. Contam muita coisa. Quem gosta disso é porque é tolo. Mas todo conto tem a sua verdade… Há uma canção antiga que diz isso…

Ligo o rádio. E não param de nos assustar com a radiação. Mas nós vivemos bem com a radiação. Juro pela cruz! Repare só: nos trouxeram laranjas, três tipos de salsichas, o que você quiser. E isso para a aldeia! Os meus netos já conhecem metade do mundo. A neta mais nova chegou da França, lá de onde Napoleão veio nos invadir… "Vovó, eu provei abacaxi!" O segundo neto, irmão dela, foi levado para Berlim para se curar de uma doença… Lá de onde Hitler veio nos invadir… Com os seus tanques… Esse já é outro mundo… Tudo é diferente… A culpa é da radiação ou de quem? Como ela é? Vai ver, mostraram-na em algum filme. Você viu? Ela é branca ou o quê? De que cor? Uns contam que ela não tem cor nem cheiro, outros contam que é negra. Como a terra! Se não tem cor, é como Deus: está em todo lugar, mas ninguém vê. Querem nos assustar. As maçãs estão penduradas nas árvores e as folhas também, as batatas estão crescendo no campo…

O que eu penso é que não houve nenhum Tchernóbil, que inventaram isso tudo. Enganaram as pessoas. A minha irmã foi embora com o marido. Não muito longe daqui, uns vinte quilômetros. Nem bem fazia dois meses que viviam ali, e um dia vem correndo uma vizinha e lhes diz:

"A radiação passou da sua vaca para a minha. A vaca está caída."

"E como ela passou?"

"Ela voa pelo ar, flutua. É voadora."

Histórias! Contam muita coisa… Mas o que eu vou contar é verdade. O meu avô tinha abelhas, cinco colmeias. Pois as abelhas passaram três dias sem voar, nem umazinha saiu. Ficaram lá dentro das colmeias. Esperando. O avô anda para lá e para cá no pátio: "Que peste deu nelas? É a cólera? Aconteceu alguma coisa na natureza". Mas foi um vizinho que nos explicou, mais tarde, depois de um tempo, que o sistema delas é melhor que o nosso, veja só, elas ouviram logo. O rádio e os jornais ainda não diziam nada, mas as abelhas já sabiam de tudo. Só no quarto dia elas saíram para voar.

E as vespas… Havia vespas, um vespeiro sob o telhado, ninguém mexia ali, e naquele dia de manhã elas desapareceram. Ninguém as viu, nem vivas nem mortas, nem sombra. Voltaram depois de seis anos. A radiação… Ela assusta as pessoas e os animais… E os pássaros… Até a árvore, que é muda. Não dirá nada. Mas os besouros das batatas seguem iguais, comendo o bulbo, devorando a folha, estão habituados ao veneno. Como nós.

Mas quando penso que em cada casa alguém morreu… Ali na outra rua, do lado de lá do rio… Lá, todas as mulheres estão sem maridos, não há homens. Os homens morreram. Na nossa rua, o meu avô ainda vive, e também outro, por ali. Deus leva os homens antes. Por que razão? Ninguém pode traduzir em palavras, ninguém conhece o segredo. Mas pense só: homem ficar sem mulher também não é bom. Eles bebem, minha filha, bebem. Bebem de tristeza. Pois quem quer morrer? Quando uma pessoa morre, dá tristeza! Sem consolo. Ninguém nem nada pode te consolar. Eles bebem e falam. Discutem… Bebem, riem e zás! Outro que se vai. Todo mundo quer a morte rápida. Mas, como merecê--la? Só a alma vive, minha filha…

As nossas mulheres estão vazias, uma em cada três, o que tem nelas de feminino foi cortado. Tanto na jovem como na velha… Nem todas chegaram a parir… Enquanto eu penso… Tudo passou, e parece que não existiu…

Que mais eu posso dizer? Precisamos viver. Nada mais…

Ainda tem uma coisa: antes, a gente mesmo é que batia a manteiga, o creme de leite, fazia a coalhada e o queijo. Preparávamos a massa do leite. Comem isso na cidade? Você cobre a farinha com água, mistura, e ela começa a soltar pedaços de massa, então você põe os pedaços numa panela com água fervendo. Põe tudo no fogo lento e vai regando com leite. A nossa mãe nos ensinava: "Vocês têm que aprender isso, crianças. Eu também aprendi com a minha mãe". A gente bebia suco de bétula e de bordo: *beriózovik* e *klenóvik*. Púnhamos a vagem sem debulhar no caldeirão de ferro e cozinhávamos no fogão grande. Fazíamos geleias de frutas silvestres… E durante a guerra, a gente colhia urtigas, espinafre da montanha e outras ervas. O corpo inchava de fome, mas não dava para morrer. Havia frutas no bosque, havia cogumelos… E agora essa vida, tudo está destruído. E a gente pensava que tudo aquilo era indestrutível, que seria assim para sempre. Que tudo que se cozinhava na panela era eterno. Eu nunca acreditaria que isso ia mudar. E o que aconteceu? O leite está proibido; os legumes proibidos. Proíbem os cogumelos e as bagas. Mandam macerar a carne por três horas. E trocar a água de cozimento das batatas duas vezes. Mas brigar com Deus é inútil… Precisamos viver…

Querem nos assustar dizendo que não podemos beber da nossa água. Mas como é possível ficar sem água? Toda pessoa precisa de água. Nada existe sem água. Você encontra água até na pedra. Pode ser que a água seja eterna? Toda a vida depende dela... E a quem você vai perguntar? Ninguém diz nada. Rezam a Deus, mas não perguntam para ele. Precisamos viver...

Olhe, o grão cresceu. Vem aí uma boa colheita.

Anna Petróvna Badáieva, residente na zona contaminada

MONÓLOGO SOBRE UMA CANÇÃO SEM PALAVRAS

Eu me ajoelho aos seus pés... Suplico... Encontre Anna Suchkó. Ela vivia na nossa aldeia. Em Kojúchki. Anna, o sobrenome é Suchkó... Eu dou todos os detalhes e você publica. É corcunda e é muda desde a infância. Vivia sozinha. Sessenta anos... Durante a evacuação, foi posta numa ambulância e levada para algum lugar desconhecido. Ela não foi alfabetizada, por isso nunca recebemos nenhuma carta dela. Meteram as pessoas doentes e solitárias em asilos. Esconderam-nas. Mas ninguém sabe onde Anna está. Publique isso...

Todos nós da aldeia sentimos muito a sua falta. Cuidávamos dela como se fosse uma criancinha. Um rachava lenha para ela, outro lhe levava leite. Alguém fazia companhia a ela em casa, acendia-lhe o forno... Depois de dois anos pulando de galho em galho, voltamos para as nossas casas. Diga a ela que a sua está inteira. Tem telhado, tem janelas. O que está quebrado ou foi roubado, vamos consertar. Consiga para nós ao menos o endereço de onde ela está vivendo e sofrendo, nós vamos até lá e a trazemos, trazemos Anna de volta. Assim, ela não morre de tristeza. Eu me ajoelho aos seus pés. Uma alma inocente sofre em um lugar estranho...

Há outro detalhe, eu tinha me esquecido... Quando ela sente alguma dor, começa a cantar. Sem palavras. Só com a voz. Por-

que falar, não pode... Quando sente dor, a voz estica: a-a-a...
Assim é que ela se queixa...

A-a-a...

Maria Voltchók, vizinha

TRÊS MONÓLOGOS SOBRE UM ANTIGO TERROR,
E SOBRE POR QUE O HOMEM CALAVA ENQUANTO
AS MULHERES FALAVAM

Falam: A família K, mãe e filha. E o homem (marido da filha) que não diz palavra.

A filha:

Nos primeiros tempos, eu chorava dia e noite. Queria chorar e falar... Nós somos do Tadjiquistão, de Duchambé. Lá, estão em guerra...

Não posso falar disso... Estou esperando um bebê, estou grávida. Mas vou contar...

Um dia entraram umas pessoas no ônibus para verificar os passaportes. Gente comum, só que de fuzil. Olharam os documentos e empurraram os homens para fora. E ali mesmo, junto da porta... atiraram neles. Nem sequer os levaram para um canto. Eu nunca teria acreditado nisso, mas eu vi. Vi como retiraram dois homens, um ainda bem jovem, bonito, que gritava alguma coisa em tadjique, em russo... Gritava que a sua esposa tinha acabado de parir, que ele tinha três crianças pequenas em casa. E eles riam, riam, e também eram jovens, bem jovens. Gente comum, só que de fuzil. O jovem caiu... Beijou os sapatos deles... Todos nós ficamos em silêncio, o ônibus todo. Assim que o ônibus partiu: ta-ta-ta... Tive medo de olhar para trás... (*Chora.*)

Não posso falar disso... Estou esperando um bebê. Mas vou contar... Peço que não escreva o meu sobrenome, só o nome, Svetlana. A nossa família ficou lá. Foram mortos... Antes eu achava que nunca mais teríamos guerra. É um país grande, o nosso país querido. O mais poderoso! Antes nos diziam que na União Soviética éramos pobres, e que vivíamos com meios escassos porque tínhamos passado por uma grande guerra, o povo tinha sofrido; mas que agora tínhamos um Exército poderoso, que ninguém se meteria conosco. Ninguém poderia nos vencer! E então, começamos a nos matar uns aos outros... Hoje, a guerra não é mais como antes. O nosso avô se lembrava daquela guerra, de como chegou à Alemanha, a Berlim. Agora um vizinho mata o outro; os meninos que estudaram juntos na escola se matam, estupram as meninas que dividiam a carteira com eles. Estão todos loucos...

Os nossos maridos se calam. Os homens se calam e não dizem nada. Quando fogem, são chamados de maricas, de covardes! Traidores da pátria. Mas que culpa eles têm? Será que são culpados porque não podem atirar? Porque não querem? O meu marido é tadjique, teria de ir à guerra e matar. Mas ele me disse: "Vamos embora. Não quero lutar nessa guerra. Não quero segurar um fuzil". Ele gosta de trabalhar como carpinteiro, cuidar de cavalos. Não quer atirar. O seu coração é assim... Ele também não gosta de caçar. Lá era a sua terra, falavam a sua língua, mas ele foi embora porque não quer matar outro tadjique igual a ele, uma pessoa conhecida e que não o ofendeu... Lá, ele nem assistia à televisão. Tapava os ouvidos. Mas aqui se sente só, os irmãos estão lá e lutam, um já morreu. A mãe e as irmãs ficaram lá. Viemos para cá de trem, de Duchambé, num vagão sem vidros, muito frio, sem calefação. Não dispararam contra nós, mas no caminho atiraram pedras contra as janelas: "Russos, fora daqui! Invasores! Chega de roubar!". Mas ele é tadjique e teve de ouvir isso. E os nossos filhos também. A nossa filha estudava no primeiro ano e gostava muito de um coleguinha. Tadjique. Um dia, ela chegou da escola e perguntou: "Mamãe, eu sou o quê, tadjique ou russa?". Não há como explicar a ela...

Não posso falar disso... Mas vou contar... Os tadjiques de Pamir lutam contra os tadjiques de Kuliab. São todos tadjiques, têm o mesmo Corão, a mesma fé, mas os de Kuliab matam os de Pamir, e os de Pamir matam os de Kuliab. No início, todos eles se reuniam na praça, gritavam e rezavam. Eu queria entender o que se passava e também fui até lá. E perguntei aos velhos: "Contra quem vocês estão?". Eles me responderam: "Contra o Parlamento; nos disseram que esse Parlamento é uma pessoa má".

Depois, a praça ficou vazia e começaram a disparar. E num instante o país se tornou estranho, desconhecido. Oriente! Até esse momento, a gente achava que vivia na nossa terra. Segundo as leis soviéticas. Quantos túmulos russos ficaram por lá, e ninguém para chorar os mortos... O gado pasta nos cemitérios russos... As cabras... Os velhos russos vivem do lixo...

Eu trabalhava na maternidade como enfermeira. Uma noite, no meu plantão, uma mulher, que estava dando à luz, paria com dificuldade e gritava. Nisso, entrou correndo uma auxiliar sem avental e sem luvas esterilizadas... O que estava acontecendo? O que levava uma pessoa a entrar assim na sala de parto? "Moças, os bandidos!", ela gritou. Nisso, entram uns homens com máscaras negras e armas. Vieram pra cima de nós: "Passem o narcótico! E o álcool!". "Não temos narcóticos nem álcool!" O médico estava na ponta do fuzil, contra a parede. "Isso é o que nós vamos ver!" Nesse momento, a mulher que estava parindo lançou um grito de alívio. Um grito de alegria. E a criança começou a chorar. Tinha acabado de nascer... Eu me inclinei sobre o recém-nascido, nem lembro se era menino ou menina. Ainda não tinha nome, nada. Os bandidos se voltaram e nos perguntaram se era de Kuliab ou de Pamir. Não se era menino ou menina, mas se era de Kuliab ou

Pamir. Ficamos caladas... Eles gritaram: "De onde é?!". Não respondemos, então eles agarraram a criança que estava a cinco ou dez minutos neste mundo e a atiraram pela janela... Eu sou enfermeira, vi mais de uma vez crianças morrerem. Mas por isso... O coração quase me pula do peito... Não posso me lembrar disso... (*Chora de novo.*)

Depois desse episódio, fiquei com as mãos cobertas de eczemas. As minhas veias incharam. E me abateu uma indiferença a tudo, não queria mais levantar da cama. Caminhava para o hospital e dava meia-volta. Eu mesma já esperava um filho... Como viver? Como parir ali? Viemos para cá... Para a Bielorrússia... Para Naróvlia, uma cidade tranquila, pequena. E não me pergunte mais nada... Não quero me chatear... (*Silêncio.*)

Uma coisa que eu... que eu gostaria que você soubesse. Eu não temo a Deus. Tenho medo é dos homens. No início, perguntávamos às pessoas daqui: "Onde está essa radiação?". "Onde você estiver, ali está a radiação." Então é na terra toda? (*Enxuga as lágrimas.*) As pessoas foram embora. Ficaram com medo.

Eu não tenho tanto medo daqui quanto de lá. Nós ficamos sem pátria. Não somos de lugar nenhum. Os alemães* voltaram para a Alemanha; os tártaros,** quando lhes foi permitido, voltaram para a Crimeia; ninguém mais quer os russos. Confiar em quê? Esperar o quê? A Rússia nunca protegeu os seus povos, porque é um país grande, infinito. Honestamente, eu não sinto a Rússia como meu país, nós fomos educados de outra forma: a nossa pátria era a União Soviética. E agora você já não sabe sequer

---

* Alemães do Volga que se estabeleceram na região na condição de colonos, na época de Catarina, a Grande. Durante a invasão nazista foram perseguidos por Stálin e deportados para a Sibéria. A maioria emigrou depois da perestroika.

** Em 1944, os tártaros foram deportados em massa da Crimeia para a Ásia Central por Stálin, acusados, como outros povos, de colaborar com os nazistas. Só puderam voltar para a região em 1989.

como salvar a sua alma. Ao menos aqui não há tiros, menos mal. Conseguimos uma casa, o meu marido tem trabalho. Escrevi uma carta a alguns conhecidos; eles chegaram ontem. Vão ficar aqui para sempre. Chegaram de noite e tiveram medo de sair do prédio da estação de trem. Passaram a noite sobre as malas, com as crianças agarradas a eles. Esperaram amanhecer. Depois, viram as pessoas andando pela rua, rindo, fumando... Indicaram-lhes a rua onde moramos e os acompanharam até a nossa casa. Eles não conseguiam se acalmar. Você se desacostuma da vida normal, da vida em paz, de que pode passear à noite pelas ruas, pode rir... De manhã, eles foram ao mercado e viram manteiga, creme de leite fresco, e ali mesmo, como me contaram, compraram e beberam cinco garrafas de creme. As pessoas olhavam para eles como se fossem doidos. Mas eles não viam esses produtos havia dois anos. Lá, você não compra nem pão. Há guerra... É difícil explicar o que é uma guerra a uma pessoa que nunca a viu... Que só viu essas coisas no cinema...

Lá, a minha alma estava morta. Quem foi que eu pari com a alma morta? Aqui há pouca gente. As casas estão vazias. Vivemos perto do bosque. Tenho medo quando há muita gente, como na estação de trem. Durante a guerra... (*Irrompe em soluços e depois se cala.*)

A mãe:

Só falarei sobre a guerra... Só posso falar sobre a guerra... Por que viemos para cá? Para Tchernóbil? Porque daqui já não vão nos expulsar. Dessa terra, não. Porque já não é terra de ninguém. Deus a tomou. As pessoas a abandonaram.

Em Duchambé, eu trabalhava como vice-chefe da estação de trem; havia também um segundo vice, um tadjique. Os nossos filhos cresceram e estudaram juntos, sentávamos na mesma mesa durante as festas de Ano-Novo, de Primeiro de Maio. Do Dia da

Vitória. Bebíamos vinho juntos, comíamos *plov*.* Ele se dirigia a mim, dizendo: "Você é minha irmã. Minha irmã russa". Pois um dia ele chegou ao nosso gabinete, que era o mesmo, parou na frente da minha mesa e gritou:

"Quando é que você vai se mandar para a sua Rússia? Essa é a nossa terra!"

Naquele momento, eu pensei que ia perder a razão. Dei um pulo e disse:

"A sua jaqueta, de onde é?"

"De Leningrado", ele me respondeu sem pensar, surpreso.

"Tire a jaqueta russa, canalha!" E lhe arranquei a jaqueta. "E de onde vem esse gorro? Você não se gabou que te trouxeram da Sibéria? Pois arranque o gorro, miserável! E também a camisa. Agora a calça. Foram feitas numa fábrica de Moscou! Também são russas!"

Deixei-o de cuecas. Era um homem enorme, eu batia nos seus ombros. Mas naquele instante, não sei como, me senti com força suficiente para arrancar a roupa dele. As pessoas se juntaram à nossa volta. Ele berrava:

"Me deixe, sua louca!"

"Não, pode me passar tudo o que é meu, tudo o que é russo! Vou levar tudo!" Por um instante, eu perdi a cabeça. "Tire as meias! Os sapatos!"

Trabalhávamos dia e noite… Os comboios iam repletos. As pessoas fugiam… Muitos russos deixavam as suas casas… Milhares! Dezenas de milhares! Centenas! Uma Rússia inteira. Um dia, às duas da madrugada, depois de dar saída ao expresso de Moscou, encontrei na sala duas crianças da cidade de Kurgan-Tiubé

---

* *Plov*: prato de arroz com especiarias típico do Oriente Médio. Pode conter carne, peixe ou vegetais, dependendo do país de origem. Conhecido também como *pilaf*.

que tinham perdido o trem. Mal eu tranquei os meninos na sala para escondê-los, fui abordada por dois tipos com metralhadoras.

"Essas crianças, o que fazem aqui?"

O meu coração disparou.

"Você é culpada, deixou as portas abertas."

"Fui dar saída ao trem, não tive tempo de fechar."

"Que crianças são essas?"

"São daqui, de Duchambé."

"Não são de Kurgan? Ou de Kuliab?"

"Não, não! São dos nossos."

Eles foram embora. Mas e se tivessem entrado na sala? Teriam matado os meninos e também a mim, de quebra, com um tiro na testa! Ali só há um poder: o do homem armado. De manhã bem cedo, despachei as crianças para Astrakhan e pedi que as pusessem no vagão de melancias, com as portas bem trancadas. (*Cala-se um tempo. Depois, chora longamente.*)

Por acaso há algo mais pavoroso que o homem? (*Novamente se cala.*)

Mesmo já aqui, eu caminhava pelas ruas olhando o tempo todo para os lados, tinha a impressão de que alguém às minhas costas estava pronto para... Que estava me espreitando. Lá, não passava um dia sem que eu pensasse na morte... Sempre saía de casa com roupa limpa, com a blusa, a saia e a roupa de baixo lavadas. E se de repente me matam? Agora, eu caminho sozinha pelo bosque e não tenho medo de ninguém. Não há ninguém no bosque, nem uma só pessoa. Vou caminhando e me pergunto: será que aquilo aconteceu mesmo comigo? Às vezes você encontra algum caçador com arma, cachorro e dosímetro. Também é gente armada, mas é diferente, não perseguem pessoas. Se eu escuto um tiro, sei que estão caçando aves ou lebres. (*Silêncio.*)

Por isso não sinto medo aqui... Não posso ter medo da terra, da água... Tenho medo do homem... Por cem dólares é possível comprar um fuzil no mercado...

Eu me lembro de um rapaz, tadjique, que estava perseguindo outro jovem. Estava caçando uma pessoa! Pelo jeito que corria e respirava, eu logo percebi que queria matá-lo... Mas o outro escapuliu, fugiu... E então esse voltou, passou por mim e perguntou: "Dona, onde eu posso beber água por aqui?". E me perguntou isso com toda normalidade. Havia um bebedouro na estação e eu mostrei a ele. Mas olhei nos seus olhos e disse: "Por que vocês se perseguem uns aos outros? Por que se matam?". Ele até sentiu vergonha. "Não fale tão alto, dona." Mas quando estão em grupo, são diferentes. Se estivessem em três, ou mesmo em dois, teriam me posto contra a parede. Quando estão sozinhos, ainda dá para falar...

De Duchambé fomos a Táchkent, e de lá devíamos ir a Minsk. Não havia passagens. Não há, ponto final! E as coisas não se resolvem; enquanto você não suborna alguém, não entra no avião; fica refém de um controle sem fim: uma hora é o peso, outra hora o volume, isso está proibido, isso não se pode levar. Duas vezes me mandaram pesar, daí eu me dei conta e passei-lhes furtivamente dinheiro... "Agora sim, para que ficar discutindo?" Como tudo se tornou simples! Mas antes disso nos fizeram descarregar o contêiner de duas toneladas que levávamos. "Vocês vêm de uma zona quente, talvez levem armas. Haxixe." Eu fui falar com o chefe e na recepção conheci uma boa mulher que foi a primeira a me esclarecer as coisas: "Você não vai conseguir nada, e se reclamar um trato justo, a única coisa que conseguirá é que joguem o seu contêiner no campo, que saqueiem até o último objeto". Então, o que fazer? Passamos uma noite sem dormir, tiraram tudo de dentro do contêiner: roupas, colchões, móveis velhos, geladeira velha, dois sacos de livros. "Vocês levam livros de valor?" Espiaram: *O que fazer?*, de Tchernichévski; *Terras lavradas*, de Chólokhov... Eles riram. "E quantas geladeiras vocês têm?" "Uma, e ainda por cima a quebraram." "Por que vocês não pediram uma declaração de carga?" "Como íamos saber? É a primeira vez que fugimos de uma guerra." Nós perdemos de uma só vez duas pátrias: o nosso Tadjiquistão e a União Soviética...

Gosto de caminhar pelo bosque e pensar. Os outros assistem à televisão para ver o que está acontecendo. Mas eu não quero saber.

Tive uma vida... Uma outra vida... Lá, eu me considerava uma pessoa importante. Tenho até patente militar: tenente-coronel das tropas das estradas de ferro. Aqui, fiquei desempregada até conseguir um trabalho de limpeza na prefeitura. Esfrego o chão... A minha vida ficou para trás... E já não tenho forças para uma segunda vida... Alguns aqui se compadecem de nós, outros estão descontentes: "Os refugiados roubam as batatas, desenterram-nas à noite". Antigamente, na guerra, como dizia a minha mãe, as pessoas se compadeciam bem mais do próximo. Outro dia, encontraram no bosque um cavalo selvagem. Estava morto. Em seguida, uma lebre. Não foram mortos, estavam mortos. Todos ficaram preocupados. Depois encontraram um mendigo morto, mas esse passou despercebido.

Em toda parte as pessoas já se acostumaram a ver homens mortos...

Lena M., da Quirguízia. No umbral da porta, como numa fotografia, sentavam-se à sua volta os cinco filhos e o gato Metelitsa, que trouxeram consigo:

Parece que fugimos de uma guerra... Pegamos as nossas coisas e o gato nos seguiu até a estação, então nós o trouxemos também. Passamos doze dias no trem; nos últimos dois dias, restavam apenas umas latas de repolho azedo e água quente. Fazíamos guarda junto à porta com um martelo, um machado e uma barra de ferro. E ainda assim, uma noite, uns bandidos nos atacaram. Quase morremos. Hoje, mata-se por uma geladeira, um televisor.

Parece que fugimos de uma guerra, embora na Quirguízia, ali onde vivíamos, ainda não houvesse tiros. Aconteceram massacres na cidade de Osh. Entre quirguizes e uzbeques. Mas tudo logo se acalmou. Tudo foi abafado. Mas havia qualquer coisa no ar. Nas ruas... Confesso que... Bem, nós somos russos, é claro, mas os próprios quirguizes tinham medo... Na fila do pão, de repente alguém gritava: "Russos, caiam fora daqui! A Quirguízia é dos quirguizes!". E nos expulsavam da fila. E diziam mais alguma coisa em quirguiz, algo como "o pão mal chega para nós e ainda temos que dividir com essa gente". Eu entendo mal a língua deles, aprendi algumas palavras para regatear no mercado, comprar produtos...

Nós tínhamos uma pátria, agora não temos mais. Quem sou eu? A minha mãe era ucraniana e o meu pai, russo. Nasci e cresci na Quirguízia, o meu marido é tártaro. Quem são os meus filhos? Qual é a nacionalidade deles? Todos nós nos misturamos, o nosso sangue se misturou. Nos passaportes, no meu e no dos meus filhos, está escrito que somos russos, mas não somos! Nós somos soviéticos! No entanto, a pátria em que nasci não existe mais. Não existe mais nem no lugar que chamávamos nossa pátria, nem no tempo, que era o tempo da nossa pátria. Hoje nós somos como morcegos. Tenho cinco filhos: o mais velho no oitavo ano, a menorzinha no jardim de infância. Eu os trouxe para cá. O nosso país não existe mais, mas nós existimos.

Eu nasci e cresci ali. Construí uma fábrica e trabalhei nela. "Vá embora para a sua terra, aqui é tudo nosso". Não nos permitiram trazer nada, só as crianças. "Tudo aqui é nosso." E onde está o que é meu? Põem as pessoas para correr. Expulsam. Todos os russos. Os soviéticos. Eles sobram em toda parte, ninguém precisa deles em lugar nenhum, ninguém os espera.

Eu fui feliz um dia. Todos os meus filhos são frutos do amor... Nasceram nessa ordem: menino, menino, menino, e depois uma menina, outra menina. Não posso falar mais... Vou começar a chorar... (*Acrescenta ainda algumas palavras.*) Nós vamos viver aqui. Aqui, agora, é a nossa casa. Tchernóbil é a nossa casa. A nossa pátria... (*De repente, sorri.*) Os pássaros daqui são como os de lá. E há um monumento a Lênin... (*E junto ao portão, já se despedindo.*) Um dia, de manhã cedo, escuto batidas de martelo na casa vizinha, estão retirando as tábuas da janela. Vejo uma mulher e pergunto: "De onde vocês são?". "Da Tchetchênia." E não diz mais nada. Usa um lenço preto.

As pessoas que encontro se assustam. Não compreendem. "O que você está fazendo com as crianças? Vai matá-las. Isso é suicídio." Eu não estou matando as crianças, estou salvando-as. Veja, tenho quarenta anos e os meus cabelos estão totalmente brancos. Quarenta anos! Uma vez, esteve aqui um jornalista alemão e me perguntou: "Você levaria os seus filhos para um lugar em que houvesse peste ou cólera?". Que peste, que cólera! Eu não conheço esse medo que existe aqui. Não o vejo. Ele não existe na minha memória...

Tenho medo é dos homens... De homens armados...

MONÓLOGO SOBRE O FATO DE QUE O HOMEM SÓ SE ESMERA NA MALDADE, MAS É SINGELO E ABERTO ÀS PALAVRAS SIMPLES DO AMOR

Eu fugi... Fugi do mundo... Durante algum tempo, vaguei pelas estações de trem; as estações me agradam porque há muita gente, mas ao mesmo tempo você está sozinho. Depois, li nos jornais e vim para cá. Aqui me sinto à vontade. Posso dizer que aqui é o paraíso. Não há gente, só alguns bichos. Vivo entre bichos e pássaros. Por acaso estou sozinho?

Esqueci a minha vida pessoal. Nem me pergunte sobre ela. O que li nos livros eu lembro, também me lembro das coisas que me contaram, mas da minha vida eu me esqueci. Eu era muito jovem... Carrego um grande pecado. Não há pecado que o Senhor não perdoe se você demonstrar arrependimento sincero. Que assim seja. As pessoas são injustas, só o Senhor é infinitamente perseverante e misericordioso...

Mas por quê? Não há resposta... O homem não pode ser feliz. Não deve. O Senhor viu que Adão estava só e lhe deu Eva. Para que fosse feliz, não para que pecasse. O homem não consegue ser feliz. Eu não gosto do anoitecer, da escuridão. Essa mudança, como agora, da luz do dia para a escuridão da noite... Eu paro para pensar e não consigo entender onde estive antes. Onde está a minha vida? Mas então... É indiferente: posso viver e posso não viver. A vida do homem é como o mato, que cresce, seca e é jogado ao fogo. Tomei gosto em pensar... Você pode morrer como um bicho morre, por causa do frio. E também pelo seu pensamento. Em dezenas de quilômetros, não se vê uma só pessoa. Os demônios são expulsos com jejum e oração. O jejum é para a carne, a oração, para a alma. Mas eu nunca estou só, uma pessoa de fé não pode estar só. Assim é... Vou de aldeia em aldeia... Antes, conseguia macarrão, farinha. Azeite e conservas. Agora consigo algo junto aos túmulos. O que as pessoas deixam para os defuntos: comida e bebida. Eles não precisam... E não se ofendem comigo... No campo, apanho algum cereal silvestre. No bosque, cogumelos e bagas. Aqui estou à vontade. E leio muito.

Vamos abrir as páginas sagradas. O Apocalipse de São João: "[...] e caiu do céu uma grande estrela, que ardia como uma tocha, e caiu sobre a terceira parte dos rios e das fontes de água. O nome daquela estrela é absinto. E a terceira parte da água se converteu em absinto, e um sem-número de homens pereceu pelas águas, porque estas se tornaram amargas".

Eu entendo essa profecia. Tudo está escrito, anunciado nos livros sagrados, mas não sabemos ler. Não conseguimos entender.

Absinto em ucraniano é "Tchernóbil". Pelas palavras nos foi dado um sinal. Mas o homem é vaidoso, ruim. E pequeno.

Encontrei o seguinte no texto do padre Serguei Bulgákov: "Deus em verdade criou o mundo, ou seja, é impossível que o mundo não seja bom", e é necessário "suportar com coragem até o fim da história". Assim é. E há um outro que diz... não lembro o nome dele. Lembro a ideia: "O mal não é em essência uma substância, e sim, ausência do bem, assim como as trevas não são mais que ausência de luz". Aqui é simples encontrar livros, é fácil encontrá-los. Uma jarra de barro vazia você não encontra, nem garfos ou facas, mas os livros estão por aí. Há pouco tempo, achei um pequeno tomo de Púchkin... "E a ideia da morte acaricia a minha alma." Isso eu lembro. Assim é. "E a ideia da morte..." Aqui, estou só. Penso na morte. Tomei gosto em pensar. O silêncio te ajuda a se preparar... O homem vive entre a morte, mas não entende o que ela é. Aqui, estou só. Ontem expulsei uma loba e os seus lobinhos de uma escola, estavam vivendo lá.

Uma pergunta: é verdadeiro o mundo gravado nas palavras? A palavra se interpõe entre o homem e a alma. Assim é...

E digo mais: os pássaros, as árvores e as formigas ficaram mais próximos de mim. Antes eu não conhecia esse sentimento. E nem podia imaginar. Li também de alguém: "Um universo acima de nós e um universo abaixo de nós". Eu penso nos dois. O homem é terrível... E imprevisível... Mas aqui ninguém tem vontade de matar. Eu pesco, tenho um anzol. Assim é... Mas não atiro nos animais. E também não ponho armadilhas. O meu herói preferido, o príncipe Míchkin,* disse: "Acaso pode alguém ver uma árvore e não ser feliz?". Assim é... Tomei gosto em pensar. As pessoas costumam se queixar, mas não pensam...

Para que observar o mal? Que ele inquieta, está claro. O pecado também não é algo físico. É necessário reconhecer o não

---

* Protagonista do romance *O idiota*, de Fiódor Dostoiévski.

existente. Está dito na Bíblia: "Para o iniciado será outra coisa, para os demais, parábola". Tomemos uma ave. Ou algum outro animal. Não podemos entendê-los, porque eles vivem para si e não para os demais. Assim é... Dito em uma palavra, ao nosso redor tudo é passageiro.

Todo animal anda sobre quatro patas, olha a terra e para ela retorna. Mas só o homem se ergue sobre a terra e levanta as mãos e a cabeça para o céu. Para a oração. Para Deus... A velhinha reza na igreja: "Senhor, perdoa os nossos pecados". Mas nem o cientista, nem o engenheiro, nem o militar se confessam pecadores. Eles pensam: "Não tenho do que me arrepender. Por que deveria me arrepender?". Assim é...

As minhas orações são simples... Rezo para mim... Senhor! Leva-me para ti! Escuta-me! O homem só se esmera na maldade. Mas como é singelo e aberto para as palavras simples do amor.

Até nos filósofos, a palavra apenas se aproxima da ideia que captaram. A palavra só corresponde de modo absoluto ao que levamos na alma quando se apresenta na oração, na ideia contida na oração. Eu percebo isso fisicamente. Senhor! Leva-me para ti! Escuta-me!

E o homem também...

Eu temo o homem. E ao mesmo tempo sempre quero encontrá-lo. O homem bom. Assim é... Aqui vivem só bandidos escondidos, ou gente como eu. Mártires.

Qual o meu sobrenome? Eu não tenho passaporte. A polícia me tirou... me bateram: "O que você anda aprontando por aí?". "Eu não ando aprontando, ando purgando a minha pena." E me bateram mais forte. Bateram na cabeça... Então, escreva aí: Nikolai, servo de Deus. Agora um homem livre.

Coro de soldados

Artióm Bakhtiárov, soldado; Olieg Leóntievitch Vorobiéi, liquidador; Vassíli Ióssifovitch Gussinóvitch, condutor-batedor; Guenádi Víktorovitch Demenióv, policial; Vítali Boríssovitch Karvaliévitch, liquidador; Valentin Komkóv, soldado e condutor; Eduard Boríssovitch Korotkóv, piloto de helicóptero; Igor Lítvin, liquidador; Ivan Aleksándrovitch Lukachúk, soldado; Aleksandr Ivánovitch Mikhaliévitch, dosimetrista; Olieg Leonídovitch Pávlov, capitão e piloto de helicóptero; Anatóli Boríssovitch Ríbak, chefe de unidade de guarda; Víktor Sankó, soldado; Grigóri Nikoláievitch Khvórost, liquidador; Aleksandr Vassílievitch Chinkévitch, policial; Vladímir Petróvitch Chved, capitão; Aleksandr Mikháilovitch Iassínski, policial.

O nosso regimento se pôs em marcha ao primeiro sinal de alarme. Viajamos durante muito tempo. Ninguém dizia nada de concreto. Só em Moscou, na estação de trem Bielorússia, é que informaram para onde nos levavam. Um rapaz, parece que de Leningrado, protestou: "Eu quero viver". Ameaçaram levá-lo ao tribunal. O capitão disse assim diante da formação: "Ou você vai para a prisão ou para o paredão".

O meu sentimento era outro. Bem diferente. Eu queria fazer algo heroico. Experimentar a minha capacidade. Talvez seja um impulso infantil, mas muitos sentiam a mesma coisa que eu. Os rapazes que serviam eram de toda parte da União Soviética. Russos, ucranianos, cazaques, armênios... E nos sentíamos alarmados mas, por alguma razão, alegres. Pois bem, nos trouxeram para cá. Chegamos à central nuclear. Recebemos um uniforme branco e um capuz branco. E ataduras de gaze. Limpamos o território. Um dia esvaziávamos e raspávamos a parte baixa do reator, outro dia, a parte alta, o teto. Sempre com uma pá. Os que trabalhavam na parte alta eram chamados de "cegonhas". Os robôs não aguentavam o trabalho, as máquinas ficavam loucas. Mas nós trabalhávamos. Às vezes descia sangue dos ouvidos, do nariz. A garganta ficava irritada, os olhos ardiam. Surgia um ruído constante e monótono nos ouvidos. Tínhamos sede, mas nenhum apetite. Os exercícios físicos eram proibidos para que não respirássemos radiação inutilmente. Íamos ao trabalho nas carrocerias abertas dos caminhões. Mas trabalhamos bem. E nos orgulhamos muito disso...

Nós entramos. Havia uma placa onde estava escrito ZONA PROIBIDA. Eu não estive na guerra, mas tinha a sensação de viver algo parecido... De onde vem essa lembrança? De onde? É uma coisa relacionada com a morte...

Pelo caminho, vimos alguns cachorros e gatos que pareciam selvagens. Às vezes eles se comportavam de forma estranha, não reconheciam as pessoas, fugiam de nós. Eu não compreendia o que se passava com eles até que nos mandaram liquidá-los... As casas foram lacradas, o maquinário dos colcozes abandonado... Era curioso ver aquilo. Não havia ninguém, só nós, policiais da patrulha. Você entra numa casa, vê as fotografias penduradas nas paredes, mas não há mais ninguém lá. Os documentos jogados pelo chão: bilhetes do Komsomol,* certidões, diplomas de honra... Pegamos a televisão de uma casa por um tempo, de empréstimo, mas se alguém mais levou algo para casa, eu não notei.

Primeiro, a gente tinha a impressão de que as pessoas voltariam a qualquer momento... Depois... tinha algo a ver com a morte...

Fomos até o bloco daquele reator. Fotografar... Queríamos nos vangloriar em casa. Tínhamos medo e ao mesmo tempo uma curiosidade incrível: o que será isso? Eu recuei, tenho uma esposa jovem, não quis arriscar; mas os outros entornaram um copo de vodca e foram... Assim... (*Silenciou.*) Voltamos com vida e isso significava que tudo estava normal.

Comecei a trabalhar no plantão noturno. Fazendo a ronda. A lua cheia parecia um enorme farol no céu.

As ruas da aldeia... Nem uma alma sequer... No início, ainda havia luzes nas casas. Depois, a corrente foi desligada. Quando passávamos por uma rua, um javali selvagem disparou da porta de uma escola e cortou o nosso caminho. Ou talvez fosse uma raposa. Os bichos viviam nas casas, nas escolas, nos clubes. E por ali, as placas diziam: "O nosso objetivo é a felicidade de toda a humanidade"; "O proletariado do mundo todo vencerá"; "As ideias de Lênin viverão eternamente". Nos escritórios dos colcozes, você via flâmulas vermelhas penduradas, bandeirolas novinhas, pilhas de documentos impressos com o perfil dos líderes. Nas paredes, os retratos dos líderes; sobre as mesas, estátuas de gesso dos líderes. E monumentos militares por toda parte... Não vi monumentos de outro tipo. Vi casas mal construídas, feitas a toque de caixa, estábulos de concreto cinza, torres enferrujadas para depósito de cereais... E pequenos e grandes "Túmulos da Glória"'... "É essa a nossa vida?", comecei a me perguntar, vendo

---

* Juventude do Partido Comunista da União Soviética.

as coisas com outros olhos. "É assim que vivemos?" Como se uma tribo guerreira tivesse levantado o seu acampamento provisório e marchado para algum outro lugar.

Tchernóbil provocou uma explosão no meu cérebro. E comecei a pensar.

Uma casa abandonada. Trancada. Um gatinho na janela. Pensei que fosse de barro, mas me aproximo e vejo que é de verdade. Ele tinha comido todas as flores dos vasos. Os gerânios. Como ele foi parar ali? Ou será que o esqueceram?

Na porta está escrito: "Caro passante, não procure objetos de valor. Eles não existem e nós nunca os tivemos. Use tudo, mas não destrua. Nós voltaremos". Em outras casas, vi inscrições com pinturas de várias cores: "Perdoe-nos, casa querida!". Despediram-se das casas como de pessoas. Escreveram também: "Estamos partindo de manhã" ou "Estamos partindo à noite"; anotavam a data e até a hora e os minutos. Há também cartinhas com letra infantil, escritas em folhas de caderno escolar: "Não bata no nosso gato, senão ele vai ser comido pelas ratazanas" ou "Não mate a nossa Julka. Ela é boazinha". (*Fecha os olhos.*)

Eu me esqueci de tudo. Só lembro que estive ali, mas não me recordo de mais nada. Eu me esqueci de tudo. No terceiro ano depois da desmobilização, aconteceu alguma coisa com a minha memória... Nem os médicos entendem... Não consigo sequer contar dinheiro, me perco. Perambulo de um hospital a outro...

Já contei isso, ou não? Eu me aproximei e pensei que a casa estava vazia. Abri a porta e havia um gato sentado lá dentro... E também essas cartinhas das crianças...

Fomos convocados. A ordem era não permitir que os antigos habitantes voltassem a ocupar as suas aldeias. Fazíamos barreiras perto das estradas, construíamos abrigos e torres de observação. Éramos chamados de *partisans*, não sei bem por quê. Os tempos eram de paz. No entanto, ficávamos lá, com uniformes de guerra... Os camponeses não entendiam, por exemplo, por que não era permitido que levassem de casa um balde, uma jarra, uma serra ou um machado. Por que não podiam lavrar a horta. Como explicar a eles? Na verdade, de um lado da estrada ficavam os soldados, sem deixar passar ninguém, e do outro as vacas pastavam, as ceifadeiras trabalhavam debulhando os grãos. As mulheres se reuniam e imploravam: "Rapazes, deixem a gente passar. É a nossa terra... São as nossas casas...". E nos traziam ovos, toucinho, *samogón*.* Choravam pela sua terra envenenada, pelos seus móveis, pelas suas coisas...

E a ordem era não deixar passar ninguém. Se alguma mulher trouxesse uma cesta de ovos, devíamos confiscá-la e enterrar tudo. Se ela tivesse ordenhado uma vaca e levasse um balde de leite, ao seu lado devia seguir um soldado e enterrar o leite... Se levavam bulbos de batatas às escondidas, devíamos retirá-los. E também cebolas, beterrabas e abóboras. Enterrar tudo... Eram ordens... No entanto, tudo havia crescido de maneira assombrosa. Que beleza ao redor. Um outono dourado.

Todos tinham uma expressão de loucura no rosto. Os camponeses tinham, mas nós também.

Nos jornais, alardeavam o nosso heroísmo... Que éramos rapazes valentes, heróis do Komsomol, voluntários!

Mas quem éramos nós, na realidade? O que fazíamos? Eu gostaria de saber, de ler em algum lugar. Apesar de ter estado lá...

---

* *Samogón*: aguardente caseira. Em 1985, o governo soviético iniciou uma campanha para diminuir o consumo de bebidas alcoólicas. Com a lei seca, cresceu a produção clandestina de *samogón*, destilado a partir de diversos ingredientes, entre eles beterraba, batata, rabanete e casca de carvalho.

* * *

Eu sou um soldado, recebo ordens e as cumpro. Prestei juramento. Mas isso não é tudo. Dentro de mim havia também um impulso heroico. Experimentei... Isso era incutido em todos nós desde a escola, e também pelos pais. E pelos conselheiros políticos. Pelo rádio e pela televisão. Pessoas diferentes reagem de formas distintas: uns queriam dar entrevistas, sair nos jornais; outros viam aquela situação apenas como um trabalho a mais; outros ainda... Eu me relacionei com uns e outros e posso dizer que esses homens sentiam que estavam realizando um ato heroico. Estavam escrevendo a história. Eles nos pagavam bem, mas a questão do dinheiro não era o principal para nós. O meu salário costumava ser de quatrocentos rublos, mas lá eu recebia mil (rublos soviéticos). Naquela época era muito dinheiro. Depois nos jogaram na cara: "Juntaram uma dinheirama por lá, e agora querem carros, móveis, e tudo na hora". Isso dói, claro. Porque aquilo também foi heroico.

Quando eu estava indo para lá, senti medo. Mas foi por pouco tempo. Lá, o medo desapareceu. Se eu pudesse ver esse medo... Ordens. Trabalho. Tarefas. Eu tinha vontade de ver o reator de cima, do helicóptero: o que nos aconteceu de fato? Como aquilo era visto de cima? Isso era proibido em geral. Na tabela anotaram 21 roentgen, mas não estou certo de que era isso mesmo. O princípio era dos mais simples: você chega de um voo ao centro do distrito de Tchernóbil (aliás, é uma cidadezinha numa região bem pequena, não é nada de grandioso como eu imaginava), e lá está o dosimetrista fazendo as medições de fundo a dez, quinze quilômetros da central. Essas medições eram multiplicadas pela quantidade de horas que voávamos por dia. De lá, eu subia no helicóptero e sobrevoava o reator: ida e volta em duas direções, hoje o dosímetro acusava oitenta roentgen, amanhã, 120... À noite, eu passava duas horas dando voltas por cima do reator. Fazíamos filmagens de raios infravermelhos: diziam que assim se detectava pedaços do grafite disseminado. Durante o dia não se podia vê-los.

Conversei com cientistas. Um deles dizia: "Eu poderia até lamber esse seu helicóptero e não me aconteceria nada". O outro contestava: "Pessoal, como vocês podem voar sem trajes de proteção? Vocês querem encurtar a vida? Cubram-se! Ponham revestimento no helicóptero!". A salvação do náufrago está nas mãos do próprio náufrago.

Cobriram os nossos assentos com folhas de chumbo, nos fizeram umas couraças de folhas de chumbo bem finas. Acontece que o chumbo protege de alguns raios, mas não de outros. O nosso rosto ficava vermelho, queimado, não podíamos nem nos barbear. Voávamos do amanhecer ao anoitecer. Não havia nada de fantástico nisso. Era trabalho, um trabalho duro. À noite assistíamos à televisão, nessa época estava acontecendo a Copa do Mundo. Claro que conversávamos sobre futebol.

Ficamos melancólicos. Não podíamos arrancar aquilo de dentro de nós... Depois de três, quatro anos, um adoecia, outro... Um morria... Outro enlouquecia... Alguém se suicidava... Começamos a ficar melancólicos. Acho que só poderemos entender alguma coisa daqui a vinte ou trinta anos. E sem dúvida, o Afeganistão (estive ali por dois anos) e Tchernóbil (onde estive por três meses) são os períodos mais importantes da minha vida.

Não disse aos meus pais que estava indo para Tchernóbil. O meu irmão por acaso comprou o jornal *Izvéstia* e lá deu com o meu retrato e o mostrou à nossa mãe: "Veja aqui, ele é um herói!". A minha mãe começou a chorar...

Estávamos nos mudando para a central. Colunas de pessoas evacuadas avançavam na nossa direção. Tiravam o maquinário. O gado. Dia e noite. Isso em época de paz...

Seguimos em frente. E sabe o que eu vi? Na beira da estrada, em plena luz do dia? Um brilho finíssimo. Brilhava algo cristalino. Umas partículas mínimas. Estávamos nos dirigindo para Kalínkovitch, passando por Mózir. E havia algo que reverberava. Comentamos entre nós, perplexos. Nos campos, onde as pessoas trabalhavam, notamos logo uns buraquinhos queimados nas folhas dos vegetais, sobretudo nas cerejeiras. Colhemos pepinos e tomates, e as suas folhas também apresentavam buraquinhos negros... Era outono. Os arbustos de groselha estavam escarlate, os galhos das macieiras vergavam até a terra, carregados, era impossível vencer a tentação. Era muito difícil não comer, embora tenham nos explicado que não se devia fazer isso. Nós praguejamos, mas comemos.

Fui para lá, embora pudesse não ter ido. Eu me alistei como voluntário. Nos primeiros dias não vi ninguém indiferente, com aquele vazio no olhar que depois se tornou costumeiro. O objetivo era arrebanhar alguma medalha? Privilégios? Asneiras! Eu pessoalmente não precisava de nada. Apartamento, carro... Que mais? Ah, uma *datcha*... Eu já tinha tudo. O que me impulsionou foi uma espécie de arroubo masculino. Para lá vão homens de verdade, fazer coisas de verdade. E o resto? Que fique em casa, debaixo da saia das mulheres... Um apresentava atestado de que a mulher estava à beira de parir, outro, que tinha um filho pequeno... Sim, é arriscado. Sim, é perigoso, é radiação, mas é preciso fazer alguma coisa pelos outros. Não foi isso que os nossos pais fizeram na guerra?

Depois voltamos. Em casa, tirei toda a roupa que usei e joguei no lixo. Mas dei o barrete para o meu filho pequeno. De tanto que ele me pediu. Pegou e não largou mais. Depois de dois anos, veio o diagnóstico: tumor no cérebro.

Daqui para a frente, você escreve... Não quero mais falar...

* * *

Eu acabava de voltar do Afeganistão. Queria viver. Casar. Queria me casar logo. E nisso chega uma notificação com tarja vermelha do Serviço Especial: apresente-se dentro de uma hora no endereço indicado. A minha mãe começou a chorar. Ela achou que iriam me enviar de volta à guerra.

Aonde nos levavam? Para quê? Havia pouca informação. Sim, explodiu um reator. Mas e daí? Em Slutsk trocamos de roupa, pusemos um novo uniforme, e então descobrimos que estávamos indo para o centro do distrito de Khóiniki. Ali, as pessoas ainda não sabiam de nada. Elas, como nós, viam pela primeira vez um dosímetro. Em seguida, nos levaram ainda mais longe, a uma aldeia. E lá, estavam celebrando um casamento: os jovens se beijavam, bebiam *samogón*, tocavam música. E nisso nos dão ordens de escavar o solo até a altura de uma baioneta. Derrubar as árvores.

De início, nos deram armas. Fuzis automáticos. Em caso de sermos atacados pelos americanos. Nas aulas de formação política, aprendíamos sobre os atos de sabotagem organizados pelos serviços secretos ocidentais. Sobre as suas operações com explosivos. À noite, deixávamos as armas numa barraca separada. No meio do acampamento. Depois de um mês, levaram-nas embora. Não havia terroristas. Havia roentgen, curie...

No Dia da Vitória, 9 de maio, apareceu um general, que nos deu instruções e nos parabenizou pelo dia festivo. E um dos que estavam na formação ousou perguntar: "Por que vocês escondem o grau de radiação? Quantas doses recebemos?". Um ao menos se decidiu. Pois quando o general se foi, o capitão da unidade o chamou à parte e lhe deu uma bronca: "Você é um provocador! Um alarmista!". Ao cabo de dois dias nos deram uma espécie de máscara antigás, mas ninguém a usava. Mostraram-nos duas vezes os dosímetros, mas não nos deixaram usá-los.

A cada três meses nos permitiam ir para casa por um par de dias. Com um único encargo: comprar vodca. Eu cheguei a levar duas mochilas cheias de garrafas. Fui carregado nos braços. Antes de voltarmos de vez para casa, fomos chamados por um sujeito da KGB, que nos aconselhou persuasivamente a não contar a ninguém o que vimos ali. Ao regressar do Afeganistão, eu sabia que iria viver! Mas Tchernóbil é o contrário: você morre justamente quando já está em casa.

Voltei. Mas tudo está só começando...

Do que me recordo? O que ficou gravado na memória?

Eu passava o dia percorrendo as aldeias. Com os dosimetristas. E as mulheres não ofereciam nada, nem uma maçã... Os homens tinham menos medo, traziam *samogón*, toucinho. E te convidavam: "Vamos almoçar". Por um lado, era constrangedor recusar, por outro, comer césio puro tampouco dava muita alegria. Então, tomávamos um trago e recusávamos a comida.

Os cogumelos brancos estalavam sob as rodas dos carros. Isso por acaso é normal? No rio nadavam bagres cinco a sete vezes mais gordos e moles. Isso por acaso é normal? Por acaso...

Numa aldeia, apesar de tudo, me puseram à mesa e me ofereceram cordeiro assado. O dono da casa, já meio bêbado, confessou depois: "Era um cordeiro jovem. Tive de matar, não podia nem olhar para ele. Um monstrengo! Dá gastura até de comer". Depois de ouvir isso, desci pela goela um copo de *samogón*. O homem riu: "Nós aqui nos adaptamos como os besouros das batatas".

Levei o dosímetro até lá: fora de escala...

Dez anos se passaram. E é como se nada tivesse acontecido; se não fosse pela doença, eu teria esquecido...

É preciso servir à pátria! Servir à pátria é coisa sagrada. Recebi uma muda completa: cuecas, calças, botas, gorro, jaqueta, cinto, mochila e... em marcha! Recebi também um caminhão basculante. Carregava concreto. Eu acreditava que o ferro e o vidro da cabine me protegiam. Se isso era verdade ou não... Bem, sairemos dessa! Éramos jovens. Solteiros. Não levávamos conosco as máscaras de respiração. Não. Eu me lembro de um condutor mais velho que estava sempre de máscara. Mas nós não. Os guardas de trânsito também não usavam máscaras e passavam oito horas no meio da poeira radiativa. Nós, ao menos, estávamos na cabine. Todos ganhavam bem: três salários mais a comissão de serviço. Usávamos... vodca, sabíamos que ajudava. Era o melhor meio de restabelecer as defesas do organismo depois de receber radiação. E diminui o estresse. Não por acaso distribuíam a famosa ração oficial de cem gramas (*narkómovski*) durante a guerra. De modo que o quadro normal era ver um guarda bêbado multando um motorista tão bêbado quanto ele.

Não escreva sobre as maravilhas do heroísmo soviético. Também houve, é verdade. E que maravilhas! Mas primeiro você deve falar da negligência e da desordem, depois das proezas. "Eliminar a canhoneira inimiga. Fazer calar a metralhadora a peito aberto." Que por princípio ordens assim não deveriam ser dadas, sobre isso ninguém escreve. Eles nos enviavam para lá como quem lança areia no reator. Como sacos de areia. Todo dia afixavam uma nova "lista de combate": "Trabalhem com valor e entrega", "Resistiremos e venceremos." Referiam-se a nós com a bela expressão "soldados do fogo".

Pela façanha, eles me deram um diploma e mil rublos.

De início houve uma perplexidade geral. A sensação de que se tratava de manobras militares. De um jogo. Mas era uma guerra de verdade. Uma guerra atômica… Algo desconhecido para nós: o que temer e o que não temer, o que evitar e não evitar? Ninguém sabia. E não havia ninguém que pudesse responder.

Era uma autêntica evacuação.

Nas estações de trem… O que não acontecia nas estações! Ajudávamos a enfiar as crianças pelas janelas dos vagões… Botávamos ordem nas filas… Filas para comprar bilhete nos caixas e iodo nas farmácias. Nas filas, as pessoas se ofendiam umas às outras, brigavam. Arrombavam as portas dos quiosques e das lojas de bebida. Forçavam e quebravam as grades de ferro das janelas. Milhares de evacuados. Viviam nos clubes, escolas e jardins de infância. Andavam esfomeados. O dinheiro que possuíam logo acabou. As lojas ficaram vazias…

Eu não me esqueço das mulheres que lavavam as nossas roupas. Não havia máquinas de lavar, ninguém pensou nisso, não as trouxeram. Lavavam à mão. Eram todas mulheres mais velhas. Com as mãos cheias de bolhas, de chagas. As roupas não estavam simplesmente sujas, elas continham dezenas de roentgen… "Rapazes, comam um pouco"; "Rapazes, durmam um pouco"; "Rapazes, vocês ainda são jovens, cuidem-se." Tinham pena de nós, choravam.

Será que ainda estão vivas?

Todo dia 26 de abril nos reunimos, os que estavam lá. Os que ainda estão vivos. Ficamos lembrando aquela época. Fomos soldados na guerra, precisavam de nós. Esquecemos o mal, mas isso ficou. Ficou o fato de que sem você não teriam conseguido… Você foi útil… O nosso sistema, em geral militar, funciona perfeitamente em situações-limite. Lá, você é livre e imprescindível. Liberdade! E o russo, nesses momentos, mostra como é grandioso! Único! Nunca seremos como os holandeses e os alemães. Não teremos asfalto inquebrável nem gramados bem cuidados. Mas sempre haverá heróis!

* * *

A minha história... Fizeram o apelo e fui. Era preciso. Eu era membro do Partido. Comunistas, avante! Essa era a situação. Eu trabalhava na polícia. Sargento-mor. Prometeram-me uma nova "estrelinha". Era junho de 1987. Devíamos passar pelo controle médico, mas me enviaram para lá sem isso. Alguém amarelou, como se diz, trouxe um atestado de que estava com úlcera, e eu o substituí. Urgente, disseram. Essa era a situação... (*Ri.*)

Já naquela época corriam anedotas. Um dia, chega o marido do trabalho e se queixa à mulher: "Disseram que amanhã vou para Tchernóbil, ou entrego o carnê do Partido". "Mas se você não é membro do partido", diz a mulher. "Por isso tenho que conseguir um carnê."

Fomos para lá na condição de militares, e logo no início organizaram o nosso grupo como brigada de pedreiros. Construímos uma farmácia. Depois, eu me senti fraco, meio sonolento. Tossia todas as noites. Fui ao médico: "Está tudo normal. É o calor". No refeitório, comíamos carne, leite e creme de leite azedo que traziam do colcoz. O médico nunca tocava nessa comida, por nada no mundo. Preparavam a comida e ele anotava no boletim que estava tudo dentro das normas, mas não tirava amostras para análise. Nós percebíamos isso. Essa era a situação. Ficávamos angustiados. Chegou a época dos morangos. As colmeias estavam cheias de mel...

Começaram a aparecer saqueadores, que pilhavam tudo. Nós tapávamos janelas e portas. Lacrávamos os escritórios e os cofres dos colcozes, as bibliotecas locais. Depois, desconectávamos as comunicações e a corrente dos prédios para evitar incêndios.

As lojas apareciam assaltadas, os gradis das janelas forçados. Farinha, açúcar e doces espalhados e pisoteados... Latas abertas atiradas pelos cantos... Desalojavam habitantes de uma aldeia, mas não de outra, que ficava a cinco ou dez quilômetros dali. As coisas da aldeia abandonada iam parar na outra. Essa era a situação. Um dia, estávamos de guarda e chega o presidente do colcoz com habitantes do lugar que já tinham sido instalados em outra aldeia; tinham recebido casas, mas voltavam à sua terra para colher o cereal e semear. Regressavam com enormes feixes de feno. Pois no meio desse feno, encontramos máquinas de costura, motocicletas, televisores. E a radiação era tal que os televisores não funcionavam. Fazíamos escambo: eles te davam uma garrafa de *samogón* e você permitia que levassem os velocípedes das crianças. Vendiam e trocavam tratores, semeadoras. Uma garrafa, dez garrafas. Ninguém se importava com dinheiro... (*Ri.*) Como no comunismo...

Para tudo havia uma taxa: um galão de gasolina por meio litro de *samogón*, um casaco de pele por dois litros, uma motocicleta... dependia do regateio.

Depois de meio ano, dei baixa. De acordo com o regulamento, o tempo era de meio ano. Depois, éramos substituídos. Ficamos retidos um tempo, porque o pessoal das repúblicas bálticas se negou a vir. Essa era a situação. Mas eu sei muito bem que roubaram tudo, levaram tudo o que era possível levantar e levar. Roubaram até os tubos de ensaio dos laboratórios químicos escolares. A zona se trasladou para cá. Procure nos mercados, nos brechós, nas *datchas*...

Por trás dos arames farpados só restou a terra... E os túmulos... O nosso passado. O nosso grande país...

Chegamos ao local. Trocamos de uniforme. A pergunta é: para onde vamos? "Para o lugar do acidente. Mas isso aconteceu há muito tempo, há três meses. Já não é perigoso", o capitão nos tranquilizou. O sargento diz: "Está tudo bem, apenas lavem as mãos antes de comer".

Servi como dosimetrista. Quando escurecia, alguns rapazes se aproximavam de caminhonete do nosso vagão da guarda. Dinheiro, cigarros, vodca... Em troca, queriam pôr as mãos nas coisas confiscadas. Empacotavam os objetos. Para onde mandavam? Certamente para Kíev, Minsk... Ao mercado. O que sobrava, enterrávamos. Vestidos, sapatos, cadeiras, acordeões, máquinas de costura... Enterrávamos em fossas que chamávamos "vala comum".

Voltei para casa. Fui dançar. Gostei de uma garota:

"Vamos namorar?"

"Para quê? Você agora é um dos de Tchernóbil. Quem vai querer casar com você?"

Conheci outra garota. Nos beijamos, namoramos. A coisa estava ficando séria.

"Vamos nos casar", eu propus.

E ela me perguntou mais ou menos algo assim: "Será que você pode? Está em condições?".

Eu iria embora daqui, e certamente ainda vou. Mas tenho pena dos meus pais...

Tenho as minhas lembranças... O cargo oficial que me deram ali foi o de chefe de unidade da guarda. Algo assim como diretor da zona do Apocalipse. (*Ri.*) Escreva assim.

Paramos um carro de Prípiat. A cidade já tinha sido evacuada, não havia mais gente lá. "Mostre os documentos." Eles não tinham documentos. A carroceria estava coberta com uma lona. Levantamos a lona: vinte serviços de chá, eu lembro bem, móveis, televisores, tapetes, bicicletas...

Preencho um boletim de ocorrência.

Trazem carne para enterrar nas fossas. Faltavam os lombos, tinham sido cortados.

Escrevo no boletim.

Chega uma denúncia: numa aldeia abandonada estão desmontando uma casa. Numeram e põem os troncos sobre o reboque de um trator. Fomos imediatamente ao endereço indicado. Os delinquentes são detidos. Queriam retirar a casa da zona e vendê-la para fazer uma *datcha*. Já tinham recebido um adiantamento dos futuros donos.

Anoto no boletim.

Pelas aldeias desertas corriam porcos selvagens. Os cachorros e os gatos esperavam as pessoas junto às portas. Vigiavam as casas vazias.

Você caminha um pouco perto de uma vala comum abandonada. Pedras rachadas com sobrenomes: capitão Borodin, tenente... Longas colunas com o nome dos soldados rasos, como versos... E bardanas, urtigas e outras ervas...

De repente, uma horta cuidada. Atrás do arado, o seu dono, e quando nos vê:

"Rapazes, não gritem. Já firmamos o acordo: na primavera vamos embora."

"E para que, então, você está arando a horta?"

"Esse é o trabalho do outono..."

Eu entendo o homem, mas tenho de anotar no boletim...

Que vão todos para... A minha mulher pegou o bebê e foi embora. Cadela! Mas eu não vou me enforcar como Vánka Kótov. E nem vou me atirar do sétimo andar. Cadela! Quando vim de lá com uma mala de dinheiro, compramos um carro, um casaco de pele para ela... A cadela veio viver comigo. Não tinha medo. (*De repente, começa a cantar.*)

Nem mil roentgen vão lograr
O homem russo irritar.

É uma boa modinha. É de lá. Quer uma anedota? (*E começa a contar.*) O marido volta para casa. Vem do reator. A esposa pergunta ao médico: "O que eu faço com o meu marido?". "Lave, abrace e desative." Cadela! Tem medo de mim... Levou o bebê... (*Inesperadamente, fica sério.*) Os soldados trabalhavam perto do reator. Eu os conduzia no início e no fim do turno: "Rapazes, vou contar até cem! Todos! Em frente!". Eu levava pendurado ao pescoço, como todo mundo, um contador-acumulador. Depois do turno, eu os recolhia e entregava na primeira seção. A secreta. Ali anotavam os dados, anotavam, parece que nas nossas cadernetas, mas os roentgen que nos tocavam eram segredo militar. Cachorros! Filhos da puta. Passado um tempo, te diziam: "Alto! Você não pode mais trabalhar!". E essa era toda a informação médica. Nem sequer ao partirmos disseram quanto... Cachorros! Filhos da puta. Agora se engalfinham pelo poder... Por pastas... Estão em eleições...

Quer outra piada? Depois de Tchernóbil, você pode comer de tudo, mas deve enterrar a sua merda numa caixa de chumbo. Ha-ha-ha. A vida é bela, mas é uma merda que seja tão curta.

Como podem nos curar? Não trouxemos nenhum documento. Eu fui atrás deles e me dirigi a várias instâncias, mas recebi apenas três respostas. A primeira: os documentos foram destruídos porque só ficam guardados por três anos. A segunda: os documentos foram destruídos durante a reestruturação do Exército e a dissolução das unidades depois da perestroika. A terceira: os documentos foram destruídos porque eram radiativos. Mas é possível que tenham sido destruídos para que ninguém soubesse a verdade. E nós somos testemunhas. Mas em breve morreremos.

Como ajudar os nossos médicos? Se eu tivesse agora um prontuário: quanto de radiação eu recebi? Tanto. Eu mostrava para aquela cadela. Mas eu ainda vou mostrar a ela que nós podemos sobreviver em qualquer situação. Vamos nos casar e ter filhos.

Escute, esta é uma oração dos liquidadores: "Senhor, se fazes as coisas de modo a que eu não suporte, faze também com que eu não as deseje". Que vão todos tomar no cu!

Tudo começou… Tudo começou como uma história policial. Na hora do almoço, há um chamado na fábrica: "Soldado da reserva fulano de tal, apresente-se ao centro de recrutamento da cidade para esclarecer certos detalhes da sua documentação". Era, sobretudo, urgente. Mas no centro… Assim como eu, éramos muitos. O capitão vinha nos encontrar e repetia a cada um: "Amanhã você vai à aldeia Krásnoie, assistir a umas manobras militares". Na manhã do dia seguinte, nos encontramos todos ao lado do prédio onde fica o centro de recrutamento. Recolheram os nossos documentos civis, as cadernetas militares e subimos nos ônibus. E nos levaram a uma direção desconhecida. Ninguém falava mais nada sobre manobras militares. Os oficiais que nos acompanhavam respondiam às nossas perguntas com silêncio. "Amigos! E se estão nos levando a Tchernóbil?", alguém supôs. Um oficial falou: "Calados! As expressões de pânico serão julgadas por um tribunal militar como em tempo de guerra". Depois de algum tempo, veio a explicação: "Estamos em estado de guerra. Mantenham a boca fechada! Quem se recusar a defender a pátria será considerado traidor".

No primeiro dia, vimos a central nuclear de longe. No segundo, já recolhíamos os resíduos à sua volta. Carregávamos os detritos em baldes. Usávamos pás comuns, varríamos o chão com vassouras como as que os zeladores usam para varrer os pátios. E raspadeiras. Está claro que as pás eram apropriadas para areia e cascalho. E não para resíduos como aqueles, onde havia de tudo: pedaços de película, de ferro, de madeira e de concreto. Era como quem luta contra o átomo com uma pá. Século xx… Os tratores e escavadeiras usados ali não tinham condutor, eram teledirigidos; por outro lado, nós andávamos atrás das máquinas recolhendo os restos. E respirávamos aquele pó. Trocávamos, por turno, até trinta "pétalas de Istriákov". O pessoal chamava de "focinheira". Uma máscara desconfortável e imperfeita. Constantemente a arrancávamos. Não conseguíamos respirar direito, sobretudo pelo calor. Debaixo do sol.

Depois de tudo, ainda recebemos três meses de manobras. Atiramos contra alvos. Estudamos o novo fuzil automático. Em caso de uma guerra atômica... (*Com ironia.*) Foi isso que entendi. Nem mesmo nos deram roupas novas. Íamos ao treinamento com as mesmas camisas e botas que usamos no reator.

Fomos obrigados a assinar um papel. Um compromisso de não divulgar nada. Eu mantive o silêncio. E se me deixassem falar, a quem eu poderia contar? Imediatamente depois do Exército, fui considerado inválido de segundo grau. Aos 22 anos. Trabalhava numa fábrica. O chefe da seção me dizia: "Para de ficar doente, senão vamos te despedir". E realmente me despediram. Fui falar com o diretor: "Você não tem direito de fazer isso. Estive em Tchernóbil. Salvei vocês. Defendi todos vocês!". "Nós não te mandamos para lá."

À noite, acordo com a voz da minha mãe: "Filhinho, por que você se cala? Você já não dorme, deita de olhos abertos. Até a luz você deixa acesa". Eu me mantive calado. Quem estava disposto a me ouvir? A falar comigo de maneira que eu pudesse contar, na minha língua, do meu jeito?

Estou só...

Já não tenho medo da morte. Da minha própria morte. Mas não está claro como vou morrer. Um amigo meu morreu. Ficou grande, inchou... Como um tonel... E um vizinho, que também esteve lá, como operador de guindaste. Ficou negro como carvão, e secou até o tamanho de uma criança. Não está claro como vou morrer. Se eu pudesse escolher a minha morte, seria uma morte comum. Não como as de Tchernóbil. A única coisa que sei é que com o meu diagnóstico não se dura muito. Se eu sentir que o momento está chegando, meto uma bala na cabeça. Estive no Afeganistão. Ali a coisa era mais fácil. Com uma bala...

Fui ao Afeganistão como voluntário. E também a Tchernóbil. Eu mesmo me alistei. Trabalhei na cidade de Prípiat. A cidade estava rodeada por duas voltas de arame farpado, como nas fronteiras federais. Casas limpas e de vários andares, ruas cobertas por camadas de areia grossa, com árvores serradas. Quadros de um filme de ficção científica. Cumpríamos ordens: "lavar" a cidade e substituir o solo contaminado até uma profundidade de vinte centímetros por aquela camada de areia. Não havia dias de folga. Como na guerra.

Guardo o recorte de um jornal sobre o operador Leonid Toptunóv. Era ele quem estava de guarda naquela noite na central e apertou o botão vermelho de emergência alguns minutos antes da explosão. O botão não funcionou. Ele foi tratado em Moscou. "Para salvá-lo, precisaríamos de um corpo", diziam os médicos, impotentes. Restou nele apenas um único ponto limpo, sem radiação, nas costas. Foi enterrado no cemitério de Mítinski. O ataúde foi forrado por dentro com papel de estanho. E acima do ataúde puseram um metro e meio de pranchas de concreto com capas de chumbo. Seu pai ia vê-lo ali, ficava lá, chorando... E as pessoas que passavam diziam a ele: "O teu filho de uma cadela explodiu a central!". E ele era apenas um operador. E o enterraram como se fosse um extraterrestre.

Teria sido melhor morrer no Afeganistão! Digo sinceramente, às vezes me vêm essas ideias. Ali, a morte era coisa normal... Compreensível...

* * *

Do helicóptero... quando voava baixo sobre a terra, eu observava. Cabras, javalis... Esquálidos, sonolentos. Eles se movimentavam em câmera lenta... Comiam as ervas que cresciam por lá e bebiam da água. Não entendiam que também precisavam sair dali. Ir embora junto com as pessoas.

Ir ou não ir? Voar ou não voar? Eu sou comunista, como poderia não voar? Dois pilotos se recusaram, argumentaram que as mulheres eram jovens, ainda não tinham filhos. Fizeram-nos passar vergonha. Para eles, a carreira acabou! Houve ainda um tribunal de camaradas. Um tribunal de honra! Isso, se você me entende, é como uma aposta: ele não podia, mas eu sim, eu vou. Coisa de homens. Hoje eu penso diferente. Depois de nove cirurgias e dois infartos. Hoje eu não julgo ninguém, eu os entendo. São jovens. Mas eu, apesar de tudo, voaria. Isso é certo. Ele não podia, mas eu sim, eu vou. É uma questão masculina!

De cima... Das alturas, a quantidade de máquinas era surpreendente: helicópteros pesados e médios. O MI-24 é um helicóptero de combate. O que se podia fazer com um helicóptero de combate em Tchernóbil? Ou com um caça MI-2? Os pilotos, todos eram jovens... E ali estavam, no bosque, junto ao reator, recebendo roentgen. Ordens! Ordens militares! Mas para que enviar até lá tamanha quantidade de gente para se contaminar? Para quê? (*Passa a gritar.*) Faltavam especialistas e não material humano.

De cima... podíamos ver um prédio destruído, montes de cacarecos despedaçados. E uma quantidade gigantesca de pequenas figuras humanas. Havia um guindaste da Alemanha Federal, mas morto; percorreu um pouco o teto e morreu. Os robôs morriam. Os nossos robôs foram construídos pelo acadêmico Lukatchóv para explorar Marte. Havia também robôs japoneses com aparência humana. Mas via-se que queimavam por dentro devido à alta radiação. Por outro lado, os soldadinhos correndo nos seus trajes e luvas de borracha, estes funcionavam. Tão pequenos, vistos do céu.

Eu me lembro de tudo, pensava no que contar ao meu filho. Mas quando voltei, ele perguntou: "Papai, o que aconteceu lá?". "Uma guerra." Não encontrei outra palavra.

SEGUNDA PARTE

A COROA DA CRIAÇÃO

MONÓLOGO SOBRE VELHAS PROFECIAS

A minha menina... Ela não é como todo mundo. E quando crescer, me perguntará: "Por que eu não sou como os outros?".

Quando ela nasceu, não era uma criança, era um saquinho vivo, costurado por todos os lados, não tinha nem uma fenda sequer, só os olhos abertos. No prontuário médico há uma anotação: "Menina nascida com patologia complexa múltipla: aplasia do ânus, aplasia da vulva, aplasia do rim esquerdo". Soa assim em linguagem médica, na popular é: sem xaninha, sem fiofó, com um rim só. Eu a levei no dia seguinte para a cirurgia, no segundo dia de vida... Ela abriu os olhinhos, parecia que ia sorrir, mas a princípio pensei que queria chorar. Ah, Deus, ela sorriu! Crianças como ela não sobrevivem, morrem logo. Ela não morreu, porque é muito amada. Em quatro anos, já fez quatro cirurgias. É a única criança na Bielorrússia a sobreviver a uma patologia tão complexa. Eu a amo muito. (*Cala-se.*)

Eu não posso mais parir. Não me atrevo. Quando voltei da maternidade, à noite o meu marido me beijou, mas eu tremia toda: não devemos mais... É pecado... Dá medo... Escutei, quando os médicos comentavam entre si: "Essa menina nasceu com muito mais que uma boa estrela. Se a mostrássemos na tevê, nenhuma mãe iria mais parir". Falavam da nossa menina... Como podemos nos amar depois disso?

Fui à igreja, falei com um padre. Ele disse que devíamos rezar pelos nossos pecados. Mas se na nossa família ninguém matou ninguém... de que sou culpada?

No início, queriam evacuar o nosso povoado, mas depois apagaram-no da lista: o Estado não tinha dinheiro. Foi na época em que me apaixonei e me casei. Eu não sabia que para nós, aqui, era proibido amar.

Muitos anos atrás, a minha avó leu na Bíblia que chegaria o tempo em que na Terra haveria de tudo em abundância, tudo floresceria e frutificaria, os rios se encheriam de peixes, e os bosques de animais; mas que o homem não poderia tirar proveito disso, e tampouco dar à luz os seus semelhantes e prolongar a sua imortalidade. Eu escutava aquelas velhas profecias como um conto de terror. Não acreditava nisso.

Conte a todo o mundo sobre a minha filha. Escreva. Aos quatro anos ela canta, dança, recita poesias de cor. Ela tem um desenvolvimento intelectual normal e em nada se diferencia das outras crianças. Mas brinca de forma diferente, não brinca de lojinha, de escolinha, brinca de hospital com as bonecas: dá injeções, põe o termômetro, prescreve gotinhas; se a boneca morre, ela a cobre com um lenço branco. Há quatro anos vivemos com ela no hospital, ela não pode ficar sozinha e não sabe que o normal é viver numa casa. Quando posso levá-la por um ou dois meses para casa, ela me pergunta: "Nós vamos voltar logo para o hospital?". Lá estão os seus amigos, lá eles vivem e crescem.

Já fizeram nela o ânus. Estão formando uma vulva. Depois da última operação, a emissão da urina foi interrompida, não conseguiram pôr o cateter, para isso ainda há necessidade de várias operações. Aconselham a fazer as próximas cirurgias no exterior. Mas de onde vamos tirar as dezenas de milhares de dólares, se o meu marido ganha 120 dólares por mês? Um professor nos aconselhou em segredo: "A patologia da sua filha é de grande interesse para a ciência. Escrevam para as clínicas estrangeiras, isso há de interessá-los". Estou escrevendo... (*Tenta não chorar.*) Escrevo que a cada meia hora tenho que espremer a urina com as mãos. A urina sai através de uns orifícios pontuais na região da vulva. Se eu não fizer isso, o único rim vai parar. Onde existe no mundo outra criança em que a cada meia hora é preciso expulsar a urina com as mãos? E por quanto tempo se pode resistir a algo assim? (*Chora.*)

Eu não me permito chorar. Não posso chorar. Bato em todas as portas. Escrevo. Tome a minha filha, ainda que para experimentos. Para experiências científicas. Concordo que ela se torne uma rã de laboratório, um coelhinho cobaia, apenas para que sobreviva. (*Chora.*) Escrevi dezenas de cartas. Ó, Senhor!

Por enquanto ela não entende, mas um dia nos perguntará: por que não sou como todo mundo? Por que não posso amar um homem? Por que não posso ter um filho? Por que não acontece com ela o mesmo que ocorre com as borboletas, com os pássaros, com todos, menos com ela... Eu queria... Eu teria que demonstrar... que... Queria receber uns documentos, para que quando crescesse, ela soubesse que nem eu nem o meu marido temos culpa. Nem o nosso amor. (*Tenta novamente não chorar.*)

Luto há quatro anos com os médicos e funcionários. Levei a questão aos mais altos gabinetes. Só depois de quatro anos me deram um prontuário médico confirmando a relação entre as radiações ionizantes (em pequenas doses) e a sua terrível patologia. Durante quatro anos me disseram: "A sua filha é uma criança inválida". Como assim uma criança inválida? É uma inválida de

Tchernóbil. Estudei a minha árvore genealógica: nunca houve nada igual entre os meus antepassados, todos viviam oitenta, noventa anos. O meu avô viveu até os 94. Os médicos se justificavam: "Nós temos instruções, temos que diagnosticar casos como esse como doença comum. Dentro de vinte, trinta anos, quando se completar o banco de dados, começaremos a relacionar as enfermidades com a radiação ionizante. Com as pequenas doses. Com o que comemos e bebemos na nossa terra. Mas, no momento, a ciência e a medicina sabem pouco sobre o fenômeno". Mas eu não posso esperar vinte ou trinta anos! A metade de uma vida! Queria denunciá-los. Levá-los à justiça, ao Estado. Me chamaram de louca, riram, disseram que crianças assim já existiam na Grécia antiga. E na China antiga. Um funcionário gritou: "Você quer os benefícios de Tchernóbil! O dinheiro de Tchernóbil!". Não sei como não perdi a consciência naquele gabinete. Como não morri de um ataque do coração... Isso não me é permitido...

Havia algo que não podiam compreender. Não queriam entender. Eu precisava saber que não éramos, eu e o meu marido, os culpados. Que não era o nosso amor. (*Dá a volta até a janela e chora em silêncio.*)

A minha filha está crescendo. Apesar de tudo, é uma menina. Não quero que a chamem pelo sobrenome. Mesmo os nossos vizinhos de porta não sabem de tudo. Ponho um vestidinho nela, faço uma trança: "A sua Kátienka é tão bonita", me dizem. Hoje é tão estranho olhar para mulheres grávidas... Olho de longe, de rabo de olho... Não olho de fato, só de relance. Confundem-se em mim diversos sentimentos: assombro e horror, inveja e alegria, e até um desejo de vingança. Um dia me descobri pensando que olho para elas com o mesmo sentimento com que observo a cachorra prenhe do vizinho... a cegonha no ninho.

A minha menina...

Larissa Z., mãe

MONÓLOGO SOBRE A PAISAGEM LUNAR

De repente, comecei a ter dúvidas: o que é melhor, lembrar ou esquecer?

Fiz essa pergunta aos meus conhecidos. Alguns já tinham esquecido e outros não queriam lembrar, já que não podemos mudar nada e nem mesmo sair daqui. Nem isso.

Eu lembro que nos primeiros dias depois do acidente, os livros sobre radiação desapareceram da biblioteca, e os livros sobre Hiroshima e Nagasaki, e até os que tratavam de raios X. Corria o boato de que era ordem do chefe para evitar pânico, que isso era para a nossa segurança. Surgiu até a piada de que se Tchernóbil tivesse ido pelos ares em terras papuas, todo mundo teria se assustado, menos os papuas. Não havia nenhuma recomendação médica, nenhuma informação. Alguns conseguiram pílulas de iodeto de potássio (elas não eram vendidas nas farmácias da nossa cidade, eram adquiridas fora e por uma fortuna). Às vezes engoliam um punhado delas junto com bebida alcóolica e iam parar no pronto-socorro.

Chegaram os primeiros jornalistas estrangeiros. A primeira equipe de filmagem. Vestiam macacões de matéria plástica, capacetes, galochas e luvas de borracha, e até a câmera tinha uma cobertura especial. Uma das nossas moças os acompanhava como tradutora. Ela usava um vestidinho de verão e sapatilhas.

As pessoas em geral acreditavam em cada palavra impressa, embora ninguém publicasse ou falasse a verdade. Por um lado a escondiam; por outro, não a compreendiam de fato, desde o secretário-geral até o feirante. Depois, começaram a aparecer certos indícios, e todos ficaram atentos àqueles sinais: enquanto houvesse pardais e pombos, podia-se viver naquele lugar, fosse cidade ou povoado. Se as abelhas voavam, era porque o ar estava limpo. O motorista de um táxi que peguei estava atônito com os pássaros, que investiam, como que cegos, contra o vidro dianteiro, arrebentando-se. Não era normal, eles estavam sonolentos. Aquilo parecia um suicídio. Depois do trabalho, ele foi beber com os amigos para esquecer essa história.

Lembro de um dia em que voltava do serviço; ambos os lados da estrada eram uma autêntica paisagem lunar. Os campos, que se estendiam até o horizonte, estavam cobertos por dolomita branca. Haviam retirado e enterrado a camada superior contaminada da terra, e em seu lugar cobriram tudo com areia de dolomita. É como se não fosse a Terra, como se não fosse na Terra. Durante muito tempo essa visão me perseguiu, tentei escrever um conto. Imaginei o que se passaria aqui, como seria daqui a cem anos: algo parecido a um homem, ou a alguma coisa que saltava com quatro patas, lançando as suas longas pernas traseiras para o ar; uma criatura que à noite enxergaria tudo com o seu terceiro olho; que graças à sua única orelha cravada no alto da cabeça seria capaz de ouvir a corrida de uma formiga. Apenas as formigas haviam restado, todo o resto, na terra e no céu, havia perecido.

Mandei o conto para uma revista. Responderam que aquilo não era literatura, mas conto de terror. Certamente havia me faltado talento. Mas naquela resposta, tenho a impressão de que havia outra razão. Eu ficava matutando: por que se escreve tão pouco sobre Tchernóbil? Os nossos escritores continuam a escrever sobre a guerra, sobre os campos de trabalho stalinistas, mas calam sobre Tchernóbil. Há talvez um, dois livros e acabou-se. Você acha que é mera casualidade? O acontecimento ainda está à margem da cultura. É um trauma da cultura. E a nossa única resposta é o silêncio. Fechamos os olhos como crianças pequenas e acreditamos que assim nos escondemos, que o horror não nos alcançará.

Há alguma coisa que assoma do futuro, mas é algo que não sintoniza com os nossos sentimentos. Nem com a nossa capacidade de sentir. Se você conversa com alguém, essa pessoa começa a contar e te agradece por tê-lo escutado. Não te fará entender, mas pelo menos você o ouviu. Porque ele mesmo não entendeu... Assim como você... Já não gosto de ler ficção científica... Então, o que é melhor: lembrar ou esquecer?

Evguêni Aleksándrovitch Bróvkin, professor da Universidade Estatal de Gómel

MONÓLOGO DE UMA TESTEMUNHA QUE SENTIU DOR DE DENTE AO VER CRISTO CAIR E GRITAR DE DOR

Na ocasião, eu pensava em outra coisa. Pode parecer estranho. Justamente naquela ocasião eu estava me separando da minha mulher.

De repente alguém chega, me entrega uma notificação e me diz que há um carro preto esperando por mim lá embaixo. Um "corvo" fechado daqueles. Como em 1937,* quando te levavam à noite. Da cama, ainda quentinho. Mas logo esse esquema deixou de funcionar, porque as esposas não abriam mais a porta, ou mentiam: o marido estava em viagem de trabalho, ou estava de férias, ou ainda na aldeia dos pais. Tentavam entregar a notificação, mas elas não aceitavam. Começaram a deter as pessoas no trabalho, na rua, no horário de almoço nos refeitórios das fábricas. Foi como em 1937. E eu estava naquela época como louco. A minha mulher tinha me traído, todo o resto me parecia uma bobagem. Entrei no "corvo". Fui conduzido por dois civis, mas com jeito de militares, um de cada lado; dava para notar que tinham

---

* Em 1937, Stálin intensificou de forma violenta a perseguição aos opositores do regime socialista. Mais de 1 milhão de pessoas foram atingidas. As prisões e mortes eram muitas vezes aleatórias e abrangiam famílias inteiras.

medo que eu escapasse. Quando entrei no carro me lembrei, não sei por que motivo, dos cosmonautas americanos que pousaram na Lua, que um deles depois se tornou padre, e que o outro, pelo que dizem, enlouqueceu, não? Eu li que eles achavam ter visto restos de cidades, de rastros humanos.

Vieram à minha memória alguns recortes de jornais: diziam que as nossas centrais atômicas eram completamente seguras, que poderiam ser construídas até na Praça Vermelha, junto ao Krémlin. Mais seguras que um samovar. Que se pareciam com as estrelas e que semearíamos essas centrais por toda a terra. Mas a minha mulher tinha me deixado. Eu só conseguia pensar nisso. Algumas vezes tentei dar cabo da minha vida, botei umas pílulas para dentro com a intenção de não acordar. Nós frequentamos o mesmo jardim de infância, estudamos no mesmo colégio, no mesmo instituto... (*Acende um cigarro e se cala.*)

Eu avisei. Você não ouvirá nada de heroico, nada digno da pena de um escritor. O meu pensamento era de que não estávamos vivendo em tempo de guerra, então por que eu deveria me arriscar, enquanto alguém dormia com a minha mulher? Por que eu e não ele? Falando sinceramente, não vi heróis ali. Vi loucos, gente que cuspia na própria vida; e valentia suficiente, mas nem um pouco necessária. Eu também tenho diplomas e cartas de agradecimento. Mas isso é porque eu não tinha medo de morrer. Cuspo nisso tudo! Isso seria até uma saída, eu seria enterrado com honras... E por conta do Estado...

Lá, você cai imediatamente num mundo fantástico, numa realidade que congrega o fim do mundo e a idade da pedra. Isso me tocou de forma aguda. Crua. Vivíamos no bosque, em barracas. A vinte quilômetros do reator. Como *partisans. Partisan* era como chamavam os que faziam manobras militares. De idade entre 25 e quarenta anos; muitos com estudo superior, técnico, eu mesmo sou professor de história.

Em vez de fuzis, nos deram pás. Cavávamos depósitos de lixo, hortas. As mulheres das aldeias olhavam e se benziam. Nós usávamos luvas, respiradores e macacões. O sol queimava. Aparecíamos na horta delas como demônios. Extraterrestres. As pessoas não entendiam por que cavávamos os seus canteiros, arrancávamos os seus alhos, repolhos, afinal, alho é alho, repolho é repolho. As velhas se benziam e perguntavam aos gritos: "Soldados, o que é isso? O fim do mundo?".

Numa casa, o fogão estava aceso, fritavam toucinho. Você aproximava o dosímetro: não era um fogão, era um pequeno reator. "Sentem-se à mesa, rapazes", convidavam. Recusávamos. Imploravam: "Temos vodca. Sentem-se e nos expliquem o que se passa". Como explicar? Se em cima do reator os bombeiros pisoteavam um combustível ainda mole que chegava a emitir luz, e não sabiam o que era isso. E onde podíamos procurar respostas?

Seguíamos em grupo. Apenas um dosímetro para todos, embora os níveis de radiação fossem diferentes nos diversos pontos: o lugar onde um trabalhava acusava dois roentgen, o outro dez. Por um lado, a mais elementar falta de direitos, como no sistema presidiário, e por outro, o medo. E o mistério. Mas eu não tinha medo. Via tudo de outro modo.

Um dia, um grupo de cientistas chegou de helicóptero. Com roupas especiais de borracha, botas altas, óculos de proteção. Cosmonautas. Uma velha aproximou-se de um deles: "Quem é você?". "Sou cientista." "Ah, cientista, é? Olhem como está disfarçado. Mascarado. E nós, somos o quê?" E correu com um pau atrás dele. Mais de uma vez me passou pela cabeça que um dia os cientistas seriam caçados como se caçavam e queimavam médicos na Idade Média. Na fogueira.

Vi um homem que assistiu com os próprios olhos ao enterro da sua casa. (*Levanta-se e se afasta em direção à janela.*) O que restou foi um túmulo recém-cavado. Um grande quadrado. Enterraram também o poço, o jardim... (*Silêncio.*) Enterrávamos a terra. Cortávamos e envolvíamos a terra em grandes mantas. Eu avisei... Não há nada de heroico nisso tudo...

Regressávamos tarde da noite, porque a nossa jornada era de doze horas, sem dia de folga. Só tínhamos a noite para descansar. Estávamos voltando num blindado e ao passarmos por uma aldeia vazia, vimos um homem. Era um jovem carregando um tapete sobre os ombros. Não muito longe dali havia um carro. Freamos. O bagageiro estava cheio de televisores e telefones com fio cortado. O blindado deu a volta e a toda a velocidade se chocou contra o carro, que ficou como uma lata de sardinha. Ninguém disse uma palavra...

Enterrávamos o bosque... Serrávamos as árvores, reduzindo-as a metro e meio, envolvíamos em plástico e as empurrávamos para uma fossa. À noite, eu não conseguia dormir. Fechava os olhos, e algo negro se movia, dava voltas. Como se estivesse vivo. Camadas vivas de terra. Com besouros, aranhas, minhocas. E eu não sabia o nome de nada disso, como se chamavam. Eram besouros, aranhas. E formigas. Grandes e pequenas, amarelas e negras. De todas as cores. Não sei em qual poeta li que os animais são outros povos. E eu os exterminava às dezenas, centenas, milhares, sem saber sequer como se chamavam. Destruía as suas casas, os seus esconderijos. Enterrava, enterrava...

Leonid Andréiev, um autor de que gosto muito, escreveu uma história sobre Lázaro. Trata-se de um homem que ultrapassou o limite do proibido. Tornou-se um ser estranho, nunca mais será igual aos outros homens, ainda que Cristo o tenha ressuscitado.

Não é o bastante? Eu compreendo que você tenha curiosidade por tudo isso; todos os que não estiveram lá sentem curiosidade. Tchernóbil significa uma coisa para Minsk e outra para a própria zona. E em algum lugar da Europa significará ainda uma terceira coisa. Na própria zona, a indiferença com que se falava de Tchernóbil era surpreendente.

Numa aldeia morta, encontramos um velho. O homem vivia só. Perguntamos a ele: "Você não tem medo de viver aqui?". "Medo de quê?" Porque ninguém pode viver o tempo todo com medo no corpo. O homem não pode. Depois de algum tempo, começa uma vida normal, costumeira. Normal... e costumeira.

Os homens bebiam vodca. Jogavam cartas. Cortejavam mulheres. Faziam filhos. Falavam muito de dinheiro. Mas ali não se trabalhava por dinheiro. Eram poucos os que estavam lá por dinheiro. Trabalhavam porque tinham de trabalhar. Diziam a eles: ao trabalho! E não faziam mais perguntas. Alguns aspiravam a subir de posto. Outros eram apenas diligentes, ou roubavam. Ou confiavam em conseguir as janelas prometidas. Em receber um apartamento e escapar dos barracões onde viviam; ou conseguir um posto para o filho na guarda; ou comprar um carro.

Um deles se acovardou, tinha medo de sair da barraca. Dormia com uma roupa de borracha que ele mesmo havia confeccionado. Um covarde! Logo o expulsaram do Partido. O homem gritava: "Quero viver!". E todos esses tipos andavam misturados.

Encontrei mulheres que se alistaram como voluntárias. Queriam vir de toda forma, mas eram rechaçadas: diziam-lhes que necessitavam de condutores, mecânicos, bombeiros; porém elas se negavam a entender. E toda aquela gente misturada. Milhares de voluntários. Regimentos de estudantes voluntários e um "corvo", um carro especial que vigiava os soldados da reserva. Coleta de objetos e de dinheiro para os que sofreram danos. Centenas de pessoas que, sem pedir nada em troca, ofereciam o sangue, a medula. E ao mesmo tempo, podia-se comprar tudo isso por uma garrafa de vodca, por um diploma de honra, uma autorização...

Um presidente de colcoz traz uma caixa de vodca para a unidade dos dosimetristas e pede para que a sua aldeia não seja incluída na lista dos locais a ser evacuados; e outro, também com uma caixa de vodca, pede, ao contrário, que a sua aldeia seja evacuada. Quanto a este, já havia recebido a promessa de um apartamento de três cômodos em Minsk. Ninguém comprovava a medição das doses. Enfim, o caos russo de sempre. Assim vivemos. Algumas coisas eram subvalorizadas e logo vendidas. Por um lado, isso te dá asco, mas por outro, o raio que os parta!

Também enviaram estudantes. Os meninos arrancavam as ervas do campo. Recolhiam o feno. Havia vários casais jovens, marido e mulher. Ainda andavam de mãos dadas. Algo insuportável de ver. Mas que lugares lindos! Maravilhosos! E essa mesma beleza era o que fazia daquele horror algo ainda mais pavoroso. O homem tinha que abandonar aqueles lugares. Fugir dali como um facínora. Como um criminoso.

Todo dia traziam os jornais. Eu só lia os títulos: "Tchernóbil, terra de heróis"; "O reator foi derrotado"; "E, no entanto, a vida prossegue". Havia entre nós alguns comissários políticos que faziam discursos políticos. Diziam que a nossa obrigação era vencer. Quem? O átomo? A física? O cosmos? A vitória para nós não é um acontecimento, mas um processo. A vida é luta. Vem daí a fascinação pelas inundações, pelos incêndios… Por terremotos… É a necessidade de encontrar um lugar em que se possa atuar, para dar mostras de valor e heroísmo. E logo içar a bandeira.

O comissário político lia para nós os artigos dos periódicos em que se falava do "alto grau de consciência e da esmerada organização", e que passados poucos dias da catástrofe a bandeira vermelha já ondulava sobre o quarto reator. Como uma chama. Depois de alguns meses, foi devorada pela radiação e içaram uma nova bandeira. E mais tarde, outra. Rasgaram a velha em pedacinhos para levar como recordação. Metiam os pedaços por dentro da jaqueta, perto do coração. E levavam para casa! E mostravam orgulhosos às crianças. Guardavam. Loucura heroica! Mas eu também sou assim. Nem uma gota melhor que os demais. Eu tentava imaginar os soldados subindo até o teto do reator, condenados à morte. E tinham tantos sentimentos... Primeiro, o sentimento do dever; segundo, o amor à pátria. Você diria paganismo soviético? Mas acontece que, se me pusessem a bandeira na mão, eu também estaria lá, escalaria. Por quê? Não posso responder. E certamente, ainda que fosse a minha última ação, eu não teria medo de morrer... A minha mulher não mandou nem uma carta. Em seis meses, nenhuma carta... (*Cala-se.*)

Quer ouvir uma piada? Um preso foge do cárcere e se esconde na zona dos trinta quilômetros. É apanhado. Levam-no aos dosimetristas. O sujeito "arde" tanto que não podem levá-lo nem à prisão, nem ao hospital, nem aonde haja pessoas. (*Ri.*) Nós gostávamos muito de anedotas lá. De humor negro.

Cheguei ali quando os pássaros estavam no ninho e fui embora com as maçãs caídas sobre a neve. Não conseguíamos enterrar tudo. Enterrávamos a terra na terra. Com besouros, aranhas, larvas. Com todos esses diferentes povos. Com todo esse mundo. Eles foram a minha impressão mais forte. Foram eles, certamente.

Não te contei nada, só fragmentos. Há um conto daquele mesmo Leonid Andréiev: um dia, um morador de Jerusalém viu da porta da sua casa Cristo sendo conduzido; viu e ouviu tudo, mas nessa ocasião estava com dor de dente. Cristo caiu à sua frente quando carregava a cruz, caiu e começou a gritar, e ele viu tudo, mas estava com dor de dente e por isso não saiu à rua. Depois de dois dias, quando o dente parou de doer, contaram-lhe que Cristo havia ressuscitado; então ele pensou: "E eu, que podia ter sido testemunha, se não fosse essa dor de dente".

Será possível que as coisas sempre ocorram assim? Os homens nunca estão à altura dos grandes acontecimentos. Os fatos sempre os superam. O meu pai lutou na defesa de Moscou em 1942, mas só compreendeu que havia feito história dezenas de anos mais tarde. Pelos livros, pelos filmes. Ele lembrava: "Estava numa trincheira. Atirava. Uma explosão me enterrou. Os enfermeiros me tiraram dali meio morto". É tudo.

E quanto a mim, naquela época a minha mulher tinha me deixado...

Arkádi Fílin, liquidador

TRÊS MONÓLOGOS SOBRE OS "DESPOJOS ANDANTES" E A "TERRA FALANTE"

O presidente da Sociedade Recreativa dos Caçadores e Pescadores de Jóiniki, Víktor Ióssifovitch Verjikóvski, e dois caçadores: Andrei e Vladímir, que não quiseram dar o sobrenome.

"Da primeira vez, eu matei uma raposa. Na infância. Da segunda, um alce. Jurei que nunca mais mataria alces. Eles têm olhos tão expressivos..."

"Nós é que pensamos muito, os animais apenas vivem. Como os pássaros."

"No outono, as corças ficam muito sensíveis. E se o vento ainda sopra de onde está o homem, adeus! Não te deixam se aproximar. A raposa é ardilosa."

"Por aqui perambulava um sujeito. Quando bebia, dava uma aula. Estudou na faculdade de filosofia, depois foi parar na prisão. Na zona, se você encontra alguém, este nunca vai contar a verdade sobre si. Raramente. Mas aquele era um sujeito sensato. 'Tchernóbil', dizia, 'aconteceu para que haja filósofos.' Ele chamava os animais de 'despojos andantes', e o homem de 'terra falante'. 'Terra falante' porque comemos terra, isto é, somos feitos da terra."

"A zona te puxa. Como um ímã, eu digo. Eh, minha senhora! Quem passar por lá... aquela alma será puxada."

"Eu li um livrinho. Havia santos que falavam com pássaros e animais. E nós pensamos que eles não entendem os homens."

"Bem, rapazes, é preciso pôr as coisas em ordem."

"Pode falar, presidente. Nós vamos fumar um pouco."

"De maneira que a coisa é essa. Sou chamado ao Comitê do Distrito e me dizem: 'Escute, caçador-chefe, na zona restaram muitos animais domésticos: gatos, cachorros. Para evitar epidemias, é preciso liquidá-los. Portanto, mãos à obra!'. No dia seguinte, reúno todos os caçadores e informo isso e aquilo. Ninguém quer ir, porque não nos dão nenhum meio de proteção. Eu me dirijo à defesa civil, e eles não têm nada. Nenhum respirador. Então, fui à fábrica de cimento e peguei algumas máscaras. Feitas de uma película fina, para o pó do cimento. Mas não nos deram respiradores.

"Lá, encontramos alguns soldados. Com máscaras e luvas, em blindados; e nós em manga de camisa com uma venda no nariz. E com essas mesmas camisas e botas, regressamos para casa. Para as nossas famílias.

"Juntei duas brigadas. Houve até voluntários. Duas brigadas. Com vinte homens cada. E em cada uma havia um médico veterinário e uma pessoa da estação sanitária. Além disso, tínhamos um trator com concha e um caminhão basculante. Lamentável é que não nos deram meios de proteção, não pensaram nas pessoas."

"Mas nos deram prêmios: trinta rublos. E naquela época, a garrafa de vodca custava três. E nos desativamos. Sabe-se lá de onde saíram aquelas receitas: uma colher de excremento de ganso em uma garrafa de vodca. Deixar macerar dois dias e depois beber. Isso é para aquele assunto. O 'nosso', coisa de homem. Para que não sofra dano. Tinha uns versinhos, lembra? Um monte deles. 'Zaporójets* é tão carro quanto macho é o kieviano. Bote chumbo nos seus ovos, e se torna um pai d'antanho.' Ha-ha-ha!"

"Percorremos a zona durante dois meses; no nosso distrito, metade das aldeias foram evacuadas. Dezenas de povoados. Bábchin, Tulgóvichi. Da primeira vez que estivemos lá, encontramos os cachorros junto às casas, de guarda. Esperando por seus donos. Quando nos viram, se alegraram, atenderam à voz humana. Vieram nos receber. Liquidamos todos eles a tiros, nas casas, nos pátios, nas hortas. Carregamos os cadáveres para o caminhão. Não era agradável, claro. Os animais não podiam entender por que disparávamos. Era fácil matá-los. Eram animais domésticos, não temiam as armas nem os homens. Atendiam à voz humana."

"E nisso, veio se arrastando uma tartaruga. Que coisa! Em frente a uma casa vazia. Nas casas havia aquários, peixes."

"Nós não matávamos as tartarugas. Se você passa com a roda de um jipe sobre ela, o casco aguenta. Não arrebenta. Passei por cima de uma, quando estava bêbado, claro. Nos pátios, as jaulas estavam abertas. Os coelhos corriam soltos. As lontras estavam enjauladas e as soltávamos quando havia água por perto: um lago ou um rio, e elas iam embora nadando. Os objetos estavam todos jogados, pela pressa. Pela urgência. Vê como foi? A ordem de evacuação era 'Em três dias'. As mulheres gritando, as crianças chorando, o gado mugindo. Tapeavam os pequenos: 'Vamos ao circo'. As pessoas achavam que iam voltar. A expressão 'para sempre' não existia. Eh, minha senhora! Vou lhe dizer: aquilo foi como na guerra. Os gatos te olhavam nos olhos. Os cachorros uivavam, tentavam meter-se nos ônibus. Todo tipo de cachorro, os vira-latas e os pastores. Os soldados os expulsavam à golpes. A patadas. Eles correram uma boa distância atrás dos ônibus... Evacuação... Deus me livre!"

---

* Marca de automóvel popular de pequenas dimensões fabricado na Ucrânia (equivalente ao fusquinha ocidental).

"É assim a coisa. Os japoneses tiveram Hiroshima, e agora estão à frente de todos. Em primeiro lugar no mundo. Ou seja..."

"Você tem a oportunidade de atirar, e contra algo que corre, que está vivo. A paixão pela caça. Tomamos um trago e fomos. A nossa tarefa era contada por dia trabalhado, ou seja, nos pagavam a jornada. Claro que por um trabalho como aquele podiam ter acrescentado um pouco mais. Trinta rublos de prêmio. Mas já não era o mesmo dinheiro do tempo dos comunistas. Tudo havia mudado."

"É assim a coisa. De início, as casas foram lacradas com selos de chumbo. Não podíamos tocar nos selos. Mas quando você vê um gato atrás de uma janela, como o agarra? Não pode tocar nele. Até que surgiram os salteadores, arrancaram as portas, quebraram as janelas e saquearam tudo. As primeiras coisas a desaparecer foram os televisores e as vitrolas. Artefatos de pele. E logo levaram tudo. Só ficaram colheres de alumínio, atiradas pelo chão."

"E os cachorros ainda vivos se instalaram nas casas. Se você entrasse, avançavam. Deixaram de confiar nos homens. Entro um dia numa casa e vejo uma cachorra deitada com filhotes ao redor. Dá pena! Não era agradável, claro. Eu compararia o nosso trabalho com a ação das tropas punitivas na guerra, que segue o mesmo esquema. Levávamos a cabo uma operação militar, atuávamos do mesmo modo. Chegávamos, cercávamos o povoado, e os cachorros, ao ouvir o primeiro tiro, saíam correndo. Fugiam para o bosque. Os gatos são mais astutos, se escondem mais facilmente. Um gatinho se meteu numa jarra de barro, tive que tirá-lo de lá. Até por debaixo das estufas. Uma sensação desagradável. Você entra na casa, e o gato passa como uma bala entre as suas pernas, e você atrás dele com escopeta. Estavam magros e sujos. A pele rachada. Nos primeiros tempos havia muitos ovos, tinham restado galinhas. Mas os cachorros e os gatos comiam os ovos, e quando estes acabaram, comeram as galinhas. Também as raposas comiam as galinhas; elas já viviam na aldeia junto com os cachorros. Uma vez que não havia mais galinha, os cachorros passaram a comer os gatos. Acontecia de encontrarmos porcos nos galpões. Nós os soltávamos. E nos sótãos havia algumas conservas de pepinos e tomates. Abríamos e dávamos aos porcos. Não os matávamos."

"Um dia encontramos uma velha. Estava trancada em casa. Tinha cinco gatos e três cachorros. 'Não bata no cachorro, ele foi um homem.' Não queria nos entregar o animal. Nos amaldiçoou. Nós tiramos dela vários animais à força, mas deixamos um gato e um cachorro. Ela nos xingou: 'Bandidos! Carrascos!'"

"Ha-ha-ha! 'Ao pé da colina ara um trator, sobre a colina arde o reator; se os suecos não vêm avisar, estaríamos todos ainda a arar.' Ha-ha-ha!"

"As aldeias estavam vazias. Só restaram os fornos. Lembra Khatín!* E ali vivia um casal de velhos. Como num conto. Não tinham medo. Qualquer outra pessoa ficaria louca. À noite, queimavam tocos velhos. Os lobos tinham medo de fogo."

"É assim a coisa. E quanto ao cheiro… Eu não tinha ideia de onde vinha aquele cheiro que exalava na aldeia. A seis quilômetros do reator, a aldeia Massáli exalava o cheiro de uma sala de raio X. Cheirava a iodo, a algum ácido. E dizem que a radiação não tem cheiro! Não sei… Disparar… Isso deve ser à queima-roupa. Uma cachorra que estava deitada no meio do cômodo com os filhotes ao redor lançou-se sobre mim e a derrubei com um tiro. Os filhotes me lambiam as mãos, pediam carícia, tonteavam. Disparar deve ser à queima-roupa. Eh, minha senhora! Havia um cachorrinho peludinho, pretinho. Até hoje tenho pena dele. Enchemos a caçamba do caminhão até em cima. Levamos para a fossa comum. A verdade é que não passava de um buraco fundo, embora as instruções fossem de cavar bem, evitando al-

---

* Aldeia bielorrussa incendiada pelas tropas alemãs em março de 1943. A população foi dizimada, e a aldeia totalmente destruída.

cançar as águas subterrâneas; o fundo deveria ser coberto com um plástico. Mas para isso, teríamos que encontrar um lugar alto. As ordens, você pode entender, não se cumpriam: não havia plástico, não se perdia tempo buscando lugar. Os animais, se não estavam totalmente mortos, mas apenas feridos, chiavam. Choravam. Estávamos passando os animais da caçamba para a fossa e aquele peludinho começa a escalar, e então sai do buraco. Já não tínhamos mais cartuchos. Não havia nada para matá-lo, nem um cartucho. Empurraram o cãozinho de volta para o buraco e o cobriram de terra. Até hoje tenho pena dele. Havia bem menos gatos que cachorros. Será que foram embora atrás das pessoas? Ou se esconderam? Havia outro cachorrinho. Mimado…"

"É melhor atirar de longe para não ver os olhos."

"Mais vale apontar bem e matar de vez."

"Isso para nós, que somos gente e entendemos, mas eles apenas vivem. 'Despojos andantes.'"

"Os cavalos… Levaram ao matadouro. Eles choravam."

"E eu digo mais. Todo ser vivo tem alma. O meu pai me ensinou a caçar desde a infância. Uma corça ferida, por exemplo, está caída e te pede piedade com os olhos, mas você a mata. No último minuto, ela mostra um olhar quase humano, entende tudo. Ela te odeia. Ou te implora: 'Eu também quero viver! Quero viver!'"

"Aprenda de uma vez! Eu te digo que tiro de misericórdia é muito pior que matar. A caça é um esporte, um tipo de esporte. Não sei por que ninguém se importa com os pescadores e injuriam os caçadores. É injusto!"

"A caça e a guerra são as principais ocupações do homem. Desde o princípio dos tempos."

"Eu não posso confessar ao meu filho. É pequeno. Onde estive? O que eu fiz? Ele pensa que o papai estava defendendo o país. Que foi lutar! Mostraram pela televisão imagens de caminhões e soldados. Muitos soldados. O meu filho perguntou: 'Papai, você era soldado?'"

"Uma vez veio conosco um operador de televisão. Lembra? Com a câmera. Chorava. Um homem. E chorava... Cismou que queria ver um javali de três cabeças."

"Ha-ha-ha! A raposa vê Kolobók* correndo no bosque. 'Kolobók, para onde você está rolando?' 'Eu não sou Kolobók, sou um ouriço de Tchernóbil.' Ha-ha-ha! Como se diz, um átomo da paz em cada casa!"

"Eu digo a vocês, o homem morre que nem os animais. Eu vi. E muitas vezes. No Afeganistão, fui ferido no ventre. Fiquei lá, estirado, debaixo do sol. Um calor insuportável. E uma sede! 'Bom, pensei, vou acabar que nem gado.' Eu digo a vocês, o sangue escorria igual ao deles. E que dor!"

"Um policial que estava conosco, então... Ficou maluco. No hospital onde estava internado, tinha pena de ver os gatos siameses. São caros no mercado, ele dizia. São tão bonitos... Coitado, perdeu um parafuso."

"Uma vez, vimos uma vaca com um bezerro. Não atiramos. Também não atirávamos nos cavalos. Eles tinham medo dos lobos, mas não dos homens. Porém o cavalo sabe se defender melhor. As vacas foram as primeiras a serem mortas pelos lobos. A lei da selva."

"Levavam o gado da Bielorrússia e vendiam na Rússia. Bezerros com leucemia. Vendiam mais barato."

"Eu tenho mais pena é dos velhos. Eles se aproximavam dos nossos carros: 'Olhe, lá fica a minha casa, rapaz'. Punham a chave na sua mão. 'Leve a roupa, o chapéu.' Em troca, lhes davam uma

---

* Personagem de um conto popular eslavo, Kolobók é um pãozinho redondo que adquire vida e rola para a floresta, onde tem de escapar dos animais que querem devorá-lo.

miséria. 'Como está o meu cachorro?' O cachorro tinha sido fuzilado, a casa pilhada. A verdade é que nunca mais voltariam às suas casas. Como dizer isso? Eu não aceitei nenhuma chave. Não queria enganá-los. Mas outros, sim. 'Onde está guardado o *samogón*? Em que lugar?' E o velho contava. Às vezes você encontrava tonéis cheios, tonéis grandes, desses de leite."

"Pediram para caçarmos javali para um casamento. Uma ordem! O fígado se desfazia nas suas mãos. Mesmo assim, encomendavam. Para casamento, para batizado."

"Também caçávamos para a ciência. Uma vez a cada trimestre: duas lebres, duas raposas, duas corças. Todas contaminadas. Mesmo assim, caçamos também para nós, e comemos. No início ficávamos com receio, mas hoje já estamos acostumados. É preciso ter o que comer, na lua não caberemos todos nós, nem em outro planeta."

"Alguém comprou um chapéu de raposa no mercado e ficou calvo. Um armênio comprou um fuzil barato tirado de uma fossa e morreu. Todo mundo se assusta com todo mundo."

"Lá, não me passava nada na cabeça nem no coração. Murka e Charik* havia aos montes. Eh, dona! Eu atirava. Era o trabalho."

"Eu conversei com um motorista que invadia as casas de lá. Saqueavam a zona. Vendiam. Mesmo que já não fossem casas, escolas e jardins de infância eram objetos inventariados para desativação. Levavam tudo! Encontrei o sujeito, não sei se numa casa de banho ou no quiosque de cerveja. Não lembro exatamente. Ele me contou que chegavam com um caminhão e em três horas desmontavam uma casa. Mas ao chegar perto da cidade, eram interceptados. Desfaziam tudo em pedaços. Vendiam toda a zona para fazer *datchas*, e os compradores também pagavam a comida e a bebida."

---

* Nomes russos comuns para cachorros e gatos.

"Entre os nossos há os que roubam. Caçadores rapaces. Outros gostam mesmo é de dar um passeio pelo bosque. Caçam pequenos animais. Pássaros."

"É o que eu te digo... Tanta gente ficou mal, e ninguém responde por isso. Engaiolaram o diretor da central atômica e isso é tudo. Naquele sistema, é muito difícil dizer quem é culpado. Se te dão uma ordem de cima, o que você deve fazer? Só uma coisa, cumprir. Investigaram algo por lá. Li nos jornais que os militares fabricavam plutônio. Para bombas atômicas. Por isso é que a central foi pelos ares. Se é uma coisa violenta, a pergunta seria: por que Tchernóbil? Por que aconteceu conosco e não com os franceses ou com os alemães?"

"Isso ficou cravado na minha memória. Que coisa! Que lástima que não sobrou nenhum cartucho. Nem um, só para arrematar. Aquele peludinho. Vinte homens. E nenhum cartucho no final do dia."

MONÓLOGO SOBRE O FATO DE QUE NÃO SABEMOS VIVER SEM TCHÉKHOV E TOLSTÓI

Por que rezo? Me diga: por que rezo? Não rezo na igreja, rezo sozinha. Pela manhã ou à noite, quando todos em casa estão dormindo.

Quero amar! Eu amo! Rezo pelo meu amor! Mas para mim... (*Interrompe a frase. Vejo que não quer falar.*) Lembrar? Talvez o necessário seja afastar de si algumas lembranças, tomar distância delas. Não vi nada disso nos livros que li. Nem nos filmes. No cinema, vi a guerra. Os meus avós contavam que não tiveram infância, que viveram a guerra. A infância deles foi a guerra; a minha, Tchernóbil. Sou de lá.

Por exemplo, você escreve. Contudo, quanto a mim, nenhum livro me ajudou, nada me fez entender. Nem o teatro nem o cinema. Eu me viro sem isso. Sozinha. A nossa aflição, nós a vivemos dentro de nós, mas não sabemos o que fazer com ela. Não posso entender isso com a razão. A minha mãe, sobretudo, estava confusa; ela ensinava língua e literatura russa numa escola, sempre me ensinou a viver pelos livros. De repente, não há nada neles sobre isso. Mamãe ficou confusa. Ela não sabe viver sem os livros. Sem Tchékhov, sem Tolstói...

Lembrar? Eu quero e não quero lembrar. (*Parece que ou atende à sua voz interior, ou luta consigo mesma.*) Se os cientistas não sabem nada, se os escritores não sabem nada, então os ajudaremos com a nossa vida e a nossa morte. A minha mãe acredita nisso. Eu queria não pensar nisso, queria ser feliz. Por que não posso ser feliz?

Vivíamos em Prípiat, junto à central nuclear, ali nasci e cresci. Num grande edifício de painéis pré-fabricados, no quinto andar. As janelas davam para a central. Era 26 de abril. Muitos juravam ter ouvido a explosão. Não sei... na minha família, ninguém notou. De manhã, acordei como de costume e me preparei para ir à escola. Ouvi um zumbido. Pela janela, vi um helicóptero voando sobre o nosso edifício. Ah! Terei o que contar na classe! Como eu poderia saber que teríamos apenas dois dias daquela nossa vida? Tínhamos apenas dois dias... os últimos dois dias na nossa cidade. Prípiat já não existe. O que sobrou já não é a nossa cidade. Lembro-me do nosso vizinho de binóculos sentado na varanda: ele observava o incêndio. Estávamos a uns três quilômetros, em linha reta. E nós, meninas e meninos, durante o dia, pedalamos nas nossas bicicletas para a central. Os que não tinham bicicleta nos invejavam. Ninguém ralhava. Ninguém! Nem os pais nem os professores. Na hora do almoço, não havia pescadores à margem do rio, eles voltavam negros — nem passando um mês em Sotchi* era possível se queimar daquele jeito. Queimadura nuclear! A fumaça da central não era negra nem amarela, era

---

* Balneário localizado na chamada Riviera russa, às margens do mar Negro e nas proximidades das montanhas do Cáucaso. Tem a temperatura mais amena do país.

azul. De tom azulado. Mas ninguém ralhou conosco. Nós éramos educados de forma a entender que o perigo só poderia vir da guerra: explosões de um lado, explosões do outro. E aqui se tratava de um incêndio comum que deveria ser debelado por bombeiros comuns...

Os meninos brincavam: "Façam filas para o cemitério. Quem for mais alto morrerá primeiro". Eu era pequena. Não me lembro do medo, mas de muitas outras coisas estranhas. Pouco habituais, quero dizer. Uma amiga me contou que à noite, ela e a sua mãe enterraram dinheiro e objetos de ouro no pátio, e que tinham medo de se esquecer do lugar. A minha avó, quando se aposentou, ganhou um samovar de Tula; não sei por quê, o que mais a preocupava era esse samovar e as medalhas do meu avô. E a velha máquina de costura Singer. Onde os esconderíamos? Logo nos evacuaram. Foi o meu pai que trouxe a palavra "evacuação" do trabalho: "Nós seremos evacuados". Como nos livros de guerra... Subimos no ônibus, o meu pai lembrou-se de ter esquecido algo. Correu em casa. Voltou com duas camisas novas penduradas em cabides. Foi estranho, aquilo não era nada habitual no meu pai. Todos estavam em silêncio no ônibus, olhavam pela janela. Os soldados pareciam não ser desse planeta, andavam pelas ruas com jalecos brancos e máscaras. "O que vai ser de nós?", as pessoas perguntavam a eles. "Por que vocês nos perguntam?", eles respondiam, zangados. "Perguntem ali, naqueles carros brancos, lá é que estão os chefes."

Partimos. O céu estava azul, azul. Aonde vamos? Levávamos bolsas e cestas com bolos de Páscoa e os ovos pintados. Se isso era a guerra, a ideia que os livros tinham me passado sobre ela era bem diferente. Explosões aqui, explosões ali, bombardeios... Nos movíamos lentamente, o gado nos atrapalhava. Pela estrada levavam cavalos, vacas. Cheirava a pó e leite. Os motoristas praguejavam e gritavam com os pastores: "Saiam da estrada, vão à puta que os pariu! Estão levantando pó radiativo! Peguem os campos, os prados". E os outros, entre xingamentos, respondiam que tinham pena de pisar no cereal e na relva verde.

Ninguém acreditava que não voltaríamos mais. Não era possível que as pessoas não voltassem mais para casa. A minha cabeça girava e a garganta ardia. As mulheres mais velhas não choravam, choravam as mais jovens. A minha mãe chorava. Chegamos a Minsk. Mas compramos lugares no trem com a encarregada do vagão pelo triplo do preço. Ela trazia chá para todos, mas para nós dizia: "Deem-me as suas canecas ou copos". Demoramos a entender. "Será que faltam copos?" "Não! Têm medo de nós." "De onde são?" " De Tchernóbil." E as pessoas se afastavam pouco a pouco do nosso compartimento, não deixavam as crianças se aproximarem, proibiam que corressem ali por perto.

Chegamos a Minsk e fomos à casa de uma amiga da mamãe. Até hoje a minha mãe tem vergonha de lembrar como, com as nossas roupas e os sapatos sujos, entramos à noite numa casa alheia. Mas nos receberam bem, nos deram de comer, sentiram compaixão de nós. Vieram uns vizinhos: "Vocês têm hóspedes? De onde?". "De Tchernóbil." E eles também se afastaram.

Depois de um mês, os meus pais tiveram permissão de ir à nossa casa, ver como ela estava. Trouxeram um cobertor, o meu casaco de inverno e a coleção das *Correspondências* de Tchékhov, os livros preferidos da minha mãe. Creio que eram sete tomos. A vovó… A nossa avó não podia entender por que não trouxeram potes do doce de morango que eu tanto gostava; pois se estavam em potes bem fechados com tampas… Com tampas de ferro… Descobrimos uma mancha no cobertor. Mamãe lavou, limpou com aspirador; não havia o que fazer. Ela o levou à tinturaria. Aquilo brilhava, aquela mancha. Até que cortaram o cobertor com uma tesoura. Todas as coisas mais usuais e familiares: a manta, o casaco. Mas eu já não podia dormir debaixo daquela manta nem vestir o casaco. Não tínhamos dinheiro para comprar um novo, mas eu não podia. Odiava essas coisas! O casaco! Não é que tivesse medo, entenda, eu odiava! Tudo isso podia me matar! Podia matar a minha mãe! Eu tinha um sentimento de aversão! É algo que não posso entender com a razão.

Em todos os lugares se falava da catástrofe: em casa, na escola, no ônibus, na rua. Comparavam com Hiroshima. Mas ninguém acreditava. Como se pode crer em algo que não se compreende? Por mais que você se esforce, por mais que tente, permanece incompreensível. Eu me lembro de quando deixamos a nossa cidade, o céu azul, azul...

A minha avó não se acostumou ao novo lugar. Entristeceu. Antes de morrer, pedia: "Quero um pouco de azedinha". Mas a azedinha havia alguns anos estava proibida, era a planta que mais absorvia radiação. Enterramos a minha avó na sua aldeia natal, Dubróvniki. A região fazia parte da zona, era cercada por arames farpados. Havia soldados armados. Só deixaram passar os adultos. Mamãe, papai, alguns parentes. A mim não deixaram: "Crianças não podem passar". Compreendi que nunca poderia visitar a minha avó. Compreendi.

Onde se pode ler sobre isso? Onde ocorreu algo assim? A minha mãe me confessou: "Sabe, eu detesto flores e árvores". Disse isso e se assustou com as próprias palavras, porque cresceu na aldeia e conheceu e amou tudo aquilo. Antes, quando passeávamos pela cidade, ela era capaz de nomear cada flor, cada erva. Unha-de-cavalo, capim-santo. No cemitério... sobre a relva... puseram uma toalha, arrumaram a comida, a vodca. Mas os soldados mediram os níveis com o dosímetro e jogaram tudo fora. Enterraram tudo. As plantas, as flores, tudo "crepitava". Para onde tínhamos levado a vovó?

Eu peço amor. Mas tenho medo. Medo de amar. Tenho noivo, já entregamos os papéis ao cartório. Você ouviu falar dos *hi-*

bakusi de Hiroshima? São os sobreviventes. Só podem casar-se entre si. Aqui não se escreve nada sobre isso; disso não se fala. Mas nós existimos. Somos os *hibakusi* de Tchernóbil. O meu noivo me levou à sua casa. Ele me apresentou à família. À sua mãe, uma boa pessoa. Trabalha como economista numa fábrica. É ativista social. Vai a todos os encontros anticomunistas, lê Soljenítsin. Pois bem, essa boa mãe, quando soube que sou de uma família de Tchernóbil, dos evacuados, me perguntou assustada: "Querida, você pode ter filhos?". Já havíamos levado os papéis. Ele suplicava: "Vou sair de casa, alugamos um apartamento". Mas as palavras da mãe dele não me saem da cabeça: "Querida, para alguns, parir é pecado". Amar é pecado.

Antes, tive outro namorado. Pintor. Também queríamos nos casar. Tudo ia bem até que aconteceu um fato. Entro um dia no seu ateliê e o escuto gritar ao telefone: "Que sorte você teve! Não imagina a sorte que teve!". Em geral ele era uma pessoa tranquila, até algo fleumático, sem sinais de exclamação nas palavras. O que tinha acontecido? O amigo com quem falava vivia num alojamento de estudantes. Estava chegando da rua, quando viu no cômodo ao lado uma moça pendurada. Ela tinha atado uma meia à janela e se enforcou. O rapaz desatou a meia e chamou uma ambulância. O meu namorado quase não podia falar, tremia: "Você não pode nem imaginar o que ele viu! O que sentiu! Levou a moça nos braços. A boca espumava". Sobre a moça, se havia morrido, nem uma palavra, nem um lamento. Só queria vê-la, imaginá-la. E pintá-la. Naquele momento me lembrei de como me perguntava sobre a cor da fumaça no incêndio da central, se eu tinha visto os cachorros e gatos destroçados pelas balas, e que aspecto tinham atirados pelas ruas. Como as pessoas choravam? Eu tinha visto como morriam?

Depois daquele dia, eu já não podia continuar com ele, responder às perguntas que fazia... (*Silêncio.*) Não sei se quero voltar a me encontrar com você, tenho a sensação de que me olha como ele. Só me observa. Para recordar. Como se estivesse fazendo um experimento conosco. É interessante para todos. Não posso me libertar dessa sensação.

Você saberia me dizer por que esse pecado recai sobre nós? O pecado de parir um filho. Não sou culpada de nada.

Acaso tenho culpa de querer ser feliz?

Kátia P.

MONÓLOGO SOBRE COMO SÃO FRANCISCO PREGAVA AOS PÁSSAROS

Esse é o meu segredo. Ninguém mais sabe. Eu só contei a um amigo...

Sou operador de câmera. E fui para lá tendo em mente o que nos tinham ensinado: que na guerra você se torna um verdadeiro escritor e assim por diante. O meu autor predileto é Hemingway, e o meu livro preferido é *Adeus às armas*. Cheguei ao tal lugar, vi pessoas trabalhando nas hortas, tratores e semeadoras no campo. Não entendi. O que deveria filmar? Não vi explosões em parte alguma.

A primeira filmagem foi no clube rural. Na cena, havia uma televisão e gente reunida. Escutavam Gorbatchóv: está tudo bem, tudo sob controle. Aquela aldeia que filmávamos estava em processo de desativação. Estavam lavando os telhados, traziam terra limpa. Mas como se pode lavar um telhado se a casa tem goteiras? E arrancavam a terra com pá até a altura de uma baioneta, ou seja, tiravam toda a camada fértil. O solo mais abaixo era de areia amarela.

Vi uma idosa que, seguindo as indicações do conselho rural, puxava a terra com a pá e junto vinha o esterco. Pena que não filmei. Fosse onde fosse, te diziam: "Ah, o pessoal do cinema. Vamos achar heróis para vocês". Os heróis, um velho e o seu neto, conduziram durante dois dias seguidos o gado de um colcoz próximo a Tchernóbil. Depois das filmagens, um técnico me levou a uma trincheira gigantesca, ali é que haviam enterrado todo o gado. Não me passou pela cabeça filmar aquilo. Fiquei de costas para a trincheira e me pus a filmar um episódio na melhor tradição dos documentários soviéticos: os tratoristas lendo o jornal *Právda*, com a seguinte manchete em letras garrafais: "A pátria não os abandonará". Até tive sorte: vi uma cegonha pousando no campo. Um símbolo! Por mais terrível que seja a desgraça que nos assola, venceremos! A vida segue...

Estradas rurais. Pó. Eu já tinha entendido que não era simplesmente pó, e sim pó radiativo. Eu guardava a câmera para evitar que a lente ficasse muito empoeirada. Era um maio muito, mas muito seco. Quanta porcaria nós aspiramos, não sei. Mas ao cabo de uma semana os meus gânglios inflamaram. Economizávamos película como se fosse munição, porque o primeiro secretário do Comitê Central, Sliunkóv, deveria se apresentar naquele lugar. Ninguém te avisava de antemão em que lugar ele iria aparecer, mas nós adivinhamos. No dia anterior, por exemplo, quando percorremos uma estrada, a coluna de pó se levantava até o céu, e à frente, já estavam asfaltando, e que asfalto! Duas ou três camadas! Estava claro que era por ali que passaria a comitiva. Logo eu estava com as autoridades diante da câmera. Eles não se afastavam por nada da rua recém-asfaltada. Nem um centímetro. Isso aparece na gravação, mas eu não incluí no roteiro...

Ninguém entendia nada de nada, isso era o mais terrível. Os dosimetristas davam certas cifras, mas nos jornais líamos outras. E então, é quando você começa a pensar em algumas coisas. Ha--ha-ha! Deixei em casa um filho pequeno, uma mulher que adoro... Que estúpido ter vindo para cá. Bem, me darão uma medalha. Mas a minha mulher vai me abandonar. A única salvação era o humor. Contavam piadas sem parar. Numa aldeia abandonada se instalou um vagabundo, mas no lugar tinham ficado quatro mulheres. E perguntam a elas: "Como se porta o teu homem?". "Esse garanhão ainda corre para a outra aldeia."

Se você tentar ser sincero até o fim... Você já está aqui. E já entende: é Tchernóbil. Você vê a estrada que se estende... Vê o riacho que corre, simplesmente escuta o correr da água. E acontece uma coisa dessas. As borboletas voam... Uma mulher bonita está junto ao rio... E acontece isso. Eu só havia sentido algo semelhante quando morreu uma pessoa que me era próxima. O sol brilha... Toca uma música atrás da parede de alguém... As andorinhas piam nos telhados... E o homem morreu. Chove... Mas o homem morreu. Entende? Quero captar com as palavras os meus sentimentos, transmitir o que senti na época. Cair em outra dimensão.

Um dia vejo uma maçã em flor e me ponho a filmar. Zumbem os zangões, uma luz branca, nupcial. Novamente as pessoas trabalham, os jardins florescem. Pego a câmera, mas não consigo entender. Algo está errado. A exposição está normal, o quadro é lindo, mas tem alguma coisa errada. E de repente me dou conta de que não sinto nenhum cheiro. O jardim floresce, mas não há aroma! Isso eu só vim saber mais tarde, que é uma reação do organismo exposto a altas radiações, alguns órgãos ficam bloqueados. A minha mãe tem 74 anos e lembro que ela se queixa de ter perdido o olfato. Bem, pensei, agora isso aconteceu comigo. Perguntei aos outros do meu grupo, éramos três. "Que tal o aroma da maçã?" "Não tem aroma nenhum." Estava acontecendo conosco... Os lilases não tinham perfume. Os lilases!

De início tive a sensação de que tudo o que me rodeava não era de verdade. Como se eu estivesse no meio de um cenário. E que a minha consciência não era capaz de entender aquilo, não tinha em que se apoiar. Faltava um esquema!

Quando eu era criança, uma vizinha que tinha sido *partisan* me contou como, na época da guerra, a sua unidade tentava sair do cerco. A mulher levava nos braços um bebê de um mês, caminhavam pelo pântano cercado pelos inimigos. A criança chorava, poderia delatá-los, entregar toda a unidade. E ela o asfixiou. Falava sobre isso de forma alienada, como se não tivesse sido ela, como se outra mulher qualquer tivesse feito isso, como se o bebê não fosse seu. Por que razão ela se lembrou disso, eu já esqueci. Mas me recordo claramente de outra coisa: do meu horror. O que ela tinha feito? Como pôde fazer isso? Durante o relato, eu tinha a impressão de que toda a unidade de *partisans* conseguiria sair do cerco graças ao bebê, para salvá-lo. E então, descobri que para que esses homens sãos e fortes continuassem vivos, tiveram de asfixiar o bebê. Qual é então o sentido da vida? Depois disso, não dá vontade de viver. Eu, um garoto, não consegui mais olhar para aquela mulher depois de saber disso. Naquele momento, eu tomei consciência do lado terrível dos homens. E como ela podia olhar para mim? (*Cala-se um instante.*)

Por essa razão, não quero recordar. Não quero me lembrar daqueles dias na zona. Invento diversas explicações para mim mesmo. Não quero abrir aquela porta. Ali, eu queria entender onde era eu de verdade e onde não era. Eu já tinha filhos. Depois que o meu primeiro filho nasceu, perdi o medo da morte. Ele deu sentido à minha vida.

Uma noite, no hotel, acordei com um rumor monótono vindo da janela e uns lampejos azulados estranhos. Abri as cortinas: passavam na rua dezenas de carros militares com cruzes vermelhas e luzes piscando. Em completo silêncio. Experimentei uma sensação de choque. Vinham na memória cenas de filmes. Na mesma hora me transportei para a infância. Éramos crianças do pós-guerra e gostávamos dos filmes de guerra. E havia cenas assim. O medo infantil de que todos os seus tivessem abandonado a cidade e você se visse sozinho, tendo que tomar uma decisão. O que seria melhor: fingir-se de morto? Ou o quê? E se tivesse de fazer algo, o que seria?

Em Jóiniki havia um quadro de honra pendurado no centro da cidade. Os melhores homens do distrito. Mas quem se meteu na zona contaminada e retirou de lá as crianças do jardim de infância foi um motorista bêbado, e não aqueles homens do quadro de honra. Todos se tornaram o que eram de verdade.

E ainda outra coisa sobre a evacuação. Primeiro tiraram as crianças. Foram recolhidas em grandes ônibus. E me pego filmando uma cena exatamente como tinha visto nos filmes de guerra. E ao mesmo tempo, noto que não só eu, mas toda aquela gente que participa da ação também se comporta de maneira semelhante. As pessoas se comportam da mesma maneira que naquela outra época, como naquele filme de que todo mundo gosta, *Quando voam as cegonhas,** você se lembra? Uma lágrima breve nos olhos, uma curta palavra de despedida... Um gesto de adeus com a mão... Todos nós tentávamos encontrar uma forma de se comportar que já conhecêssemos. Buscávamos nos sintonizar com alguma coisa. Uma menina acena com a mão para a mãe querendo dizer que está tudo em ordem. Venceremos! Somos... Nós somos assim...

Pensei que eu chegaria a Minsk e que lá também estariam evacuando as pessoas. Pensei em como me despediria da minha mulher e dos meus filhos. Imaginei repetir o gesto: venceremos! Somos guerreiros! O meu pai, que eu me lembre, estava sempre em trajes militares, ainda que não fosse um militar. Pensar em dinheiro era coisa de burguês; preocupar-se com a própria vida não era patriótico. O estado normal era a fome. Os nossos pais

---

* Filme soviético, dirigido por Mikhail Kolotózov, sobre a Segunda Guerra Mundial (1957). Venceu a Palma de Ouro em Cannes em 1958.

sobreviveram às vicissitudes, portanto nós também deveríamos superá-las. De outra forma, não nos tornaríamos homens de verdade. Fomos ensinados a lutar e a sobreviver em qualquer circunstância. Eu mesmo, depois de passar pelo serviço militar, achava a vida civil insípida. À noite, costumávamos sair em grupo em busca de emoções fortes.

Na infância, li um livro genial chamado *Os depuradores*, esqueci o autor. Ali caçavam terroristas e espiões. Era emocionante! Uma caçada! Assim nos formamos. Se viver cada dia significa apenas trabalhar e comer bem, fica insuportável, desanimador!

Vivíamos no alojamento de uma escola técnica junto aos liquidadores. Uns rapazes jovens. Dividiram conosco uma mala de vodca para eliminar a radiação. Daí, soubemos que no mesmo prédio estava instalada uma unidade sanitária. Muitas garotas. "Vai ser uma festança!" Dois foram atrás delas, mas logo voltaram com os olhos esbugalhados. E nos chamaram. A cena era a seguinte: umas garotas andavam pelo corredor e… por baixo da camisa militar, usavam calças e ceroulas compridas até o chão; conversavam, não tinham vergonha. Eram roupas velhas, antigas e usadas, de tamanho maior. Pareciam cabides de roupa. Umas com tamanco, outras com botas rasgadas. Sobre a camisa, vestiam uniforme especial impermeabilizado, impregnado de não sei que composto químico. Que cheiro! Algumas não tiravam nem para dormir. Dava arrepios de ver. E elas nem sequer eram enfermeiras, tinham sido trazidas do Instituto, da cátedra militar.* Prometeram que seria por dois dias, mas quando nos instalamos, já estavam lá havia mais de um mês. Parece que as levaram

---

* Em todos os cursos universitários havia uma "cátedra militar", um departamento de instrução militar em que os estudantes eram treinados na arte da guerra. Assim, todo estudante, ao terminar o curso, adquiria, além do título, um grau militar.

ao reator e lá elas se fartaram de ver queimaduras; das queimaduras, só sei o que ouvi dizer. Ainda posso vê-las na memória, percorrendo o prédio como sonâmbulas...

Nos jornais, escreveram que por sorte o vento não soprava para aquele lado, para a cidade de Kíev. Ninguém sabia ainda. Ninguém se dava conta de que o vento soprava para a Belarús. Para mim e para o meu Iúrik. Naquele dia, eu passeava com o meu filho pelo bosque, mordiscando erva-pinheira. Deus! Como é que ninguém me avisou?

Depois dessa expedição, regressei a Minsk. Pego um ônibus para o trabalho e escuto fragmentos de conversas: "Fizeram um filme em Tchernóbil e um operador de câmera morreu logo, lá mesmo. Morreu queimado". Eu pensei: "Quem foi esse?". Em seguida, escuto: "Era jovem, tinha dois filhos. Se chamava Víktor Guriévitch". Sim, de fato existe esse operador de câmera, um rapaz bem jovem. Dois filhos? E ele escondia isso? Quando cheguei ao estúdio, alguém corrigiu: não é Guriévitch, e sim Gúrin, e se chama Serguei. Mas esse sou eu! Agora é engraçado, mas na ocasião, quando ia do metrô ao estúdio, morria de medo de pensar que, quando eu abrisse a porta... Vinha uma ideia absurda: de onde tiraram a minha fotografia? Da seção de pessoal? De onde vinha aquele boato?

Além disso, as proporções gigantescas que davam aos fatos não coincidiam com a quantidade de mortos. Por exemplo, a batalha de Kursk* provocou milhares de mortos. Isso está claro. Mas aqui, nos primeiros dias falava-se em sete bombeiros apenas. Depois, mais alguns. Só bem mais tarde começaram a chegar algumas explicações bastante abstratas para o nosso entendimento: "dentro de várias gerações", "eternamente", "nada". Começaram a

---

* Uma das maiores batalhas da Segunda Guerra Mundial, entre soviéticos e alemães, em julho de 1943.

correr boatos sobre pássaros de três cabeças, histórias de galinhas que atacavam as raposas a bicadas, de raposas calvas...

E depois... depois exigiram que alguém voltasse para a zona. Um dos operadores de câmera trouxe um atestado de úlcera no estômago, outro tirou férias, caiu fora. Fui chamado: "Você tem que ir!". "Mas eu acabei de voltar!" "Entenda: você já esteve lá. Para você, dá no mesmo. E, além disso, você já tem filhos. Os outros são jovens." Maldição! E se eu quiser ter cinco ou seis filhos? Sou pressionado. Você contará com um bom aumento e terá um bom posto. Uma situação tragicômica que joguei nos confins da minha consciência.

Em certa ocasião, filmei pessoas que estiveram em campos de concentração. Em geral elas procuram evitar contato. E eu estou de acordo com elas. Há algo de antinatural nisso de se reunir e recordar a guerra. Recordar como matavam e como eram mortos. Pessoas que sofreram juntas a humilhação ou que conheceram até onde pode chegar um homem naquelas circunstâncias; no fundo do seu subconsciente, são seres que fogem uns dos outros. Fogem de si mesmos. Fogem daquilo que descobriram ali sobre o homem. Daquilo que veio à tona do seu interior, de debaixo da pele. Por isso... Por isso fogem. Algo aconteceu ali, em Tchernóbil.

Eu também descobri algo ali, senti algo de que não queria falar. Por exemplo, que todas as nossas ideias humanistas são relativas. Em situações extremas, o homem real não tem nada a ver com as descrições dos livros. Nunca vi homens como os que aparecem nos livros. Não encontrei nenhum. É bem ao contrário. O homem não é um herói, todos nós somos vendedores do Apocalipse. Os grandes e os pequenos.

Vêm à minha memória alguns fragmentos. Cenas. Um presidente de colcoz retira em dois caminhões todas as suas coisas, a sua família, os móveis; e o responsável do Partido exige um carro para ele. Exige justiça. Eu sou testemunha de que por vários dias não conseguiam sequer retirar de lá as crianças da creche. Não havia transporte. Mas aqueles tinham dois caminhões à disposição para empacotar todas as suas tralhas, até os potes de três litros de doces e os defumados. Vi como carregavam os caminhões. E não os filmei. (*De repente começa a rir.*) Numa venda, compramos salsichas e conservas, mas logo nos deu medo de comer aquilo. Enfiamos na bolsa. Tínhamos pena de jogar fora. (*Agora, já sério.*) O mecanismo do mal seguirá funcionando no Apocalipse. Isso eu entendi. As pessoas continuarão bisbilhotando e adulando os seus chefes para salvar a sua televisão e o seu casaco de pele. E no fim do mundo, o homem será o mesmo que é agora. Sempre.

Eu não soube tirar vantagem da situação para o meu grupo de filmagem. Um dos nossos rapazes precisava de um apartamento. Fui ao comitê de sindicatos: "Precisamos de ajuda, nós passamos meio ano na zona. Merecemos algum privilégio". "Está certo, mas traga certificados que comprovem com os devidos selos", me responderam. Mas quando voltamos ao comitê, só havia uma mulher, Nástia, com um esfregão pelos corredores. Todos tinham se mandado. Contudo, havia um diretor de cinema com uma pilha de certificados: onde esteve, o que filmou. Um herói!

Tenho na memória um grande filme, um longa-metragem que não foi filmado. Ou uma série de muitos capítulos. (*Cala-se.*) Todos nós vendemos o Apocalipse.

Entramos com os soldados numa casa de aldeia. Lá vivia uma velha sozinha.

"Então, avó, vamos embora."

"Vamos, meus filhos."

"Então, junte as suas coisas, avó."

Fomos aguardar na rua. E fumar. E a velha vem saindo. Traz nas mãos um ícone, um gatinho e uma trouxa. Era tudo o que trazia.

"Avó, é proibido levar o gato. Não permitem. O pelo é radiativo."

"Não, meus filhos, sem o gato eu não vou. Como é que eu posso deixá-lo? Sozinho? Ele é a minha família."

E desde essa avó... E das maçãs em flor... Desde então, tudo começou. Agora só filmo animais. Como eu disse, a minha vida passou a ter sentido.

Uma vez, mostrei os meus filmes de Tchernóbil a algumas crianças. E me atiraram na cara: para quê? É proibido. Não é preciso. Elas vivem assim, submersas no medo, em meio a rumores; têm alterações no sangue, o seu sistema imunológico está destruído. Achei que viriam cinco ou seis pessoas, mas a sala encheu. As perguntas eram as mais diversas, mas uma especialmente me ficou na memória. Um menino, com a voz entrecortada, vermelho de vergonha, um desses meninos mais tímidos, que falam pouco, perguntou: "E por que não puderam ajudar os animais que estavam ali?". Como assim, por quê? Nunca me havia ocorrido essa pergunta. E não pude responder. A nossa arte só trata do sofrimento e do amor humano, e não de tudo que é vivo. Só do homem! Não nos rebaixamos até os animais e as plantas. Não vemos o outro mundo. Porque o homem pode destruir tudo. Matar tudo. Agora isso já não é nenhuma fantasia. Eu soube que nos primeiros meses depois do acidente, quando se discutia a evacuação das pessoas, alguém apresentou um projeto de transportar também os animais junto com as pessoas. Mas como? Com poderiam transportar todos? Talvez fosse possível transportar os que se deslocam sobre a terra. Mas e os que vivem dentro da terra, como as minhocas e os vermes? E os que vivem pelo ar? Como evacuar um pardal e uma pomba? O que fazer com eles? Não temos como lhes transmitir as informações necessárias.

Quero fazer um filme. O título será: *Os reféns*. É sobre os animais. Você se lembra da canção: "Flutuava pelo oceano uma ilha alazã"?* Um navio afunda, as pessoas sobem nos botes. Mas os cavalos não sabem que nos botes não há lugar para eles...

Será uma parábola atual. A ação transcorre num planeta longínquo. Um cosmonauta num traje espacial. Através dos auriculares, ouve um ruído. E vê que avança na sua direção algo enorme. Descomunal. Um dinossauro? Ainda sem entender do que se trata, o homem dispara. Depois de um instante, vê novamente algo se aproximar. Ele o destrói. Passado mais um instante, surge um rebanho. O homem organiza uma matança. Mas o que acontece é que havia um incêndio e os animais tentavam se salvar correndo pela picada em que o cosmonauta estava. Isso é o homem!

Mas comigo... Comigo aconteceu uma coisa incomum. Eu passei a olhar os animais com outros olhos. E também as árvores. Os pássaros. Continuo viajando para a zona todos esses anos. Das casas abandonadas e saqueadas saem javalis e alces. Isso eu filmei. É o que busco. Quero fazer um filme novo. Ver tudo pelos olhos dos animais. "Por que você filma isso?", as pessoas me perguntam. "Olhe em volta. Na Tchetchênia há uma guerra."

Mas são Francisco pregava aos pássaros. Falava com os pássaros de igual para igual. Quem sabe os pássaros falavam com ele nas suas próprias línguas e não foi são Francisco quem se rebaixou até eles? São Francisco compreendia a linguagem secreta.

Você se lembra, em Dostoiévski,** de um sujeito que chicoteava o cavalo nos seus olhos submissos? Um louco! Não no lombo, mas nos olhos submissos.

Serguei Gúrin, operador de câmera cinematográfica

---

* Do poema "Cavalos no oceano", de Iliá Grigórievitch Eremburg (1891-1967).
** Trata-se de uma cena do romance *Crime e castigo*, de Fiódor Dostoiévski.

MONÓLOGO SEM NOME — UM GRITO

Gente boa, não nos perturbem! Deixem-nos em paz! Vocês falam conosco e vão embora, mas nós temos que viver aqui.

Aqui estão os prontuários médicos. Todos os dias eu os apanho e os leio.

Ánia Budái — nascida em 1985 — 380 rems

Vítia Grinkévitch — nascido em 1986 — 785 rems

Nástia Chablóvskaia — nascida em 1986 — 570 rems

Aliocha Plenin — nascido em 1985 — 570 rems

Andrei Kotchónko — nascido em 1987 — 450 rems

Hoje uma mãe me trouxe uma menina como essas crianças para consulta.

"Onde dói?"

"Dói tudo, como a vovó: o coração, as costas, a cabeça roda."

Desde pequenos eles conhecem a palavra alopecia, porque muitos ficaram sem pelos, sem cabelos, sem sobrancelhas, sem cílios. Já se acostumaram. Mas na nossa aldeia só temos uma escola primária, e as crianças que passam para o quinto ano têm de tomar ônibus para ir a outra escola, a dez quilômetros. Choram, não querem ir. Lá as outras crianças vão rir delas.

Você mesma viu. O corredor está cheio de doentes. Eles esperam. Eu escuto diariamente cada coisa, que os horrores a que vocês assistem pela tevê não passam de tolices. Transmita isso ao prefeito da capital. Tolices!

Moderno. Pós-moderno. À noite, me tiraram da cama para atender a uma urgência. Chego ao lugar, a mãe está de joelhos junto a uma caminha. A criança está morrendo. Escuto o lamento da mãe: "Queria, filhinho, que se isso acontecesse, que fosse no verão. O verão é quente, florido, a terra é macia. Mas é inverno. Espere ao menos a primavera…".

Você vai escrever isso?

Eu não quero fazer comércio com a desgraça. Filosofar. Para isso eu teria que tomar partido. E eu não posso. Diariamente ouço o que dizem, como se lamentam e choram. Gente boa, vocês querem saber a verdade? Sentem-se ao meu lado e anotem. Mas ninguém vai ler um livro assim...

É melhor não nos perturbar. Nós temos que viver aqui.

Arkádi Pávlovitch Bogdankévitch, médico rural

MONÓLOGO A DUAS VOZES: MASCULINA E FEMININA

Professores Nina Konstantínovna e Nikolai Prókhorovitch Járkovi. Ela é filóloga, ele dá aulas de formação profissional.

Ela:

Penso tão frequentemente na morte que não gostaria de vê-la. Você já ouviu alguma vez crianças conversando sobre a morte? Pois os meus, do sétimo ano, discutem e questionam: a morte dá medo ou não? Ainda há pouco, o que interessava a eles era: de onde eu vim? De onde vêm os bebês? Agora, o que os preocupa é o que acontecerá depois da bomba atômica. Deixaram de amar os clássicos, eu recito Púchkin de cor para eles e vejo os seus olhares frios, ausentes... Há um vazio... O mundo em torno deles é outro. Leem ficção científica, é isso que os atrai, ver como o homem se afasta da Terra, como opera com o tempo cósmico, como vive em mundos distintos. Eles não podem temer a morte da mesma forma que os adultos, como eu, por exemplo; a morte os preocupa como algo fantástico. Como uma viagem para algum lugar.

Reflito sobre isso. Penso neles. A morte que nos rodeia obriga a pensar muito. Eu ensino literatura russa para crianças que não são mais as mesmas de dez anos atrás. As de hoje assistem constantemente coisas e pessoas serem enterradas. Serem cobertas pela terra. Pessoas conhecidas. Casas, árvores. Tudo é enterrado. Quando fazem fila, essas crianças desmaiam, quando ficam em pé por quinze ou vinte minutos, vertem sangue pelo nariz. Não há nada que as surpreenda, que as alegre. Estão sempre sonolentas, cansadas. O rosto pálido, cinzento. Não brincam e também não brigam por nada. E se chegam a brigar, se quebram sem querer o vidro de uma janela, os professores até ficam contentes. Não se zangam, porque eles não parecem crianças. E crescem tão lentamente. Se você pede na aula que repitam algo, se você diz uma frase para que repitam em seguida, eles já não se lembram. "Onde você está? Onde?", você tenta tirá-los do transe. Eu fico pensando. Penso muito nisso. É como se eu desenhasse com água sobre o vidro; o que desenhei só eu sei, ninguém vê, ninguém adivinha. Ninguém imagina.

A nossa vida gira em torno de uma só coisa: Tchernóbil. Onde você estava, a que distância do reator vivia? Quem viu? Quem morreu? E quem foi embora? Para onde? Lembro que nos primeiros meses os restaurantes ficaram apinhados, se ouvia a balbúrdia das festas. "Só se vive uma vez." "Se vamos morrer, que seja com música." E enchiam-se de soldados, oficiais... Tchernóbil agora já não nos deixa... Um dia, morreu inesperadamente uma jovem grávida. Sem diagnóstico algum, nem sequer o patologista deu o diagnóstico. Uma menina se enforcou. Do quinto ano. Assim, sem mais nem menos. Os pais ficaram loucos. O diagnóstico era o mesmo para todos: Tchernóbil; quando acontecia algo, todos diziam: Tchernóbil. E ainda nos censuravam: "Vocês adoecem porque têm medo. Por medo. Radiofobia". Se é assim, por que crianças pequenas adoecem e morrem? Nem conhecem o medo, ainda não entendem nada.

Eu me lembro daqueles dias. A minha garganta ardia e eu tinha uma sensação de peso, o corpo todo pesava. "Isso é hipocondria", me disse o médico, "estão todos apreensivos pelo que ocorreu em Tchernóbil." "Como hipocondria? Dói tudo. Estou sem forças." O meu marido e eu não ousávamos confessar um ao outro, mas as nossas pernas começavam a paralisar. Todos se queixavam: os nossos amigos, todas as pessoas. Você estava andando e parecia que de um momento para o outro iria cair. Cair e dormir. Os estudantes tombavam sobre as carteiras, dormiam no meio da aula. E todos estavam terrivelmente tristes, mal-humorados, você não via um rosto alegre, um sorriso, o dia todo. As crianças permaneciam na escola das oito da manhã às nove da noite, estavam estritamente proibidas de brincar e correr na rua. Deram-lhes roupas novas: saia e blusa às meninas, terninho aos meninos. Mas elas voltavam para casa com aquela roupa, e onde mais as usavam, nós não sabíamos. As instruções eram de que as mães lavassem as roupas diariamente, de que sempre estivessem limpas quando fossem à escola. Em primeiro lugar, davam apenas um uniforme para cada um, não havia reposição. Em segundo lugar, as mães já estavam sobrecarregadas com as tarefas domésticas, com as galinhas, as vacas e os leitões, e não podiam entender por que deveriam lavar a roupa todos os dias. Sujeira, para elas, era tinta, terra, mancha de gordura, e não a ação de não sei que isótopos de curta duração. Quando eu tentava explicar algo aos pais dos meus alunos, tinha a impressão de que me entendiam tanto quanto entenderiam o xamã de uma tribo africana. "Mas o que é isso de radiação? Uma coisa que não se ouve nem se vê? Ha-ha-ha! Pois o que eu ganho não chega ao fim do mês. Vivemos os últimos três dias de batatas e leite. Ha-ha-ha!" As mães também não levavam a sério, quando eu dizia que não se devia tomar leite nem comer batatas. No mercado, vendiam carnes em conserva da China e trigo-sarraceno, mas como comprá-los? Davam auxílio-funeral. Uma compensação por vivermos aqui. Eram copeques. Suficientes para comprar não mais que duas latas de conservas.

As instruções são feitas para pessoas instruídas, com determinada cultura. Mas não há disso aqui! As pessoas daqui não podem compreender essas instruções. Além disso, não é simples explicar a cada uma delas o que diferencia os "rems" dos "roentgen". Ou a teoria das pequenas doses.

Do meu ponto de vista, eu chamaria isso de fatalismo, um leve fatalismo. Por exemplo, durante o primeiro ano não se podia consumir nada das hortas, mas as pessoas se alimentavam delas e ainda faziam provisões para o dia de amanhã. Ainda mais com aquelas maravilhosas colheitas! Experimente dizer que não devem comer os pepinos e os tomates. Como assim? O gosto é normal. Comem e não sentem dor de estômago. E também não brilham no escuro. Esse ano, os nossos vizinhos trocaram o piso, tiraram as peças de um bosque daqui. Mediram, era necessário cem vezes mais madeira que o permitido. Mas ninguém confiscou a madeira, e assim eles continuam vivendo. Tudo vai se regularizar, diziam; não se sabe como, mas tudo voltará ao normal por si mesmo, sem as pessoas, sem a sua participação.

Nos primeiros tempos, levavam alguns comestíveis aos dosimetristas para que analisassem. Resultado: doses dez vezes superiores à normal. Depois, deixaram rolar. "Não se ouve, não se vê nada. Ha-ha! O que não inventam esses cientistas!" Tudo seguia o seu curso: aravam os campos, semeavam, colhiam. Tinha acontecido algo antes impensável, mas as pessoas continuavam vivendo como outrora. E os pepinos da horta, a que você deveria renunciar, se tornaram mais importantes que Tchernóbil.

As crianças passaram todo o verão na escola; os soldados lavaram o edifício com detergente e retiraram a camada superior da terra ao redor. E no outono? No outono, mandaram todos os estudantes para a colheita no campo. Inclusive os das escolas técnicas. Todos. Tchernóbil era menos ameaçador que deixar de colher batatas...

Quem tem culpa? Quem tem culpa, senão nós mesmos? Antes não percebíamos o mundo à nossa volta, o mundo era como o céu, como o ar, uma dádiva eterna que não dependia de nós. Estaria ali para sempre. Antes, eu gostava de me deitar sobre a relva do bosque e contemplar o céu; me sentia tão bem que até me esquecia de mim mesma. Mas e agora? O bosque continua belo, repleto de frutos, mas ninguém mais os colhe. No bosque, no outono, raramente se escuta uma voz humana. O medo está nas sensações, no nível do subconsciente. Só nos restaram a televisão e os livros. A imaginação. As crianças crescem dentro de casa. Sem o bosque e o rio... Apenas olham pela janela. São crianças muito diferentes. Eu apresento "Hora de desalento. Encanto do olhar..." do mesmo Púchkin que me parecia eterno. Às vezes me vem o pensamento sacrílego de que a nossa cultura não é mais que um baú de velhos manuscritos. Tudo aquilo que amo...

Ele:

Surgiu um novo inimigo, e o inimigo se apresentava diante de nós com outro aspecto. Nós recebemos uma educação militar. Um pensamento militar. Fomos preparados para repelir e liquidar um ataque nuclear. Para enfrentar guerras químicas, biológicas e atômicas. Mas não para expelir radionuclídeos do nosso organismo. Nem para medi-los. Nem para vigiar o césio e o estrôncio. Não se pode comparar isso com uma guerra, não é exato, mas todos comparam. Quando eu era criança, sobrevivi ao bloqueio de Leningrado. É impossível comparar. Lá, nós vivíamos como no front, sob fogo cerrado. E sob a fome, anos de fome, quando o homem cede aos seus instintos mais baixos. E descobre a fera dentro de si. Mas aqui, ao contrário, tudo continua a crescer. Nada mudou no campo ou no bosque. É incomparável.

Mas eu queria falar de outra coisa... Perdi o fio... Escapou... Ah, sim. Quando começa um bombardeio, é um Deus nos acuda! Você pode morrer não um dia, mas agora, nesse minuto. Com o inverno vinha a fome. Queimávamos os móveis. Em casa, queimamos tudo que era de madeira, todos os livros, até os trapos velhos, se bem me lembro. Passava uma pessoa pela rua e se recostava a um canto. Se no dia seguinte ela ainda estivesse lá, significava que havia congelado, e ficava ali uma semana, ou até a primavera. Até o tempo esquentar. Ninguém tinha forças para arrancá-la do gelo; se uma pessoa caía na rua, raramente alguém vinha ajudar. Passavam ao largo. Lembro que as pessoas não andavam, se arrastavam, tão lentamente se moviam. Não se pode comparar isso a nada!

Quando explodiu o reator, a minha mãe ainda estava viva; ela repetia: "O pior, filho, nós já passamos. Sobrevivemos ao bloqueio. Nada pode ser pior". É o que ela pensava.

Nós nos preparávamos para uma guerra, para uma guerra atômica, construíamos abrigos atômicos. Queríamos nos proteger do átomo como nos defendíamos do estilhaço de um projétil. Mas o átomo está por toda parte... No pão, no sal... Respiramos radiação, comemos radiação... O fato de ficarmos sem pão e sem sal, de comermos qualquer coisa, de chegarmos ao ponto de cozinhar um cinto de couro em água apenas para sentir o cheiro, tudo isso eu podia compreender. Mas isso não. Que tudo estava envenenado...

Agora o importante é esclarecer como vivemos. Nos primeiros meses, o medo dominou, sobretudo médicos e professores, ou seja, a intelectualidade; as pessoas mais instruídas deixavam tudo e partiam. Mas havia a disciplina militar. Tinham de apresentar as suas carteiras ao Partido, e lá não permitiam que ninguém se deslocasse. Eu queria saber. Quem é o culpado? Para responder à questão de como vivemos aqui, é necessário saber quem é o culpado. Quem? Os cientistas, o pessoal da central? Ou nós mesmos, a maneira como vemos o mundo? Não podemos deixar de ter desejos, de consumir. Encontraram culpados: o diretor e o pessoal de plantão. A ciência. Mas por que, me diga, não lutamos contra o automóvel, que também é uma criação da inteligência humana, pois se lutamos contra o reator! Exigimos que fechem todas as centrais atômicas, mas e os cientistas atômicos, não serão julgados? Nós os maldizemos! Eu idolatro o saber humano e tudo o que o homem criou. O saber... O saber em si mesmo nunca é culpável. Hoje os cientistas também são vítimas de Tchernóbil. Eu quero viver depois de Tchernóbil, e não morrer depois de Tchernóbil. Quero compreender onde depositar a minha fé. O que me dará forças?

Todos nós pensamos nisso. Hoje as reações das pessoas são diversas, afinal já se passaram dez anos, mas a guerra continua sendo o termo de medida. A guerra durou quatro anos. Faça as contas, já são duas guerras. Vou enumerar as reações: "Tudo ficou para trás"; "As coisas vão se arranjar de alguma forma"; "Já se passaram dez anos, não há mais perigo"; "Vamos todos morrer! Logo morreremos!"; "Quero ir embora do país"; "Virão nos ajudar"; "Ao diabo com tudo! Temos de viver o agora". Acho que enumerei todas. Isso é o que ouvimos todos os dias. E se repete.

Do meu ponto de vista, somos material para pesquisas científicas. Para algum laboratório internacional. Do centro da Europa. Dentre nós, bielorrussos, dentre os 10 milhões de habitantes, mais de 2 milhões vivem em terras contaminadas. Um laboratório natural. Tudo ali são dados que se prestam a anotações, a experimentos. Vêm nos ver de todas as partes do mundo. Escrevem teses de doutorado. De Moscou, de Petersburgo, do Japão, da Alemanha, da Áustria. Estão se preparando para o futuro. (*Uma longa pausa na conversa.*)

O que eu estava pensando? Estava comparando de novo. Eu achava que poderia falar de Tchernóbil, mas não do bloqueio de Leningrado.

Recebi uma carta de Leningrado. Desculpe, mas o nome Petersburgo não me entra na cabeça, porque foi em Leningrado que eu quase morri. Então... Recebi uma carta me convidando para o encontro "Crianças do bloqueio de Leningrado". Fui ao encontro, mas não consegui pronunciar nem uma palavra. Narrar simplesmente o medo? É pouco. Simplesmente o medo. O que o medo fez comigo? Eu até hoje não sei. Em casa, nunca recordávamos o bloqueio, a minha mãe não queria. Mas de Tchernóbil, falamos. Ainda que não... (*Cala-se.*) Entre nós não falávamos, era uma conversa que acontecia quando alguém vinha nos ver: estrangeiros, jornalistas, familiares que não vivem aqui. Por que não falávamos sobre Tchernóbil? Esse tema não se discutia nem na escola. Nem com os alunos. Nem em casa. Estava bloqueado, trancado.

Na Áustria, na França, na Alemanha, nos lugares que recebem as crianças para tratamento, conversam com elas sobre o assunto. E eu pergunto às crianças que indagações lhes fazem, o que querem saber. Mas elas geralmente não se lembram nem das cidades, nem das vilas, nem do nome das famílias que as alojaram. Enumeram os presentes, as comidas de que gostaram. Um ganhou uma vitrola, o outro não. Regressam com roupas que não foram compradas com o seu dinheiro, com o dinheiro dos seus pais. É como se tivessem estado em exposições, em grandes lojas, em supermercados caros... E esperam ansiosas que as convidem de novo. Ali as mimam e as enchem de presentes. E elas se acostumam a isso. Estão acostumadas. Para as crianças, isso já se converteu num modo de vida e passou a representar a ideia que têm da vida. Mas depois das grandes lojas estrangeiras, depois das exposições caras, têm que voltar à escola. Às aulas. E quando entro na classe, vejo diante de mim observadores. Crianças que observam, mas que não vivem. Tenho de ajudá-las... Tenho de explicar que o mundo não é um supermercado. Que é outra coisa. Mais duro e mais maravilhoso. Levo os alunos ao meu escritório, mostro as minhas esculturas de madeira. Eles gostam das esculturas. Digo a eles: "Tudo isso se pode fazer com um pedaço de madeira qualquer. Experimentem". Para ver se despertam! A mim, isso ajudou a superar o bloqueio, fui saindo dele durante anos.

O mundo se dividiu: há os de Tchernóbil, nós; e há vocês, o resto dos homens. Você notou? Nós já não distinguimos: eu sou bielorrusso, eu sou ucraniano, eu sou russo... Todos nos chamamos pessoas de Tchernóbil. Nós somos de Tchernóbil, eu sou de Tchernóbil. É como se fôssemos um povo à parte... Uma nova nação...

MONÓLOGO SOBRE COMO UMA COISA COMPLETAMENTE DESCONHECIDA VAI SE INTRODUZINDO DENTRO DE VOCÊ

Formigas, pequenas formigas correm pelo tronco. Ao redor, a maquinaria militar retumba. Soldados. Gritos, maldições. Juramentos. O zumbir dos helicópteros. Apesar disso, elas correm pelo tronco.

Eu regressava da zona e, de tudo o que vi naquele dia, só me lembrava dessa cena. Desse momento. Tínhamos parado no bosque, acendi um cigarro junto a uma bétula e me apoiei na árvore. As formigas corriam pelo tronco diante de mim; sem nos ouvir, sem nos dar a menor atenção. Seguiam obstinadas o seu itinerário. Nós estamos morrendo, e elas nem notam. Algo assim me passou pela cabeça. Retalhos de pensamento. Eu tinha tantas impressões que não podia pensar. Então, as olhava. Eu nunca tinha observado as formigas tão de perto. A tão pouca distância.

No início, todos falavam de "catástrofe", de "guerra nuclear". Li sobre Hiroshima e Nagasaki, vi documentários. É pavoroso, mas compreensível: uma guerra nuclear, o rádio da explosão. Isso eu até podia imaginar. Mas o que aconteceu conosco... Para isso me faltava... me faltavam conhecimentos, e faltavam em todos os livros que eu havia lido na minha vida. Eu acabava de regressar de uma viagem de trabalho, estava perplexo olhando as minhas estantes de livros no escritório. Eu li... Se não tivesse lido... Uma coisa totalmente desconhecida destruía o meu mundo anterior. Era algo que se introduzia, que penetrava em você. À margem da sua vontade.

Recordo uma conversa com um cientista. "Isso é para mil anos", ele me explicava, "o urânio se desintegra em 238 semidesintegrações. Se traduzirmos em tempo, significa 1 bilhão de anos; e no caso do tório, trata-se de 14 bilhões de anos." Cinquenta. Cem. Duzentos anos. E depois? Depois é puro estupor. Mais que isso, a minha mente não dá conta de imaginar. Deixa de compreender o que é o tempo. Onde estou?

Escrever sobre isso agora, quando não se passaram mais que dez anos... Um instante! Escrever? Parece arriscado. Não é seguro. Não esclareceremos nem descobriremos nada. No entanto, podemos inventar algo que se assemelhe à nossa vida. Fazer um decalque. Eu experimentei, mas não consegui nada. Depois de Tchernóbil, o que restou foi a mitologia de Tchernóbil. Os jornais e as revistas competem entre si para ver quem escreve as coisas mais terríveis, e esses horrores agradam, sobretudo, àqueles que não os viveram. Todo mundo leu algo sobre cogumelos do tamanho de uma cabeça humana, mas ninguém os encontrou. Como os pássaros de duas cabeças. Por isso, o que se deve fazer não é escrever e sim anotar. Documentar os fatos. Mostre-me uma novela fantástica sobre Tchernóbil. Não há! E nem haverá! Garanto. Não haverá!

Tenho um caderno de notas à parte. Anotei ali conversas, piadas, rumores. É o mais interessante e o mais fidedigno. É uma pista exata. O que sobrou da Grécia antiga? Os mitos da Grécia antiga.

Vou te dar o meu caderno... Ele vai acabar se perdendo entre os meus papéis. Pode ser que sirvam para os seus filhos, quando crescerem. E de qualquer forma é história...

Das conversas:

Já faz três meses que a rádio diz: a situação se estabiliza, a situação se estabiliza, a situação se estabili...

Imediatamente ressuscitou o esquecido léxico stalinista: "agentes dos serviços secretos ocidentais", "inimigos jurados do socialismo", "complôs de espiões", "operações de desestabilização", "golpe pelas costas", "socavar a união indestrutível dos povos soviéticos". Todo mundo não para de falar em espiões e terroristas infiltrados; por outro lado, nem uma palavra sobre medidas profiláticas à base de iodo. Toda informação não oficial é interpretada como ataque da ideologia inimiga.

Ontem, o redator-chefe eliminou da minha reportagem o relato da mãe de um dos bombeiros que esteve naquela noite apagando o incêndio do reator. O homem morreu por irradiação aguda. Depois de enterrar o filho em Moscou, os pais regressaram à sua aldeia, que logo seria evacuada. Mas, no outono, conseguiram voltar à sua horta às escondidas, através do bosque, e colheram um saco de tomates e pepinos. A mãe estava contente: "Preparamos uns vinte potes". Que fé na terra! Na secular experiência camponesa! Nem sequer a morte do filho havia alterado o seu mundo habitual. "O que há com você? Anda ouvindo a rádio Svoboda?",* soltou o meu redator-chefe. Eu não respondi. "Não quero

---

* Emissora de rádio americana que transmite dos Estados Unidos nas diversas línguas da ex-União Soviética. Teve papel importante durante a Guerra Fria, ao escapar à censura do regime.

gente no jornal que difunda o pânico. Escreva sobre os heróis, os soldados que subiram no teto do reator."

Herói... Heróis... Quem são eles? Para mim, é o médico que, apesar das ordens de cima, dizia a verdade aos homens. E o jornalista, e o cientista. Mas, como o redator-chefe disse numa reunião: "Lembrem-se! Agora entre nós não há nem médicos, nem professores, nem cientistas, nem jornalistas, hoje só existe para nós uma profissão: a de homem soviético". Será que ele realmente acreditava nessas palavras? Será possível que não tivesse medo? A cada dia vejo mais minada a minha fé.

Chegaram uns instrutores do Comitê Central. O itinerário deles era: ir de carro do hotel ao Comitê Regional do Partido e voltar, também de carro, ao hotel. Estudam a situação a partir de recortes de jornais locais. Há sacolas de viagem cheias de sanduíches que trouxeram de Minsk. Preparam chá com água mineral, também trazida de fora. A recepcionista do hotel em que estavam me contou sobre isso. As pessoas não acreditam no que dizem os jornais, a televisão e o rádio; buscam informação na conduta das autoridades. É onde se fiam.

O que fazer com a criança? Tenho vontade de pegá-la e sair correndo. Mas estou com a carteira do Partido no bolso. Não posso!

A piada mais popular da zona: o melhor remédio contra o estrôncio e o césio é a vodca Stolítchnaia.

Nos mercados das aldeias, logo apareceram produtos antes impossíveis de encontrar. Ouvi a intervenção do secretário regional do Partido: "Vamos dar a vocês uma vida paradisíaca. A única coisa que devem fazer é ficar e trabalhar. Vamos abastecer os mercados com frios e trigo-sarraceno. Vocês terão tudo o que havia nos mercados especiais". Ou seja, o que havia nos mercados do Comitê Regional. A atitude em relação ao povo é a seguinte: que se conforme com as salsichas e a vodca. O diabo que os carregue! Eu nunca tinha visto num mercado rural três tipos de frios. Eu mesmo cheguei a comprar meias de seda importadas para a minha mulher.

Os dosímetros estiveram à venda por um mês e logo desapareceram. Não se pode escrever sobre isso. Quantos e quais radionuclídeos soltaram sobre nós? Tampouco sobre isso. É proibido também dizer que nas aldeias só ficaram homens. Evacuaram as mulheres e as crianças. Durante o verão inteiro os homens lavaram a própria roupa, ordenharam as vacas e cultivaram as hortas. Evidentemente, bebiam. Brigavam. Porque um mundo sem mulheres... Pena que eu não sou roteirista. É um argumento para um filme. Onde está Spielberg? E Aleksiéi Guérman, que eu tanto admiro? Ele teria escrito sobre isso. Mais uma implacável incisão do redator-chefe: "Não se esqueça de que estamos rodeados de inimigos. Temos muitos inimigos do outro lado do oceano". E por isso só temos coisas boas, nenhuma má. E não pode haver nada incompreensível.

Mas em algum lugar se formam comboios de trem especiais, alguém viu as nossas autoridades com as suas malas.

Junto a um posto de polícia, sou parado por uma idosa, que me diz: "Quando for por ali, faça uma visita à minha casa. É época de colher batatas, mas os soldados não me deixam fazer isso". Foram evacuados. Foram enganados, disseram-lhes que era por três dias. Do contrário, não teriam saído. O homem está no vazio, sem nada de seu. As pessoas abrem caminho para as suas aldeias através de controles militares, pelas picadas dos bosques... Pelos pântanos. Durante a noite. São perseguidos, caçados. De carro, de helicóptero. "Como faziam os alemães", comparam os mais velhos. Na guerra...

Vi o primeiro salteador. Um rapaz jovem que usava duas jaquetas de pele. Queria convencer a patrulha militar de que era um modo de tratar o reumatismo. Mas quando o apertaram, confessou: "A primeira vez dá medo, mas depois você se acostuma. Toma um trago e vai". Ou seja, bebe para vencer o instinto de conservação, porque em estado normal é impossível. É assim que se lançam na azáfama. E igualmente no delito.

Entramos numa casa camponesa abandonada. Sobre uma toalha de linho branca havia um ícone. "Para Deus", comentou alguém. Em outra casa, a mesa também estava coberta com uma toalha branca. "Para os homens", disse alguém.

Depois de um ano, viajei à minha aldeia. Os cachorros tinham se tornado selvagens. Encontrei o nosso Rex. Eu o chamei, mas ele não veio. Será que não me reconheceu? Ou não quer me reconhecer? Talvez esteja ofendido.

Durante as primeiras semanas e os primeiros meses, todos se mantiveram calados. Ninguém dizia nada, estavam imersos numa prostração. Tinham de abandonar a aldeia, mas até o último dia, nada. A mente era incapaz de dar conta do que estava acontecendo. Não me lembro de conversas sérias, só de piadas: "Agora os mercados estão cheios de radioprodutos"; "Os impotentes se dividem em radioativos e radiopassivos". Mas depois de um tempo até as piadas desapareceram.

No hospital, uma garotinha diz à mãe: "O menino que me deu bala ontem morreu".

Na fila do açúcar:
"Ah, minha gente, quanto cogumelo deu esse ano! Cogumelos e bagos aos montes."
"Estão contaminados."
"Você parece bobo. E quem te obriga a comer? Recolha, seque e leve ao mercado de Minsk. Você vai ficar milionário."

Podem nos ajudar? E como? Transferindo-nos para a Austrália ou para o Canadá? Parece que de vez em quando circulam conversas desse tipo nas altas esferas.

Para escolher o lugar das igrejas, consultavam literalmente o céu. Os homens de Igreja tinham visões. Cerimônias sagradas precediam as construções. Mas a central atômica foi construída como uma fábrica ou um estábulo. O teto foi coberto de asfalto. Betume. Quando incendiou, derreteu.

Você leu? Perto de Tchernóbil caçaram um soldado desertor. Ele havia construído um refúgio sob a terra e passado um ano próximo ao reator. Alimentava-se do que encontrava nas casas abandonadas, um pedaço de toucinho, um pote de pepinos em conserva. Punha armadilhas para os bichos. Fugiu porque os "avôs" o ameaçaram de morte. Decidiu se salvar em Tchernóbil.

Nós somos fatalistas. Não tomamos nenhuma iniciativa, porque acreditamos que tudo será como tiver de ser. Cremos no destino. A nossa história é a seguinte: cada geração viveu a sua guerra. Houve muito sangue derramado. Como podemos ser de outro modo? Somos fatalistas.

Apareceram os primeiros cachorros-lobos, nascidos de lobas e cachorros fugidos para o bosque. São maiores que os lobos, não param diante das sinalizações, não temem a luz nem o homem, não respondem à *vaba* (grito dos caçadores que imita a chamada dos lobos). E também os gatos selvagens se reúnem em grupos e já não têm medo do homem. A memória da obediência ao homem desapareceu. A fronteira entre o real e o irreal está se apagando...

Ontem o meu pai completou oitenta anos. Toda a família se reuniu ao redor da mesa. Eu o olhava e pensava quantos acontecimentos ele tinha acumulado na vida: o gulag stalinista, a guerra, e agora Tchernóbil. Tudo isso ocorreu no período de uma geração. E o que ele gosta é de pescar, cultivar a horta. Quando era jovem, mamãe reclamava do seu caráter mulherengo: "Não escapava um rabo de saia". Mas agora observo como ele baixa o olhar cada vez que cruza com uma mulher jovem e bonita.

O que sabemos sobre o homem? Que ele pode... Enquanto tiver forças...

Dos boatos:

Perto de Tchernóbil estão construindo campos de concentração para encarcerar os que foram atingidos pela radiação. Lá ficarão isolados, serão estudados e enterrados. Levaram os mortos das aldeias próximas à central de ônibus, direto para o cemitério, e enterraram milhares em fossas comuns. Como durante o bloqueio de Leningrado.

Pouco antes da explosão, várias pessoas parecem ter visto uma luminosidade estranha sobre a central. Alguém inclusive a fotografou. Na película se descobriu que era um corpo extraterrestre que levitava.

Em Minsk, lavaram os trens e os vagões de mercadorias. Vão evacuar toda a capital para a Sibéria. Lá, já estão reformando os barracões que restaram dos campos de concentração stalinista. Começarão pelas mulheres e crianças. Os ucranianos já estão sendo evacuados.

Os pescadores encontram cada vez mais peixes anfíbios, que podem viver na água e na terra. Andam pela terra sobre as nadadeiras, que servem de patas. Começaram a pescar lúcios sem cabeça e sem nadadeira. Nadavam com o tronco. Algo parecido começará a acontecer com as pessoas. Os bielorrussos vão se converter em humanoides.

Não se tratou de um acidente, e sim de um terremoto. Ocorreu algo no córtex subterrâneo. Uma explosão geológica. As forças geofísicas e cosmofísicas estão interferindo. Os militares sabiam disso de antemão, podiam ter nos avisado, mas conservaram tudo em segredo.

Por culpa da radiação, os animais do bosque estão doentes. Vagueiam tristes, têm os olhos tristonhos. Os caçadores sentem medo e pena de atirar neles. E os animais deixaram de temer o homem. As raposas e os lobos entram nos povoados e se aproximam carinhosamente das crianças.

As pessoas de Tchernóbil têm filhos, mas em vez de sangue, corre um líquido amarelo nas veias das crianças. Os cientistas provaram que o macaco se tornou tão inteligente justamente por ter vivido em ambiente radiativo. As crianças que virão a nascer dentro de três ou quatro gerações serão todas como Einstein. Isso é um experimento cósmico que estão realizando conosco.

Anatóli Chimánski, jornalista

MONÓLOGO SOBRE A FILOSOFIA CARTESIANA E SOBRE
COMO VOCÊ COME UM SANDUÍCHE CONTAMINADO
COM OUTRA PESSOA PARA NÃO PASSAR VERGONHA

Tenho vivido entre os livros. Durante vinte anos dei aulas na universidade. Sou pesquisador acadêmico. Uma pessoa que buscou na história o seu momento preferido, e que vive nele. Que se dedica a ele plenamente e está imerso no seu espaço. Isso em ideal, idealmente, claro... Porque a filosofia do nosso país era a marxista-leninista, e os temas propostos para as teses eram: o papel do marxismo-leninismo no desenvolvimento da agricultura ou no aproveitamento das terras virgens; o papel de guia do proletariado mundial... Ou seja, nada a ver com reflexões cartesianas. Mas tive sorte. O meu trabalho acadêmico de final de curso foi escolhido para participar de um concurso em Moscou, e de lá ligaram: "Deixem o rapaz. Que continue escrevendo". Eu escrevia um ensaio sobre o filósofo religioso francês Malebranche, que se dedicara a interpretar a Bíblia a partir das posições de uma mente racionalista. Refiro-me ao século xviii, à época da Ilustração, da fé e da razão. Fé na nossa capacidade para explicar o mundo.

Tal como entendo agora, tive sorte. Não caí na trituradora. Na misturadora. Foi um milagre! Antes disso, tinham reiteradamente me advertido: para um trabalho acadêmico de final de curso, Malebranche pode até ser interessante. Mas para uma tese, você deve pensar em outro tema. Uma tese é coisa séria. Dizendo de outra forma: nós te concedemos o mestrado na cátedra de filosofia marxista-leninista, e você emigra para o passado? Você me entende...

Mas teve início a perestroika de Gorbatchóv. Um tempo que havia tanto esperávamos. A primeira coisa que notei foi que o rosto das pessoas começou a mudar, e elas começaram até a andar de outra maneira; a vida parecia corrigir algo plástico, as pessoas passaram a sorrir mais umas para as outras. Havia uma outra energia em tudo. Algo... Certamente, algo mudou por completo. Eu até agora me surpreendo como tudo aconteceu tão rápido. Quanto a mim, também fui expulso da vida cartesiana. Junto com os livros de filosofia, passei a ler os jornais diários e as revistas, a esperar impaciente cada número da *Ogoniók*, que era afinada com a perestroika. De manhã, fazíamos fila diante das bancas de jornal; nem antes nem depois se leu tanto como naquela época. E nunca se acreditou tanto na imprensa. Caía uma avalanche de informações sobre nós... O testamento político de Lênin foi publicado, um documento conservado durante meio século nos arquivos secretos. Depois Soljenítsin, em seguida Chalámov, Bukhárin, todos foram aparecendo nas estantes das livrarias. Pouco tempo antes, ainda te detinham por possuir tais livros. Dava prisão. O acadêmico Sákharov foi liberado do exílio. Pela primeira vez televisionavam as seções do Soviete Supremo da União Soviética. Todo o país continha a respiração diante das telas. Nós falávamos e falávamos... Falávamos em voz alta sobre coisas que até pouco tempo atrás tinham de ser sussurradas nas cozinhas. Quantas gerações passaram a vida murmurando nas cozinhas! O que perderam! O que sonharam! Mais de setenta anos... Toda a história soviética...

Agora, todos participavam de encontros e demonstrações. Assinavam manifestos, votavam contra alguma coisa. Eu me lembro de um historiador que participou de um programa de televisão. Trouxe ao estúdio um mapa dos campos stalinistas. Toda a Sibéria parecia um incêndio de bandeirinhas vermelhas. Ficamos sabendo a verdade sobre Kuropati.* Foi um choque! A sociedade ficou muda! Os Kuropati bielorrussos eram uma cova comum de 1937. Ali jazem juntos bielorrussos, russos, polacos, lituanos... Dezenas de milhares... As covas do NKVD tinham dois metros de profundidade, as pessoas eram dispostas em duas, três camadas. Naquela época o local ainda era longe de Minsk, mas depois passou a integrar a cidade. E se tornou cidade. Era possível chegar ali de bonde. Nos anos 1950, plantou-se ali um bosque jovem. Os pinheiros cresceram, e os cidadãos, sem suspeitar de nada, or-

---

* Área de florestas perto de Minsk, onde foram fuziladas dezenas de milhares de civis entre os anos de 1937 e 1941. A crença de que se tratava de mortos da guerra, de vítimas dos nazistas, foi posta por terra diante das evidências de que os massacres foram promovidos pelo NKVD (*Naródni Komissariat Vnútrennikh Diel*, Comissariado do Povo para Assuntos Internos, órgão associado ao serviço secreto).

ganizavam ali as suas festas de maio. No inverno, esquiavam. Começaram as escavações. O poder... O poder comunista mentia. Tentava se esquivar. À noite, a polícia cobria as fossas abertas, e durante o dia voltava a abri-las. Vi algumas cenas documentais: fileiras de crânios limpos da terra, e todos com uma perfuração na parte posterior...

Certamente tínhamos vivido com a sensação de que participávamos da revolução... De uma história nova...

Eu não me desviei do nosso tema. Não se preocupe. Queria lembrar como éramos quando ocorreu Tchernóbil. Porque na história estarão juntos o desmoronamento do socialismo e a catástrofe de Tchernóbil. Os dois coincidiram. Tchernóbil acelerou a decomposição da União Soviética, fez o império voar pelos ares.

E de mim, fez um político...

Dia 4 de maio. No nono dia depois do acidente, Gorbatchóv apareceu, certamente foi covardia. Era uma confusão. Como nos primeiros dias da guerra, em 1941. Nos jornais, condenavam-se as artimanhas do inimigo e a histeria dos ocidentais. Falava-se das manobras antissoviéticas e dos rumores provocativos que os inimigos semeavam entre nós por trás das colinas. Eu me lembro daqueles dias... Durante um bom tempo não houve medo, passamos quase um mês em constante espera, aguardando o momento do anúncio: "Sob a direção do Partido Comunista, os nossos cientistas... os nossos heroicos bombeiros e soldados... uma vez mais dominaram os elementos. Alcançaram uma vitória nunca vista. Encerraram a chama cósmica numa proveta". O medo não surgiu na mesma hora, durante muito tempo não deixamos que ele nos dominasse. Foi exatamente assim. Sim... Sim! É como eu entendo hoje. Não havia como o medo fundir-se, na nossa consciência, à ideia de energia atômica para uso pacífico. Não sintonizava com o que havíamos estudado nos manuais escolares e lido em todos aqueles livros... Na nossa imaginação, o quadro do mundo era visto da seguinte forma: o átomo de uso militar era o monstruoso cogumelo que ia até o céu, como em Hiroshima e Nagasaki, as pessoas num segundo viravam cinza; o átomo de uso pacífico se apresentava para nós tão inócuo quanto uma lâmpada elétrica. Tínhamos uma visão infantil do mundo. Vivíamos segundo o manual. Não só nós, mas toda a humanidade se tornou mais sábia depois de Tchernóbil. Amadureceu, entrou em outra idade.

As conversas dos primeiros dias eram as seguintes:

"A central atômica incendiou-se. Mas isso acontece longe daqui. Na Ucrânia."

"Eu li nos jornais que enviaram para lá a maquinaria militar. O Exército. Venceremos!"

"Na Bielorrússia não há nenhuma central atômica. Estamos tranquilos."

A minha primeira viagem à zona. A caminho, eu pensava que encontraria tudo coberto de cinza, de fuligem negra. Como no quadro *Os últimos dias de Pompeia* de Briúlov. Mas lá, você chega e... que beleza! Os prados floridos, o delicado verdor dos bosques na primavera. É justamente a época de que eu mais gosto. Tudo ganha vida, cresce e canta... Mas o que me assombrou foi a combinação de beleza e medo. Medo e beleza convivendo paralelamente. Tudo ao reverso, como eu entendo hoje. Ao reverso. Uma estranha sensação de morte.

Chegamos em grupo. Ninguém nos enviara para lá. Nós, um grupo de deputados bielorrussos da oposição. Que tempos! Que tempos aqueles! O poder comunista cedia terreno. Estava fraco, desacreditado. Cambaleava. Mas as autoridades locais nos recebiam de má vontade: "Vocês têm autorização? Que direito têm de perturbar as pessoas? Pretendem fazer perguntas? Quem deu ordens?". Remetiam-se às instruções que recebiam de cima: não entrar em pânico, esperar ordens. Ou seja, vocês vêm aqui assustar as pessoas, e depois somos nós que teremos de dar conta dos planos.

Dos planos para os cereais e a carne. Eles não se preocupavam com a saúde das pessoas, mas com os planos. Os planos republicanos, soviéticos. Temiam os chefes. E estes temiam os que estavam acima deles. E assim sucessivamente, subindo pela pirâmide até o secretário-geral. Uma única pessoa decidia tudo, decidia dali, das alturas celestiais. Assim estava construída a pirâmide do poder. Encabeçada pelo tsar. Na época, um tsar comunista.

"Está tudo contaminado por aqui", explicávamos. "Nada do que se produz pode ser utilizado como alimento."

"Vocês são uns provocadores. Basta de propaganda inimiga. Vamos reportar... Informaremos."

E ligaram para informar a quem de direito.

Na aldeia Malínovka, a medição mostrava 59 Ci por metro quadrado.

Entramos na escola:

"Como vocês estão vivendo?"

"Assustados, claro. Mas nos tranquilizaram: só falta lavar os telhados, cobrir o poço com uma tela, asfaltar os caminhos. Precisamos viver! É verdade que por algum motivo os gatos escamam e os cavalos soltam muco pelo chão."

A diretora pedagógica da escola convidou-nos à sua casa, para almoçar. A casa era nova, tinham celebrado a inauguração havia dois meses. Segundo os costumes da Bielorrússia, marca-se o local da entrada e em seguida as pessoas entram. Junto à casa havia um galpão e uma adega. Era o que em outros tempos se chamava de chácara de um *kulák*,* de um camponês rico. Bem asseada, de dar inveja.

"Mas vocês logo terão de ir embora daqui."

"Nem diga isso! Tivemos tanto trabalho aqui."

"Olhe aqui o dosímetro."

---

* *Kulák*: classe de camponeses que foi eliminada pela Revolução Russa.

"Vêm esses cientistas de merda! E não deixam as pessoas viver em paz!", disse o marido da diretora, agitado, e seguiu a cavalo para o prado, sem se despedir.

Na aldeia Tchudiáni: 150 Ci por metro quadrado. As mulheres trabalhando nas suas hortas, as crianças correndo pelas ruas. No final da aldeia, os homens limpando alguns troncos para construir uma casa nova. Paramos de carro perto deles, que nos cercaram. Pediram cigarros.

"Como está lá na capital? Tem vodca? Aqui, só quando querem. Mas fazemos o nosso *samogón*. Gorbatchóv não bebe e nos proíbe de beber."

"É, deputados... E com tabaco é a mesma coisa."

"Pessoal", começamos a explicar a eles, "vocês logo vão ter de sair daqui. Isso é um dosímetro. Vejam a radiação deste lugar onde estamos, é cem vezes mais alta que o normal."

"Sair... Ha-ha-ha! E quem precisa do seu dosímetro! Você sai, nós ficamos. Para o inferno com o seu dosímetro!"

Eu assisti várias vezes ao filme sobre o naufrágio do Titanic. O filme me lembra de coisas que vi com os meus próprios olhos. O que se passou nos primeiros dias de Tchernóbil... o comportamento das pessoas era muito semelhante. A mesma psicologia. Eu comparava com o filme. O casco do navio já estava perfurado, a água inundava os andares inferiores, tonéis, caixões... A água avançava, ia ocupando todos os espaços, mas lá em cima as luzes continuavam acesas, tocavam música, serviam champanhe, prosseguiam as disputas familiares, iniciavam-se novas histórias de amor. E a água avança... Alcança as escadas, penetra nos camarotes.

As luzes acesas, a música, o champanhe.

Essa é a nossa mentalidade. É um tema à parte. Em primeiro lugar para nós vêm os sentimentos. Isso dá amplitude e altura à nossa vida, mas ao mesmo tempo é fatal. Uma escolha racional para nós é sempre uma coisa negativa. Nós comprovamos os nossos atos com o coração, e não com a razão. Nas aldeias, você entra numa casa e é bem recebido, é motivo de alegria, te compreendem, lamentam não ter um pescado fresco ou outra coisa para te oferecer. "Quer um pouco de leite? Vou te trazer um caneco." E não te deixam. Te chamam de outras casas. Alguns tinham medo, mas eu aceitava os convites. Entrava nas casas, sentava à mesa, comia sanduíches contaminados, porque todos comiam. Tomava um copo à sua saúde. Experimentava até um sentimento de orgulho, porque eu, vejam, posso fazer isso, sou capaz disso! Sim, sim! Eu dizia a mim mesmo: como não estou em condições de mudar nada na vida dessas pessoas, então tudo o que eu posso fazer é comer junto com elas um sanduíche contaminado para ao menos não sentir vergonha. Compartilhar do seu destino. Essa é a nossa atitude com relação à nossa própria vida. Tenho mulher e dois filhos e sou responsável pelo que lhes ocorra. Carrego o dosímetro no bolso. Mas é assim que nós somos. É o nosso mundo. Hoje eu entendo isso. Há dez anos, eu me sentia orgulhoso de ser assim, hoje eu me envergonho. Mas, apesar disso, me sentarei à mesa e comerei o maldito sanduíche. Eu pensava... ficava pensando que tipo de gente somos nós. Esse maldito sanduíche não me sai da cabeça. A necessidade de comê-lo era determinada pelo coração, e não pela razão. Alguém escreveu que no século xx, e agora já no século xxi, vivemos de acordo com o que aprendemos da literatura do século xix. Deus! Volta e meia sou assaltado por dúvidas. Discuto isso com muita gente. Quem somos nós? Quem?

Tive uma conversa interessante com a mulher, hoje viúva, de um falecido piloto de helicóptero. Uma mulher inteligente. Passamos um bom tempo conversando. Ela também queria compreender. Compreender e achar um sentido para a morte do marido, para se resignar. Mas não conseguia. Eu li muitas vezes nos jornais como os pilotos trabalhavam sobre o reator. Primeiro lançavam as pranchas de chumbo, mas estas desapareciam no buraco sem deixar rastro; então, alguém lembrou que o chumbo a uma temperatura de setecentos graus se converte em vapor, e ali a temperatura ascendia aos 2 mil graus. Depois disso, passaram a lançar sacos de dolomita e areia. No alto era noite, graças à nuvem de pó que levantava. Escuridão. Colunas de pó. Para atingir o alvo corretamente, os pilotos abriam as janelas das cabines e cravavam os olhos para determinar a inclinação necessária: direita-esquerda, acima-abaixo. As doses eram uma loucura! Lembro-me dos títulos dos artigos: "Heróis do céu"; "Falcões de Tchernóbil". E essa mulher... Essa mulher me confessou as suas dúvidas: "Agora escrevem que o meu marido foi um herói. E é verdade, é um herói. Mas o que é um herói? Eu sei que o meu marido foi um oficial honesto e eficiente. Disciplinado. E ao regressar de Tchernóbil, depois de alguns meses adoeceu. No Krémlin lhe deram uma medalha, encontrou companheiros e constatou que eles também estavam doentes. Mas ficaram contentes pelo reencontro. Regressou para casa feliz, com a medalha. Eu lhe perguntei: 'Mas você poderia não ter ficado tão doente? Ter preservado a saúde?'. 'É possível que sim, se tivesse pensado melhor', ele me respondeu. 'Eu precisaria de um bom traje de proteção, óculos especiais e máscara. Nós não tínhamos nem o primeiro item, nem o segundo, nem o terceiro. Se bem que nós mesmos não respeitávamos as normas de segurança pessoal. Nós não pensávamos.' Todos nós pensávamos muito pouco. É uma pena que antes pensássemos tão pouco".

Concordo com ela. Do ponto de vista da nossa cultura, pensar em si mesmo é egoísmo. Fraqueza de espírito. Sempre há algo maior que você, que a sua vida.

Corria o ano de 1989. Era 26 de abril: o terceiro aniversário. Haviam se passado três anos desde a catástrofe. Evacuaram pessoas da zona dos trinta quilômetros, mas mais de 2 milhões de bielorrussos continuavam a viver como antes em regiões contaminadas. Esqueceram-se deles. A oposição bielorrussa organizou nesse dia uma manifestação, mas as autoridades, em resposta, decretaram "dia de jornada voluntária". Encheram a cidade de bandeiras vermelhas, instalaram nas ruas tendas móveis com produtos que estavam em falta: frios defumados, bombons de chocolate, pacotes de café solúvel. Por toda parte circulavam carros de polícia. Havia rapazes à paisana fotografando. Mas, apesar disso, ninguém lhes prestava atenção, já não os temiam como antes. Um novo sinal! As pessoas começaram a se reunir no parque Tcheliúskintsev. Iam chegando mais e mais pessoas. Perto das dez horas, já eram 20 mil, 30 mil (são cifras dos informes policiais, logo transmitidas pela televisão), e a cada minuto a multidão crescia. Nem nós esperávamos tamanho êxito. Todos estavam animados. Quem poderia impedir esse mar de gente? Às dez em ponto, como tínhamos previsto, nos deslocamos em colunas em direção à avenida Lênin, no centro da cidade, onde deveria ocorrer um comício. Durante todo o percurso, outros grupos foram se juntando a nós. As pessoas aguardavam a coluna em ruas laterais, em vielas. Nos portões. Correu o rumor de que a polícia e as patrulhas militares estavam bloqueando as entradas da cidade, detendo ônibus e carros com manifestantes que vinham de outros lugares, obrigando-os a voltar, mas ninguém entrou em pânico. As pessoas simplesmente deixavam os transportes e vinham nos encontrar a pé. Avisaram isso pelo megafone. E um poderoso "Hurra!" levantou-se da coluna. As varandas estavam repletas de gente. Todos estavam animados. As pessoas se espremiam nas varandas, abriam as janelas e subiam nos peitoris. Acenavam para nós. Saudavam com lenços e flâmulas infantis. Então, eu notei que... e todos comentaram sobre isso... que a polícia tinha sumido, e também os rapazes à paisana que fotografavam. O que eu entendo hoje é que eles receberam ordens de se recolher aos quartéis e aos carros. As autoridades se esconderam, esperando. Estavam assustadas. As pessoas avançavam e choravam, dando-se as mãos. Choravam, porque perderam o medo. Libertaram-se do medo.

Iniciou-se o comício. E apesar de termos preparado e discutido longamente a lista das intervenções, na hora ninguém se lembrou dela. Pessoas simples, que tinham vindo de Tchernóbil, se aproximaram da tribuna que improvisamos às pressas e puseram-se a falar livremente, sem papéis ou discursos preconcebidos. E logo se formou uma fila. Ouvíamos as testemunhas da catástrofe. Escutávamos as suas declarações. Dentre as pessoas conhecidas, só interveio o acadêmico Viélikhov, um dos ex-dirigentes do estado-maior, dedicado a pôr fim ao acidente; mas eu não me lembro absolutamente de nada do que ele disse. Só me lembro das outras falas.

Como a de uma mãe com duas crianças. Uma menina e um menino. A mulher subiu com as crianças na tribuna: "Faz tempo que os meus filhos não riem. Não jogam. Não correm pelo pátio. Não têm força. São como velhinhos".

Também uma mulher que trabalhou como "liquidadora".

Quando levantou as mangas do vestido e mostrou os braços à multidão, todos viram as chagas. As feridas. "Eu lavava as roupas dos homens que trabalhavam perto do reator", ela contava. "Lavava à mão, porque nos trouxeram poucas máquinas de lavar, e elas logo quebravam por sobrecarga."

Um jovem médico...

Ele começou lendo o juramento de Hipócrates. Contou-nos a respeito dos dados dos pacientes, de como todos eles eram guardados com selos de "secreto" ou "ultrassecreto". De como a medicina e a ciência se submetiam à política.

Aquele foi um tribunal de Tchernóbil.

Eu confesso, não vou esconder, aquele foi o dia mais importante da minha vida. Estávamos muito felizes. Reconheço.

No dia seguinte, nós, os organizadores do comício, fomos chamados à polícia e acusados de sermos os responsáveis pela interrupção do funcionamento das vias públicas, uma vez que a multidão que convocamos cortou as avenidas, prejudicando o transporte público; e também de termos lançado slogans proibidos. Impuseram a cada um de nós quinze dias de detenção. Fomos enquadrados no artigo sobre "hooliganismo". Tanto o juiz que ditou a sentença como os policiais que nos acompanharam ao local de detenção se sentiam envergonhados. Todos sentiam vergonha! Nós, por outro lado, ríamos. Sim, sim! Porque estávamos felizes.

Então, surgiu a questão: o que podemos fazer? O que faremos a partir de agora?

Numa das aldeias de Tchernóbil, uma mulher que nos viu, ao saber que éramos de Minsk, caiu de joelhos à nossa frente: "Salvem o meu filho! Levem-no com vocês! Os nossos médicos não sabem o que ele tem. Ele sufoca, fica azulado. Vai morrer!". (*Cala-se.*)

Fui ao hospital. Um menino de sete anos. Câncer de tireoide. Quis distraí-lo com brincadeiras. Ele se virou para a parede. "Não precisa dizer que eu vou morrer. Eu sei que vou morrer."

Na Academia de Ciências, acho que foi lá, me mostraram a radiografia dos pulmões de uma pessoa, queimados por "partículas quentes". Os pulmões pareciam um céu estrelado. As "partículas quentes" são partículas microscópicas que se produziram quando cobriram o reator incendiado com chumbo e areia. Os átomos do chumbo, areia e grafite se fundiam e com o impacto se elevavam até o céu. Essas partículas voaram a grandes distâncias. A centenas de quilômetros. E agora penetram no organismo humano pelas vias respiratórias. As primeiras vítimas são os tratoristas e motoristas, ou seja, os que aram a terra e os que viajam por estradas não asfaltadas. Todo órgão em que essas partículas se instalam se "ilumina" nas radiografias. Centenas de buraquinhos como uma tela miúda. A pessoa morre. Queima. Mas se o homem é mortal, as "partículas quentes" são imortais. Um homem morre e mil anos depois é terra, é pó, mas as "partículas quentes" continuam vivas. E esse pó é capaz de matar outra vez. (*Cala-se.*)

Eu tinha voltado das minhas viagens. Estava cheio de impressões, e contava sobre elas. A minha mulher, que é linguista, nunca se interessou antes por política, assim como por esporte, mas com frequência me fazia a mesma pergunta: "O que podemos fazer? O que fazer a partir de agora?". Pusemos mãos à obra; iniciamos um trabalho que do ponto de vista da sensatez era impossível de realizar. Um homem só é capaz de tomar uma decisão desse tipo em momentos de comoção, em momentos da mais completa libertação interior. Mas esse era um tempo assim. A época de Gorbatchóv. Um tempo de esperanças! De fé! Decidimos salvar as crianças. Revelar ao mundo em que situação de perigo vivem as crianças bielorrussas. Pedir ajuda, gritar. Fazer soar os sinos! O poder se cala, traiu seu povo, mas nós não vamos nos calar. E rapidamente, muito rapidamente, reunimos um grupo de fiéis ajudantes e correligionários. A senha era: "O que você lê? Soljenítsin, Platónov? Venha conosco". Trabalhávamos doze horas por dia. Precisávamos encontrar um nome para a nossa organização. Foram sugeridos dezenas de nomes, e nos decidimos pelo mais simples: Fundação para as Crianças de Tchernóbil. Hoje já não dá para explicar, para imaginar as nossas dúvidas. As discussões, os nossos medos... Hoje as fundações como a nossa são incontáveis. Mas há dez anos, éramos os únicos. Foi a primeira iniciativa civil, não era sancionada por ninguém de cima. A reação de todos os funcionários foi a mesma: "Fundação? Fundação para quê? Nós temos o Ministério da Saúde para isso".

Hoje eu entendo que Tchernóbil nos libertava. Nos ensinava a sermos livres.

Tenho esta imagem na cabeça....(*Ri.*) Sempre me vem a imagem dos primeiros caminhões frigoríficos da ajuda humanitária que entraram no pátio da nossa casa, enviados para o nosso endereço. Eu olhava os caminhões pela janela e não sabia o que fazer. Como descarregar tudo isso? Onde guardar? Lembro bem que os caminhões vinham da Moldávia. Com algo entre dezessete e vinte toneladas de sucos de frutas e alimentos infantis. Corria o boato de que para combater a radiação, devia-se comer mais frutas. Chamei todos os meus amigos. Alguns estavam na *datcha*, outros no trabalho. De modo que eu e a minha mulher começamos a descarregar, mas pouco a pouco, um depois do outro, foram aparecendo os nossos vizinhos do prédio (afinal, eram nove andares) e alguns transeuntes, que se detinham:

"O que são esses caminhões?"

"É ajuda para as crianças de Tchernóbil."

As pessoas largavam o que estavam fazendo e vinham ajudar.

Ao cair da noite, acabamos de descarregar tudo. Guardamos as mercadorias como pudemos, em sótãos e garagens. Fizemos contato com escolas. Mais tarde riríamos de nós mesmos. Levamos essa ajuda para as zonas contaminadas e a distribuímos. Geralmente as pessoas se reuniam nas escolas ou na casa de cultura.

No distrito de Vetkóvski... agora me veio à memória uma história... Era uma família jovem... Eles receberam, assim como todos, um lote de alimentos infantis e sucos. E o homem se sentou e começou a chorar. Esses lotes e sucos não podiam salvar os seus filhos, não podiam contar com isso, é ninharia! Mas ele chorava porque não tínhamos nos esquecido deles. Alguém se lembrou deles. Significa que há esperança.

O mundo todo respondeu. Concordaram em receber as nossas crianças para tratamento na Itália, na França, na Alemanha. A companhia aérea Lufthansa levava as crianças para a Alemanha por sua conta. Fizeram um concurso entre os pilotos alemães e demoraram a escolhê-los. Elegeram os melhores. Quando as crianças se dirigiam aos aviões, saltava aos olhos a sua palidez e desânimo.

Houve anedotas... (*Ri.*) O pai de um menino irrompeu no meu escritório e exigiu que eu devolvesse os documentos do filho: "Vocês vão tirar sangue dos nossos filhos. Vão fazer experimentos com eles". Era evidente que a memória da terrível guerra ainda estava viva. O povo lembra daquilo. Mas há ainda outra coisa. Vivemos tempo demais atrás do arame farpado, no campo socialista. Temíamos o outro mundo, não o conhecíamos. As mães e os pais de Tchernóbil são outro tema. É a continuação da conversa sobre a nossa mentalidade, a mentalidade soviética. A União Soviética caiu, desmoronou. E continuavam esperando a ajuda do grande e poderoso país que havia deixado de existir. O meu diagnóstico... Você quer? Uma mistura de prisão e jardim de infância, isso é o socialismo que conhecemos. O socialismo soviético. O homem entregava ao Estado a alma, a consciência, o coração, e em troca recebia uma ração. Uns tinham mais sorte, recebiam uma ração maior, outros ganhavam uma ração menor. No final das contas dava no mesmo, todos davam em troca a sua alma. Mais que tudo, temíamos que a nossa fundação caísse nesse tipo de distribuição de cotas. A cota de Tchernóbil. As pessoas já estavam acostumadas a esperar e a se queixar: "Eu sou de Tchernóbil. Isso me cabe porque eu sou de Tchernóbil". O que eu entendo hoje é que Tchernóbil é também uma grande experiência para o nosso espírito, para a nossa cultura.

No primeiro ano foram enviadas para o exterior cerca de 5 mil crianças; no segundo, 10 mil; no terceiro, 15 mil.

Você já falou com as crianças sobre Tchernóbil? Não com as maiores, e sim com as menores. Elas às vezes têm raciocínios inesperados. Isso me interessa como filósofo. Por exemplo, uma menina me contou como no outono de 1986 enviaram a sua classe ao campo para a colheita de beterrabas e cenouras. As crianças encontravam ratos mortos por toda parte e riam: primeiro morriam os ratos, os besouros, as minhocas, e logo começaram a morrer as lebres, os lobos. E depois deles, nós. As pessoas morrerão por último. Em seguida, fantasiavam como será o mundo sem animais e sem pássaros. Sem ratinhos. Durante um tempo os homens viverão sozinhos, sem mais ninguém. Até as moscas deixarão de voar. Aquelas crianças tinham entre doze e quinze anos. E assim imaginavam o futuro.

Outra conversa com uma menina. Ela viajou a um acampamento de pioneiros e lá fez amizade com um garoto: "Era um menino tão bonzinho, ficávamos o tempo todo juntos", lembrava. Depois, uns colegas disseram ao garoto que ela era de Tchernóbil, e ele nunca mais se aproximou dela. Nós nos correspondíamos com essa menina. Ela escreveu: "Agora, quando penso no meu futuro, eu sonho em terminar a escola e ir embora para bem longe, para um lugar onde ninguém saiba de onde eu sou. Lá alguém poderá me amar. E eu vou poder me esquecer de tudo".

Anote, anote. Sim, sim! Tudo se apagará da memória, desaparecerá. Eu lamento não ter anotado nada.

Outra história: chegamos a uma aldeia contaminada e, perto da escola, umas crianças jogavam bola. A bola caiu num canteiro de flores, as crianças cercaram o canteiro, andavam em volta, mas tinham medo de pegar a bola. No início, não entendi o que estava acontecendo; teoricamente eu sabia, mas não vivia lá e não estava constantemente em estado de alerta, estava chegando de um mundo normal. Assim que dei um passo em direção ao canteiro, os meninos começaram a gritar: "Não pode! Não pode! Tio, não pode!". Em três anos (isso aconteceu em 1989), as crianças tinham se acostumado à ideia de que não se podia sentar na relva, não se podia colher flores. Não se podia subir em árvores. Quando os levávamos ao exterior e dizíamos: "Corram no bosque, vão até o rio, tomem banho, tomem sol", você precisava ver a insegurança que sentiam ao entrar na água. Mas logo, que felicidade mostravam! Podiam de novo brincar na água, rolar na areia. Eles acariciavam a relva, passavam o dia catando flores e trançando diademas com as flores do campo.

Em que estou pensando? Hoje, como eu entendo... Sim, podemos tirá-los do país e levá-los para se tratar. Mas como devolveremos a eles o mundo de antes? Como lhes devolver o seu passado? E o seu futuro?

Aqui fica uma pergunta. Precisamos responder a essa pergunta: quem somos nós? Sem isso, nada passará nem mudará. O que é a vida para nós? E o que é a liberdade para nós? Com a liberdade, só sabemos sonhar. Poderíamos ser livres, mas não conseguimos nos tornar livres. Novamente não conseguimos. Durante setenta anos construímos o comunismo, hoje construímos o capitalismo. Antes rezávamos para Marx, hoje rezamos para o dólar. Nós nos perdemos na história. Quando você pensa em Tchernóbil, recai sobre o mesmo ponto: quem somos nós? O que compreendemos sobre nós? Sobre o nosso mundo? Nos nossos museus de guerra — e temos muitos deles, muito mais que de arte — guardam-se velhos fuzis, baionetas, granadas, e no pátio há tanques e morteiros. Levam os estudantes lá em excursão e lhes mostram: isso é a guerra. A guerra é assim. Mas hoje a guerra é outra. No dia 26 de abril de 1986, nós sobrevivemos a uma guerra. Uma guerra que não terminou.

E nós... Quem somos?

Guenádi Gruchevói, deputado do Parlamento bielorrusso, diretor da Fundação para as Crianças de Tchernóbil

MONÓLOGO SOBRE O FATO DE QUE HÁ MUITO DESCEMOS DA ÁRVORE E NÃO INVENTAMOS NADA PARA QUE ELA SE CONVERTESSE DEPOIS NUMA RODA

Sente-se. Aproxime-se mais. Mas vou ser sincera: não gosto de jornalistas, e eles tampouco são amáveis comigo.

E por que isso?

Você não sabe? Não conseguiram te avisar? Então, eu entendo por que você está aqui no meu escritório. Sou uma figura odiosa. É assim que me qualificam os seus amigos jornalistas. Todos à minha volta gritam: "É impossível viver nesta terra". E eu respondo: "É possível, sim. É preciso aprender a viver nela. Ter coragem". "Vamos fechar os territórios contaminados, cercá-los com arame farpado (um terço do país!), abandoná-los e ir embora. Ainda temos muita terra". "Não!" Por um lado, a nossa civilização é antibiológica, o homem é o maior inimigo da natureza, e por outro, é um criador. Transforma o mundo. Cria, por exemplo, a torre Eiffel e as naves espaciais. Só que o progresso exige vítimas, e quanto mais longe for, mais vítimas serão. Não menos que a guerra, isso hoje está claro. A contaminação do ar, o envenenamento do solo. Os buracos na camada de ozônio. O clima da Terra está mudando. E nós nos horrorizamos. Mas o conhecimento em si não pode ser culpado ou incriminado. Do acidente de Tchernóbil, quem é culpado: o reator ou o homem? Sem dúvida o homem, ele fez um serviço ruim, foram cometidos erros monstruosos. Um somatório de erros. Não vamos nos deter na parte técnica, isso já é um fato. Trabalharam nisso centenas de comissões e especialistas. Trata-se da maior catástrofe de origem técnica da história da humanidade; as nossas perdas são fantásticas. As perdas materiais de algum modo ainda podem ser calculadas, mas e as perdas não materiais? Tchernóbil foi um golpe para a nossa imaginação e para o nosso futuro. Estamos assustados com o nosso futuro. Então, não devíamos ter descido da árvore, ou devíamos ter inventado algo para que a árvore se convertesse depois numa roda. A catástrofe de Tchernóbil não é a responsável pela maior quantidade de vítimas, o automóvel ocupa o primeiro lugar no mundo. Por que ninguém proíbe a produção de automóvel? Viajar de bicicleta ou de burro é mais seguro. Ou de charrete...

Aqui se calam. Os meus oponentes se calam. Eles me acusam, me perguntam: "E como você vê o fato de as crianças beberem leite radiativo? De comerem frutas radiativas?". Vejo mal. Muito mal! Mas eu considero que as crianças têm pai e mãe, e que temos um governo que deve pensar nisso. Sou contra uma coisa: sou contra o fato de as pessoas que não conhecem ou que já esqueceram a tabela de Mendeliéev virem nos ensinar como viver. De que venham nos assustar. O nosso povo sempre viveu assim, sob o medo: revolução, guerra. Esse vampiro sanguinário. Esse diabo! Stálin... E agora, Tchernóbil... E depois ainda nos surpreendemos por que a nossa gente é assim. Por que não são livres, por que temem a liberdade. As pessoas estão acostumadas a viver sob a férula do tsar. Sob o poder do tsar, o paizinho. Ele pode ser chamado de secretário-geral ou presidente, tanto faz. Não há nenhuma diferença. Eu não sou política, sou cientista. Passo a vida pensando na terra, estudando a terra. A terra é uma matéria tão misteriosa quanto o sangue. É como se soubéssemos tudo dela, mas sempre resta um segredo. Nós nos dividimos não entre os que são a favor de viver aqui e os que são contra, mas entre cientistas e não cientistas. Se você sofre um ataque de apendicite e tem que operar, a quem deve se dirigir? Certamente a um cirurgião, e não a entusiastas de movimentos sociais. Você ouvirá um especialista. Eu não faço política, eu penso. E o que mais há na Bielorrússia além da terra, da água, dos bosques? Petróleo? Diamantes? Não temos nada disso. Portanto, é preciso cuidar do que temos.

Restabelecer. Sim, claro! Muita gente no mundo se compadece de nós, quer nos ajudar, mas não vamos viver eternamente da esmola do Ocidente. Não podemos pôr na conta dos outros. Todos os que assim desejaram, foram embora; restaram os que querem viver, e não morrer, depois de Tchernóbil. Aqui é a pátria destes.

O que você propõe? Como as pessoas devem viver aqui?

As pessoas se curam. Também a terra se cura. É preciso trabalhar. Pensar. Superar os obstáculos, ainda que seja pouco a pouco. Ir adiante. Mas nós... O que há conosco? Pela nossa monstruosa indolência eslava, estamos dispostos a crer antes num milagre que na capacidade que temos de criar algo com as nossas próprias mãos. Observe a natureza. Temos que aprender com ela. A natureza trabalha, se autodepura, nos ajuda. E se comporta com mais sensatez que o homem. A natureza aspira a recuperar o equilíbrio primitivo, aspira à eternidade.

Me chamam do Comitê Executivo. É algo inusual. Compreenda, Slava Konstantínovna, não sabemos em quem acreditar. Dezenas de cientistas afirmam uma coisa, e você outra. Você ouviu algo sobre a conhecida bruxa Paraska? Nós decidimos convidá-la, porque ela prometeu abaixar as radiações gama durante esse verão.

Você ri. No entanto, muita gente séria falou comigo sobre isso, e essa Paraska já firmou vários contratos com algumas empresas. Já pagaram a ela uma grande soma de dinheiro. Nós já vivemos essa fixação. Essa perturbação da mente, essa histeria generalizada... Você se lembra? Milhares, milhões de pessoas diante da tevê e uns bruxos que se diziam ultrassensitivos — Tchumák, e depois dele Kachpiróvski —, que "carregavam" a água. Os meus colegas, todos cientistas com títulos, enchiam potes com três litros de água e punham em frente à televisão. Bebiam dessa água, se lavavam com ela, porque acreditavam que curava. Esses bruxos se apresentavam em estádios e reuniam tal quantidade de pessoas que nem Alla Pugatchova* poderia ter sonhado com algo parecido. As pessoas iam lá a pé, de carro, se arrastando. Com uma fé incrível! Seremos curados de todas as nossas enfermidades graças à varinha mágica! E o que era isso? Um novo projeto bolchevista. O público cheio de entusiasmo, a cabeça cheia de uma nova utopia... Bem, pensei, agora serão os bruxos que nos salvarão de Tchernóbil.

E me perguntam: "Qual a sua opinião? Certamente somos todos ateus, mas pelo que dizem e escrevem nos jornais... Que tal se organizássemos um encontro com a Paraska?".

Organizamos o encontro. De onde ela saiu, não sei. Provavelmente da Ucrânia. Há dois anos viaja por toda parte, baixando o nível da radiação. "O que você se propõe a fazer?", perguntei a Paraska. "Eu tenho uma força interior tão grande que percebo que posso baixar o nível da radiação." "E do que você precisa para isso?" "Preciso de um helicóptero."

Aqui eu fiquei furiosa. Tanto com Paraska quanto com os nossos burocratas, que de boca aberta acreditavam nas mentiras dessa mulher.

"O helicóptero pode esperar", eu disse. "Agora vamos trazer um pouco de terra contaminada e depositá-la no chão. Ainda que seja meio metro. Vamos ver se você consegue fazer baixar a radiação."

E assim fizemos. Trouxemos terra. No início ela sussurrava, cuspia, expulsava com as mãos não sei que espírito. E no que deu? Não deu em nada. Agora Paraska está presa em algum lugar da Ucrânia. Por vigarice.

Outra bruxa nos prometeu acelerar a desintegração do estrôncio e do césio em cem hectares. De onde saíram essas personagens? Acredito que foram engendradas pelo nosso desejo de um milagre, pela nossa esperança. E alimentadas por imagens e

---

* Famosa cantora russa.

entrevistas. Porque sempre alguém destinava a elas colunas inteiras nos jornais, cedia-lhes as horas de maior audiência na televisão. Se a fé na razão abandona o homem, na sua alma se instala o medo, como ocorre com os selvagens. E surgem monstros.

A respeito disso, se calam. Os meus oponentes se calam.

Eu me lembro de um alto dirigente que me ligou e pediu: "Posso te encontrar no instituto? Queria que você me explicasse o que é curie, o que é microrroentgen, como o microrroentgen se converte em impulso. Porque quando viajo pelas aldeias me perguntam isso e passo por idiota. Como um estudante". Só encontrei um assim: Aleksiéi Aleksiéevitch Chakhnóv. Anote o nome. A maioria dos dirigentes não queria saber de nada, nada de física nem de matemática. Todos eles haviam terminado a escola superior do Partido e lá estudaram muito bem apenas uma matéria: marxismo. Como animar e inspirar as massas. O pensamento dos comissários. Pensamento que não havia mudado desde a cavalaria vermelha. Lembro-me de um aforismo do comandante de cavalaria mais amado por Stálin, S. M. Budiônni: "Para mim, tanto faz quem vou matar. O que eu gosto mesmo é de agitar o sabre".

No que diz respeito às instruções... Como devemos viver nesta terra? Temo que você se aborreça com as minhas palavras, como todos. Não há nada de sensacional nelas. Nada de fogos de artifício. Quantas vezes eu me apresentei diante de jornalistas, e lhes dizia uma coisa mas no dia seguinte lia outra publicada. O leitor, segundo eles, devia morrer de medo. Houve até quem visse, na zona, plantações de papoulas e acampamentos de drogados. E, também, gatos com três rabos... Um sinal nos céus no dia do acidente...

Estes são os programas que o nosso instituto de pesquisa elaborou. Foram impressas instruções para os colcozes e para a população. Posso lhe dar um exemplar. Faça propaganda.

Instruções para os colcozes... (*Lê.*)

O que propomos? Aprender a dirigir a radiação como se fosse eletricidade, encaminhando-a através de cadeias que salvaguardem o homem. Para isso é necessário reconverter nosso tipo de gestão. Fazer correções. Em lugar de leite e carne, organizar a produção de cultivos técnicos que não cheguem aos alimentos. Por exemplo, a colza. Da colza pode-se extrair óleo, inclusive para motores. Pode-se empregar como combustível para máquinas. É possível cultivar sementes e mudas. As sementes se submetem especialmente à radiação em condições de laboratório para que conservem a pureza da espécie. Para as sementes, a radiação é inócua. Esse é um caminho. Há um segundo, caso continuemos a produzir carne. Nós não temos uma maneira de limpar o grão já pronto para consumo; então, encontramos uma saída: damos o grão ao gado, fazemo-lo passar através dos animais. Chamamos a isso de "zoodesativação". Antes de ser sacrificados, mantemos os bezerros de dois, três meses no estábulo e lhes fornecemos alimentos "limpos", assim os animais se descontaminam.

Acho que isso basta. Não quer que eu dê uma palestra, não é? Estamos falando de ideias científicas. Eu até chamaria isso de filosofia da sobrevivência.

Instruções para os indivíduos...

Eu viajo para as aldeias para visitar as avós e os avôs. Leio. Eles me respondem batendo o pé; negam-se a me escutar. Querem continuar vivendo como viviam os seus avós e bisavós. Os seus antepassados. Querem beber leite, quando não se pode mais beber leite. Compre uma desnatadeira e faça nela o requeijão, bata a manteiga. Retire o soro e jogue fora. Querem secar cogumelos. Primeiro, ponha-os de molho numa tigela cheia de água por toda uma noite, depois sequem. O melhor seria não comê-los. A França está repleta de champignons, e não é na rua que os cultivam, mas em estufas. Onde estão as nossas estufas? As casas na Bielorrússia são de madeira; os bielorrussos vivem há séculos rodeados de bosques. Mas agora é melhor recobrir as casas com tijolo, isso faz uma boa blindagem, dispersa as radiações ionizadas (vinte vezes mais que a madeira). A cada cinco anos, é necessário espalhar cal em partes da horta. O estrôncio e o césio são traiçoeiros. Esperam a sua hora. Não se deve adubar com o esterco da sua vaca, é melhor comprar adubo mineral.

Para levar a cabo os seus planos, necessitaríamos de outro país, de outro homem e de outro funcionário. A aposentadoria das pessoas idosas mal dá para o pão e o açúcar, e você aconselha a comprar adubo mineral, desnatadeira...

Posso dizer o seguinte. Estou defendendo a ciência, estou demonstrando que o culpado por Tchernóbil não é a ciência, e sim o homem. Não é o reator, mas o homem. Não posso responder por questões políticas. Não é a mim que você deve dirigi-las.

Ah. Mais uma coisa! Tinha me esquecido por completo, até anotei no papel para não esquecer. Quero contar como um cientista jovem de Moscou veio para cá. O seu maior sonho havia sido o de participar do projeto de Tchernóbil. Ele se chama Iura Jutchénko. Trouxe consigo a esposa grávida de cinco meses. Eu não sabia o que dizer. Como é possível? Para quê? Enquanto os daqui fogem, outros de fora chegam. Por quê? Ora, porque um cientista autêntico quer demonstrar que uma pessoa bem formada pode viver aqui. Bem formada e disciplinada, duas características pouco valorizadas entre nós. O que nós sabemos bem é nos lançar de peito aberto contra um ninho de metralhadoras. Como um archote. Mas aqui... Temos que pôr de molho os cogumelos, trocar a primeira água das batatas quando começa a ferver, tomar regularmente vitaminas, levar as bagas regularmente ao laboratório para análise, enterrar cinzas. Estive na Alemanha e vi como todos os alemães separam o lixo cuidadosamente na rua: num contêiner, põem vidros e garrafas, no vermelho... As tampas das caixas de leite e os invólucros são separados e postos com os objetos de plástico; as caixas, junto aos objetos de papel. As pilhas em outro recipiente. Restos orgânicos à parte... As pessoas se esforçam... Não imagino o homem daqui fazendo esse trabalho, separando vidros. Ele consideraria estupidez e humilhação. Que vá à merda. Ele seria capaz de redirecionar o rumo dos rios siberianos e coisas semelhantes. "Erga-se meu ombro, ganhe força meu braço."* Mas para sobreviver, nós temos que mudar.

Mas esse já não é o meu assunto. É o seu. É uma questão de cultura. De mentalidade. De toda a nossa vida.

E aqui se calam. Calam-se os meus oponentes... (*Fica pensativa.*)

Às vezes dá vontade de sonhar... Sonhar que num futuro próximo a central de Tchernóbil será fechada, demolida. E a praça que tomará o seu lugar se tornará um prado verdejante...

Slava Konstantínovna Firsakova,
doutora em ciências agrícolas

MONÓLOGO JUNTO A UM POÇO FECHADO

Cheguei a duras penas àquela velha aldeia por um caminho alagado pelas chuvas primaveris. Por sorte, o nosso decrépito carro de polícia quebrou de vez já perto da chácara rodeada de largos carvalhos e bordo. Vim visitar Maria Fedótovna Velítchko, cantora popular e contadora de histórias muito conhecida na região de Polésie.

No pátio da casa, encontrei-me com os seus filhos. Nos apresentamos: o mais velho, Matviéi, era professor, e o mais novo, Andrei, engenheiro. Intervêm animados na conversa e percebo que todos andam alterados pelo iminente traslado.

* Referência aos famosos versos do poeta Aleksiéi Koltsóv (1809-42), que são um chamamento à luta: "Ganhe força, meu ombro,/ levanta, meu braço".

"Chega a convidada, e a anfitriã tem que partir. Vamos levar mamãe para a cidade. Estamos esperando o carro. Que livro você está escrevendo?"

"Sobre Tchernóbil?"

"Hoje em dia as pessoas têm interesse em lembrar Tchernóbil. Estou a par do que andam escrevendo nos jornais sobre o assunto. Se bem que livros ainda são poucos. Eu, como professor, tenho que estar inteirado, porque ninguém nos ensina como falar do tema com as crianças. Não me preocupo com a física. Dou aulas de literatura. As questões que me preocupam são as seguintes: por que o acadêmico Legássov,* um dos que dirigiu os trabalhos de liquidação do acidente, acabou se suicidando? Regressou para casa em Moscou e meteu uma bala na cabeça. E o engenheiro-chefe da central atômica enlouqueceu. Partícula beta, partícula alfa. Césio, estrôncio. Elementos que se decompõem, que se diluem, se trasladam. Tudo isso está muito bem, mas o que está acontecendo com o homem?"

"Pois eu sou a favor do progresso! Da ciência! Porque nenhum de nós hoje pode renunciar à luz elétrica. Estão fazendo comércio com o medo. Vendem medo de Tchernóbil porque já não temos mais nada que vender no mercado internacional. Esta é a nossa nova mercadoria: vendemos o nosso sofrimento."

"Evacuaram centenas de aldeias, dezenas de milhares de pessoas. Toda uma Atlântida camponesa que se disseminou pela União Soviética e que já não pode mais se reunir. Não há modo de salvá-la. Perdemos todo um mundo. Um mundo assim, não haverá nunca mais, não vai se repetir. Escute, escute a nossa mãe."

Uma conversa que inesperadamente havia começado tão séria, infelizmente para mim, não prosseguiu. Uma tarefa urgente aguardava

---

* Valieri Aleksiéevitch Legássov (1936-88): cientista russo, presidiu o comitê governamental responsável pelas investigações do acidente de Tchernóbil.

os rapazes. Compreendi que estavam abandonando para sempre a sua casa natal.

Foi quando surgiu na soleira a dona da casa. Ela veio me abraçar como se eu fosse da família. E me beijou.

Filha, já se vão dois invernos que passo aqui sozinha. As pessoas não vêm mais aqui. Mas os bichos correm soltos. Uma vez, uma raposa deu um bote, me viu e estranhou. No inverno, o dia e a noite são longos e duram uma vida. Eu poderia cantar canções e contos para você com o maior gosto. A vida está triste para os velhos, a conversa é o seu trabalho. Uma vez vieram me ver uns estudantes da capital, me gravaram. Mas isso já faz tempo. Foi antes de Tchernóbil.

O que você quer que eu te conte? Se tiver tempo... Há uns dias fui tirar a minha sorte na água e vi uma estrada. Arrancamos as nossas raízes da terra. Aqui viveram os nossos avós e bisavós. Nesses bosques eles se instalaram e foram se sucedendo pelos séculos, mas agora chegou o tempo em que a desdita nos expulsa da nossa terra. Essa desgraça, nem os contos falam dela. Ninguém antes conheceu isso, veja só.

Eu vou contar para você como nós, ainda meninas, adivinhávamos o futuro. É uma boa lembrança, alegre. Como foi que a minha vida começou aqui. A minha mãe e o meu pai eram felizes, aos dezessete anos tiveram de se casar. Chamaram um casamenteiro para cantar.

No verão, as adivinhações eram feitas na água, e no inverno, na fumaça. Para o lado onde ia a fumaça, era dessa direção que viria o seu marido. Eu gostava de adivinhar na água, no rio. A água foi a primeira coisa do mundo, ela sabe tudo. E pode revelar o seu futuro. Levávamos uma vela ao rio e a lançávamos na água. Se flutuasse, era sinal de que o amor não estava longe, mas se afundasse, naquele ano você continuaria solteira. Continuaria donzela. Onde está o meu destino? Onde se esconde a minha sorte? Adivinhávamos de muitos modos. Algumas de nós pegavam um espelho e iam para o banheiro, onde passavam a noite toda, e se no espelho aparecesse alguém, tinham que largá-lo imediatamente sobre a mesa, senão o diabo escapava por ali. O diabo gosta de vir para este mundo pela porta do espelho. De lá. Adivinhávamos nas sombras. Queimávamos um papel sobre um copo com água e olhávamos a sombra que se formava na parede. Se aparecesse uma cruz, é que te esperava a morte; se fosse uma cúpula de igreja, o casamento. Uns choram, outros riem. A cada um a sua sorte. À noite, tirávamos o sapato e guardávamos uma bota debaixo da almofada. Pode ser que o teu prometido venha à noite te descalçar. Você então o olha e grava o seu rosto. A mim, veio um me ver, era outro, não o meu Andrei, era alto e de rosto branco, já o meu Andrei não era alto. O meu Andrei tinha as sobrancelhas negras e se ria: "Oh, minha querida senhora! Minha senhora querida!". (Ri.) Vivemos juntos sessenta anos. E trouxemos três filhos ao mundo. Quando ele nos deixou, os filhos o levaram para descansar. Antes de morrer, me beijou pela última vez e me disse: "Oh, minha querida senhora, sozinha você vai ficar…".

O que eu sei? Se você vive muito, até a vida te esquece, e inclusive o amor se apaga. Pois é, filha. Veja só. Louvado seja Deus! Ainda menina, eu metia um pente dentro de uma almofada. Soltava os cabelos e ia dormir. O teu prometido vem nos sonhos. Pede água para beber ou para matar a sede do cavalo.

Semeávamos papoulas em volta do poço. Fazíamos um círculo. À noitinha nos reuníamos e gritávamos para dentro do poço: "Sorte, uh-uh-uh! Sorte, ho-ho-ho!". E o eco, cada uma entendia do seu modo. Até hoje eu tenho vontade de ir ao poço, tirar a minha sorte. Embora já seja pouca a sorte que me resta. Migalhas. Um grão seco. Mas os soldados taparam todos os nossos poços. Bateram pregos nas tábuas. São poços mortos. Fechados. Só sobrou uma fonte de ferro perto do escritório do colcoz. Havia na aldeia uma curandeira, ela também adivinhava a sorte, mas foi embora com a filha para a cidade. Levou dois sacos de batatas com ervas medicinais. Louvado seja Deus! Veja só. Os velhos potes onde preparava as suas poções... Tecidos brancos... Quem precisa disso na cidade? Na cidade, o que fazem é ver televisão e ler livros. Isso é com a gente aqui... Com os pássaros... Líamos os sinais na terra, na relva, nas árvores. Quando a terra se abre por muito tempo na primavera e não descongela, é porque vem seca no verão. Quando a lua brilha pouco, está escura, então o gado não vai dar cria. Se as cegonhas voam cedo para o sul, pode esperar que vem muito frio. (*A mulher conta e se balança ao ritmo das palavras.*)

Os meus filhos são bons, e as noras gentis. E os netos também. Mas na cidade, com quem você pode conversar na rua? Todos são estranhos. É um lugar vazio para o coração. O que você pode lembrar com gente estranha? Eu gostava de ir ao bosque, nós vivíamos do bosque, tínhamos sempre companhia ali. Sempre havia gente. Agora nem ao bosque te deixam ir. A polícia está lá, vigiando a radiação.

Dois anos. Louvado seja Deus! Durante dois anos os meus filhos tentaram me convencer: "Mamãe, venha para a cidade". E enfim, conseguiram. No final das contas. Que lugares bonitos nós temos aqui, lagos ao redor dos bosques. Lagos limpos com sereias. Os antigos contam que as meninas que morrem cedo viram sereias. Deixam as roupas na relva, as camisolas. Na relva e penduradas na corda. Elas saem da água e correm entre as cordas. Você acredita em mim? Em outra época as pessoas acreditavam em tudo. E obedeciam. Mas não havia televisão, ainda não tinham inventado. (*Ri.*) Veja só. A nossa terra é bonita! Nós vivemos aqui, e as nossas crianças não vão viver aqui. Nã-ã-ã-o...

Eu gosto dessa época. O sol se eleva alto no céu, os pássaros já voltaram. Já estava aborrecida com o inverno. Não dá para sair à noite de casa. Os javalis selvagens cabriolam pela aldeia como faziam pelo bosque. Já colhi a batata. Queria plantar cebola. É preciso trabalhar, não ficar sentada, cruzar o braço e esperar a morte. Desse jeito ela nunca virá.

E eu me lembro do duende. Ele vive há muito tempo aqui comigo, não sei exatamente onde, saiu do forno. De capuz preto e roupa preta com botões brilhantes. Não tem corpo, mas se move. Durante um tempo eu pensei que fosse o meu marido que vinha me ver. Veja só... Mas não. É um duendezinho... Vivo sozinha e não tenho com quem falar, de modo que à noite eu conto para mim mesma o dia que passou: "Saí cedo; o sol brilhava tanto que me assombrava a beleza deste mundo. Me senti alegre. Tanta fortuna no coração". E agora tenho que partir... Abandonar a minha terra... No Domingo de Ramos, eu sempre cortava ramos de salgueiro. E como não tínhamos padre, ia até o rio e eu mesma os benzia. Punha os ramos na porta, enfeitava a minha casa. Pendurava nas paredes, na porta, no teto. E enquanto os dispunha pela casa, ia recitando: "Para que você, raminho, salve a minha vaca. Que o cereal cresça alto e a macieira dê bons frutos. Que as galinhas e os gansos tenham muitas crias". Tem que percorrer a casa e recitar várias vezes.

Antes, nós recebíamos a primavera com alegria. Tocávamos. Cantávamos. Tudo começava no primeiro dia em que as mulheres levavam as vacas para o prado. Então, tínhamos de expulsar as bruxas. Antes disso não ordenhávamos, para que elas não estragassem o leite das vacas. Não se esqueça, porque pode ser que isso volte a acontecer, como dizem nos livros sagrados. Na aldeia tínhamos padre, e ele nos lia os livros sagrados. A vida pode acabar, e depois começar desde o princípio. Escute o que eu digo. São poucos os que lembram, e poucos os que podem contar.

Diante do primeiro rebanho, você deve estender no solo uma toalha branca para que os animais passem por cima dela, e também as pastoras. E quando estiverem passando, você deve pronunciar as seguintes palavras: "Bruxa malvada, vá roer essa pedra… morda essa terra. E vocês, vaquinhas, corram tranquilas nos prados e charcos. Não temam ninguém, nem pessoa má nem fera feroz". Na primavera, não é só o mato que sai da terra, tudo sai dela. E também o mal. E se esconde num lugar escuro, no canto da casa. No celeiro, se esconde do calor. Do lago, vem até a casa, e quando amanhece se arrasta na plantação. E o homem tem que se defender! É bom enterrar a terra de um formigueiro diante da cancela, mas é ainda melhor enterrar junto à porta um velho cadeado. Isso tranca os dentes de todos os répteis. E a pança. E a terra? A terra não se trata só com o arado e o ancinho. Ela também tem que se proteger. Dos maus espíritos. Para isso, você tem que correr duas vezes pelo campo e ao mesmo tempo dizer o esconjuro: "Semeio, semeio, semeio o grão. E espero uma boa colheita. Que os ratos não comam meu grão".

O que mais você quer que eu conte? A cegonha, nós também respeitamos. Temos que agradecer por ela voltar ao seu ninho. Pois essa ave te protege dos incêndios e traz as nossas crianças. Chamam por ela: "Kliô-kliô-kliô… Vem, avezinha! Vem conosco!". Os jovens recém-casados também pedem: "Kliô-kliô-kliô… Vem, avezinha! Vem conosco! Para nos dar amor e harmonia. Para que as crianças cresçam sãs e suaves como o carvalho".

E na Páscoa, todos pintavam ovos. Ovos vermelhos, azuis, amarelos. E se alguém em casa tivesse morrido, um ovo preto. Para chorar a sua tristeza. O vermelho é o amor; o azul, a vida longa. Veja só… Como eu… Vivo que vivo. De tudo eu já sei: como será a primavera, o verão… Outono e inverno… Para que viver mais? Eu vejo o mundo… Não digo que não me alegro. Mas, filha…

Ouça também isso que vou te contar. Na Páscoa, você põe um ovo vermelho na água, deixa lá uns dias, e depois se lava com aquela água. O rosto fica bonito. Limpo. Se quer que alguém que morreu venha te ver nos sonhos, vá ao seu túmulo, faça rodar um ovo na terra e diga: "Mamãezinha minha, venha me ver, que quero chorar a tua sorte". E você conta a ela a sua vida. Se o marido te ofende, ela vai te dar conselhos. Mas antes de fazer o ovo rodar, ele deve ficar um pouco na sua mão. Feche os olhos e pense. Não tenha medo dos túmulos, que só assustam quando levam um defunto. Feche as janelas e as portas para que a morte não entre voando. Ela está sempre de branco, toda de branco e com uma foice. Eu mesma não vi, mas as pessoas me contaram. Gente que se encontrou com ela. É melhor não cruzar o seu caminho. Ela ri: "ha-ha-ha-ha".

Quando vou aos túmulos, levo dois ovos: um vermelho e outro preto. Um com a cor da tristeza. Eu me sento junto do meu marido, ali está uma foto dele, nem jovem nem velho, uma boa foto: "Vim te ver, Andrei. Vamos conversar um pouco". E conto todas as novidades. E alguém me chama. Escuto uma voz: "Oh, minha querida senhora". Depois de visitar Andrei, vou ver a minha filhinha. A minha filhinha morreu aos quarenta anos. Foi um câncer que se meteu nela, fomos para tudo que é lugar, mas não adiantou. Deitou na terra tão jovem… Bonita… Neste mundo, todos se vão: alguns jovens, outros velhos. Bonitos e feios. Até criancinhas. E quem chama as pessoas de lá? E o que elas podem contar deste mundo no outro? Eu não entendo. Eu não entendo, mas as pessoas cultas também não entendem. Os professores da cidade, por exemplo. Talvez os padres da igreja… Quando os encontrar, eu pergunto. Veja só. Com a minha filha eu falo assim: "Filhinha minha! Lindinha da mamãe! Com que passarinhos virá voando da terra distante? Com o rouxinol ou com o cuco? De que lado te espero?". Então, canto para ela e espero. Quem sabe se, de repente, ela aparece. Ou me dá um sinal. Mas não se deve ficar nos túmulos até a noite. Às cinco horas da tarde é preciso ir embora. O sol ainda deve estar alto, e quando começa a baixar…

baixar... você deve se despedir. Os defuntos querem ficar a sós. Como nós. Do mesmo jeito. A vida dos mortos é como a nossa. Eu não sei, mas adivinho. Penso assim. Porque se não... Digo outra coisa. Quando uma pessoa morre e sofre muito, se na casa há muita gente, todos têm que sair para o quintal, para que o pobre fique sozinho. Até o pai e a mãe devem sair, e as crianças.

Hoje tenho andado pra cima e para baixo desde o amanhecer, corro ao pátio, à horta, recordo a minha vida. Tenho bons filhos, fortes como o carvalho. Fui feliz, mas pouco, passei a vida trabalhando. Quantas batatas passaram por estas mãos? Quantas? Quanto semeei e colhi... (*Repete.*) Semeei e colhi... E agora... Vou levar a peneira com as sementes, ainda restaram sementes de vagem, girassol. E vou atirá-las aqui mesmo na terra dos canteiros. Pode ser que vinguem. As flores, você sabe como perfumam o ar à noite no outono? Principalmente antes da chuva, largam um perfume forte. Mas chega um tempo em que você não pode mais tocar na semente; deve lançar no solo, ela cresce, ganha força, mas não é boa para o homem. Que tempo é esse? Deus nos deu um sinal. Mas naquele dia em que aconteceu esse Tchernóbil maldito, eu sonhei com abelhas, com muitas, muitas abelhas. As abelhas saíam voando de uma colmeia atrás da outra, e voavam, voavam para bem longe. E quando você sonha com abelha, é sinal de incêndio. A terra vai incendiar. Deus deu o sinal de que o homem já não vive na terra como na sua casa; é um visitante. E nós estamos de visita aqui. (*Chora.*)

"Mamãe", chamou um dos filhos. "Mamãe! O carro chegou."

MONÓLOGO SOBRE A NOSTALGIA DE UM ARGUMENTO E DE UMA ATUAÇÃO

Já escreveram dezenas de livros. Muitos filmes. Comentários diversos. E, no entanto, o evento supera igualmente qualquer tipo de comentário...

Certa vez, eu ouvi ou li que o problema de Tchernóbil, para nós, antes de tudo, é um problema de autoconhecimento. E concordei com isso, pois coincide com os meus sentimentos. Eu estou sempre aguardando que alguém muito inteligente venha me explicar tudo... Que esclareça. Assim como me explicam e esclarecem no que se refere a Stálin, a Lênin e ao bolchevismo. Ou como nos massacram sem parar: "O mercado! O mercado! O mercado livre!". Enquanto isso, nós... que nos educamos num mundo sem Tchernóbil, vivemos com Tchernóbil.

Eu, particularmente, sou profissional em foguetes, especialista em combustível de propulsão. Trabalhei em Baikonur.* Os programas "Cosmos" e "Intercosmos" representam uma grande parte da minha vida. Uma época maravilhosa! Conquistemos o céu! Conquistemos o Ártico! As terras virgens! O cosmos! Todo o mundo soviético viajou com Gagárin ao cosmos, se lançou ao espaço... Todos nós! Até hoje sou apaixonado por ele! Um russo incrível! Com um sorriso incrível! Até a sua morte parece roteiro de filme. Todos sonhavam em voar, em planar, em ser livres. Desejavam escapar para algum lugar. Foi um tempo maravilhoso! Por circunstâncias familiares, me transferi para a Bielorrússia, passei a servir aqui. Logo ao chegar, imergi no espaço de Tchernóbil, e esse ambiente corrigiu os meus sentimentos. Era impossível imaginar algo semelhante, embora eu sempre tenha estado em contato com as técnicas mais modernas, com as técnicas cósmicas. Nesse momento, é difícil pronunciar... Não há como imaginar algo assim... (*Fica pensativo.*) Um segundo atrás me pareceu ter captado o sentido... Um segundo atrás... Eu me sinto impelido a filosofar. Fale de Tchernóbil com quem você quiser, todos se põem a filosofar.

---

* Cidade no Cazaquistão onde se encontra o Cosmódromo de Baikonur, primeira base de lançamento de foguetes do mundo.

É melhor que eu lhe conte sobre o meu trabalho. De tudo que fizemos! Estamos construindo uma igreja. A igreja de Tchernóbil, em homenagem ao ícone da Mãe de Deus "Glória aos Caídos". Recolhemos donativos, visitamos os enfermos e os moribundos. Escrevemos uma crônica. Estamos construindo um museu. No início, pensei que o meu coração não aguentaria trabalhar num lugar como esse. Mas me deram uma primeira missão: "Pegue esse dinheiro e reparta entre 35 famílias. Entre 35 viúvas cujos maridos morreram". Todos tinham sido liquidadores. A divisão deveria ser justa. Mas como? Uma viúva tinha uma filha pequena doente; outra, duas crianças; uma terceira estava ela mesma doente e ainda alugava um apartamento; uma quarta tinha quatro filhos. Eu passava a noite pensando: "Como fazer para não prejudicar ninguém?". Pensava e fazia contas, fazia contas e pensava. Você imagina isso? Eu não consegui repartir. Dividimos o dinheiro por igual entre todas elas, seguindo a lista.

Mas o meu projeto é o museu. O museu de Tchernóbil. (*Cala-se.*) Se bem que às vezes me parece que não será um museu, e sim um departamento fúnebre. Eu presto serviço no comando funerário. Esta manhã, eu ainda não tinha tido tempo de tirar o paletó quando a porta se abriu e entrou uma mulher que, mais que soluçar, gritava: "Fiquem com as medalhas, com todos os diplomas! Fiquem com as compensações! Mas devolvam o meu marido!". Gritou por um bom tempo. Largou por lá as medalhas e os diplomas. Bem, irão para uma vitrine do museu… As pessoas poderão vê-los… Mas os gritos, os gritos dela, ninguém mais além de mim escutou, e sempre que me referir a esses documentos me lembrarei deles.

Agora o coronel Iarochuk está morrendo. Um químico dosimetrista. Era um tipo forte, e agora está paralisado na cama. A esposa o levanta como se fosse uma almofada, lhe dá de comer de colherinha. Além disso, ele está com pedras nos rins, deveria fazer uma cirurgia para retirá-las, mas não temos dinheiro para custear. Somos pobres, sobrevivemos de donativos. O comportamento do Estado, por outro lado, é de pura vigarice, abandonou essa gente por completo. Depois que morrerem, inscreverão o nome delas em ruas, escolas ou alguma unidade militar. Mas só depois que morrerem. O coronel Iarochuk percorreu a pé toda a zona, determinando os limites dos pontos máximos de radiação, ou seja, usaram esse homem, em pleno sentido da palavra, como se fosse um robô. E ele compreendia isso perfeitamente, mas seguiu assim mesmo, a partir da própria central nuclear, por círculos de raio divergente e por setores. A pé, levando os aparatos de dosimetria nas mãos. Tateava uma "mancha" e movia-se seguindo a fronteira da mancha para marcá-la exatamente no mapa.

E os soldados que trabalharam no próprio teto do reator? Para a liquidação das consequências do acidente destinaram um total de 210 unidades militares, ou seja, cerca de 340 mil militares. O próprio inferno foi a parte que coube àqueles que limparam o teto. Deram a eles aventais de chumbo, mas a emissão vinha de baixo, atingia as partes do corpo não protegidas. Usavam as botas de cano de lona habituais e permaneciam de um minuto e meio a dois por dia no teto. E em seguida, davam-lhes baixa do Exército, um diploma e o prêmio de cem rublos. E eles desapareciam nos espaços infinitos da nossa pátria. No teto, rastreavam o combustível e o grafite do reator, as camadas de cimento e as armações. Tinham vinte, trinta segundos para encher as macas, e outro tanto para atirar o "lixo" lá de cima. Só que aquelas macas especiais pesavam quarenta quilos. Imagine você: avental de chumbo, máscaras, macas, tudo numa velocidade louca. Dá para imaginar?

No museu de Kíev, há um modelo em grafite do tamanho de um boné; dizem que se fosse de verdade pesaria dezesseis quilos, de tão denso e pesado que é. Os manipuladores teledirigidos muitas vezes se negavam a executar as ordens que recebiam, ou faziam algo completamente diferente, pois os circuitos eletrônicos se destruíam sob o efeito dos altos campos eletromagnéticos. Os "robôs" mais confiáveis eram os soldados. Batizaram-nos de "robôs verdes" (pela cor dos uniformes militares). Pelo teto do reator destruído passaram 3,6 mil soldados. Aqueles homens dormiam no chão; todos contavam como nos primeiros tempos jogavam palha no chão das barracas de campanha; apanhavam a palha das medas que havia perto do reator.

Eram rapazes jovens, e agora também estão morrendo; mas compreendem que sem eles aquilo não teria sido feito. Eles vivem uma cultura particular. A cultura das proezas. São vítimas.

Houve um momento em que existiu o perigo de uma explosão nuclear, e então se impôs a necessidade de soltar a água de debaixo do reator. Para que o urânio e o grafite fundidos não caíssem ali dentro, onde, junto com a água, poderiam alcançar a massa crítica. E provocar, portanto, uma explosão de até três ou cinco megatons. Se isso ocorresse, não só pereceria a população de Kíev e de Minsk, mas a vida estaria comprometida numa zona gigantesca da Europa. Pode imaginar? Uma catástrofe europeia. Deram-lhes a seguinte missão: quem mergulharia naquela água e abriria o ferrolho da comporta, permitindo o desaguamento? Prometeram carro, apartamento, *datcha* e apoio aos familiares até o fim dos seus dias. Procuravam voluntários. E encontraram! Os rapazes mergulharam muitas vezes, abriram o ferrolho, e lhes deram pelo trabalho 7 mil rublos. Das promessas de carro e apartamento, esqueceram-se. Afinal, não foi por isso que mergulharam! Não fizeram aquilo por razões materiais, as coisas materiais são as que menos importam dentre todas. Não que o nosso homem seja simples... Ou que compreenda... na superfície... (*Emociona-se.*)

Esses rapazes já não existem. Só restam documentos no nosso museu, só o sobrenome deles. Mas e se não tivessem feito aquilo? A nossa disposição ao sacrifício, nisso não temos rival.

Andei discutindo com um sujeito. Ele queria me provar que uma atitude como aquela se deve ao fato de atribuirmos pouco valor à vida. Que isso é coisa do nosso fatalismo asiático. A pessoa que sacrifica a sua vida, dizia ele, não percebe a si mesma como uma individualidade única, que não se repete, como um ser que não voltará a existir nunca mais. É nostalgia de atuar. Antes, era um indivíduo sem texto, um figurante. Não tinha um roteiro, era fundo de cena. De repente, torna-se o protagonista. É nostalgia de um sentido. O que é a nossa propaganda? A nossa ideologia? Propõem a você que morra para que a sua vida adquira sentido. Você será destacado. Receberá um papel! Há um grande valor na morte, porque através da morte você atinge a eternidade. Isso é o que ele queria me provar, dava exemplos. Mas eu não concordo! Categoricamente! Sim, nós somos educados para sermos soldados. É o que nos ensinam. Sempre mobilizados, sempre prontos para algo impossível. O meu pai, quando eu terminei a escola e quis ingressar numa universidade civil, ficou furioso: "Eu sou um militar de carreira e você vai vestir paletó? Você tem que defender a pátria!". Passou meses sem falar comigo, enquanto eu não entreguei os meus documentos num centro militar. O meu pai lutou na guerra, já faleceu. Nunca teve uma boa condição material, como praticamente todos da sua geração. Quando morreu, não deixou nada: carro, casa, terra... nada. O que tenho dele? Uma mochila de campanha que ganhou antes da guerra da Finlândia, e dentro dela, as condecorações que recebeu em combates. E há também as trezentas cartas que escreveu do front a partir de 1941, a minha mãe as guardou. Isso foi tudo o que restou. E, no entanto, considero um capital de valor incalculável!

Você entende agora como eu vejo o nosso museu? Lá tem um pote com terra de Tchernóbil, um punhado de terra. Um capacete de mineiro, também de lá. Há utensílios dos camponeses da zona. Nesse lugar os dosimetristas não podem entrar. Tudo grita! Mas aqui tudo tem de ser autêntico! Nada de cópias! Deve-se acreditar. E só se pode crer no que é verdadeiro, já existem mentiras demais sobre Tchernóbil. No passado e no presente. O átomo — apareceu um ditado assim —, o átomo pode ser empregado não só para fins militares e pacíficos, mas também para fins pessoais. Surgiram fundações, empresas comerciais...

Já que escreve um livro assim, você deve ver o nosso material em vídeo, é único. Vamos juntando aos pouquinhos. Não existe uma crônica de Tchernóbil! Não nos deixaram filmar, tudo estava sob segredo. E se alguém conseguia gravar algo, num instante os órgãos competentes retiravam o material e devolviam as fitas apagadas. Nós não temos uma crônica de como as pessoas foram evacuadas, como retiraram o gado... Era proibido filmar a tragédia, só se podia filmar o heroísmo! Apesar de tudo, foram editados alguns álbuns de Tchernóbil, mas quantas vezes quebraram as câmeras dos operadores de cinema e televisão. Quantas vezes as tomaram, dizendo que eram ordens vindas de cima... Para contar francamente o que ocorreu em Tchernóbil, é necessário ter muita coragem, ainda hoje. Acredite em mim! Mas você deve ver as imagens. O rosto negro como grafite dos primeiros liquidadores. E os olhos? São olhos de pessoas que já sabem que vão nos deixar. Há um fragmento com imagem das pernas das mulheres que na manhã seguinte à catástrofe foram trabalhar numa horta próxima à central atômica. Andaram pela relva orvalhada... As pernas parecem peneiras, cheias de furinhos até o joelho... Você tem que ver isso, já que está escrevendo um livro...

Eu chego à minha casa e não posso levantar o meu filho pequeno nos braços. Preciso tomar de 50 a 100 gramas de vodca para levantá-lo.

Toda uma seção do museu é dedicada aos pilotos de helicóptero. O coronel Vodolájski, herói da Rússia, enterrado em terra bielorrussa, na aldeia Júkov Lug. Quando recebeu a dose-limite, deveriam tê-lo evacuado imediatamente, mas ficou e instruiu 33 novas equipes de pilotos. Realizou pessoalmente 120 voos, lançou de duzentas a trezentas toneladas de carga; a temperatura da cabine alcançava sessenta graus. O que acontecia lá embaixo, quando os sacos de areia eram jogados? Imagine o forno. A atividade alcançava 1800 roentgen por hora. Os pilotos se sentiam mal no ar. Para fazer um lançamento exato e alcançar o alvo, que era a cratera em chamas, os pilotos botavam a cabeça para fora da cabine, olhavam para baixo e apontavam. Não havia outro jeito. E nas seções da comissão governamental, informava-se de maneira simples e habitual que: "Para tal coisa deve-se perder duas ou três vidas; para outra, uma vida". Assim, simples e habitual.

O coronel Vodolájski morreu. No prontuário que marca as doses recebidas sobre o reator, os médicos anotaram sete rems. Quando na verdade foram seiscentos!

E os quatrocentos mineiros que escavaram um túnel embaixo do reator? Foi necessário abrir um túnel para injetar nitrogênio líquido na base e congelar uma almofada de terra, assim se diz em linguagem técnica. Senão, o reator teria atingido as águas subterrâneas. Mineiros de Moscou, Kíev, Dniepropetróvsk. Nunca li nada sobre eles. Aqueles rapazes, desnudos, empurravam de gatinhas os vagões a uma temperatura de cinquenta graus. E ali havia as mesmas centenas de roentgen...

Hoje estão morrendo. Mas e se eles não tivessem feito isso? Eu os considero heróis, e não vítimas de guerra, de uma guerra que é como se não tivesse acontecido. Chamam de acidente, de catástrofe. Mas foi uma guerra. Até os nossos monumentos de Tchernóbil parecem militares.

Há coisas que não se permite comentar: o pudor eslavo. Mas você deve saber, já que está escrevendo esse livro. Aqueles que trabalham no reator ou em ambientes próximos a ele, via de regra são afetados por um sintoma que ocorre de forma semelhante aos técnicos de armas estratégicas. Trata-se de algo bem conhecido. Geralmente o sistema geniturinário, atributo dos homens, sofre danos. Mas sobre isso ninguém fala... O assunto não é bem-visto...

Numa ocasião, acompanhei um jornalista inglês, e ele preparou umas perguntas muito interessantes. Justamente sobre esse tema, interessava a ele o lado humano do problema. O que acontecia depois disso com o homem, em casa, na vida cotidiana, na intimidade? Não obteve nenhuma resposta sincera. Ele pediu, por exemplo, para reunir alguns pilotos de helicóptero para uma conversa de homens. Vieram uns tantos, alguns já aposentados aos 35, quarenta anos. Trouxeram um com a perna quebrada, com uma fissura típica de pessoas idosas, ou seja, no seu caso, os ossos tinham amolecido por efeito da radiação. Mas o trouxeram.

O inglês fez as perguntas: como vocês se sentem agora com relação à família, como se saem com as suas mulheres jovens? Os pilotos se calaram. Eles tinham vindo contar como realizavam cinco voos num só dia. E o que lhes perguntam? Sobre as suas mulheres? Sobre esse tema... O jornalista decide perguntar a cada um em separado, mas as respostas eram as mesmas: saúde normal, o Estado valoriza as suas ações e em casa reina o amor e a concórdia. E nem um deles se abriu. Depois que foram embora, notei que o inglês estava deprimido: "Entende agora por que ninguém acredita em vocês? Vocês enganam a si mesmos". O encontro tinha se realizado num café, onde serviam duas bonitas garçonetes. As moças já estavam recolhendo as mesas e o inglês pergunta a elas:

"Vocês podem me responder a algumas perguntas?"

E elas aceitaram pôr as cartas na mesa.

"Vocês querem se casar?"

"Sim, mas não aqui. Nós queremos nos casar com estrangeiros para ter filhos saudáveis."

Então, o inglês se anima e se atreve a ir mais longe.

"Mas vocês têm companheiros? Como são? Eles as satisfazem? Entendem ao que me refiro?"

"Olhe, agora mesmo estavam sentados aqui com vocês uns rapazes", elas riem, "pilotos. Uns caras de dois metros. Cheios de medalhas. Para os sovietes eles são bons, mas para a cama não prestam."

Imagine você... O jornalista fotografou as moças e me repetiu a mesma frase: "Agora você entende por que ninguém acredita em vocês? Vocês enganam a si mesmos".

Fui com ele à zona. A estatística é conhecida: em torno de Tchernóbil há oitocentas fossas comuns. Ele esperava encontrar instalações técnicas fantásticas, quando o que há são valas das mais comuns. Nelas estão os "bosques alaranjados", 150 hectares de árvores cortadas ao redor do reator (nos dois primeiros dias depois do acidente, os pinheiros e abetos ficaram vermelhos e depois alaranjados). Jaziam ali milhares de toneladas de metal e aço, pequenos tubos, trajes especiais de trabalho, construções de concreto... O jornalista me mostrou a foto de uma revista inglesa. Uma vista panorâmica. De cima. Milhões de máquinas, tratores e aviões. Carros de bombeiro e ambulâncias.

A fossa maior ficava junto do reator. Ele queria fotografá-la hoje, passados dez anos. Receberia um bom dinheiro por essa foto. Demos voltas e mais voltas, cada diretor empurrava para o outro, que empurra para o outro. Um dizia que não tinha o mapa, outro que não podia dar permissão. Rodamos até não poder mais, até que eu me dei conta de que essa fossa não existia mais, que já não existia na realidade, só nas listagens. Fazia tempo haviam roubado tudo e repartido pelos mercados, tudo tinha sido convertido em peças de reposição para os colcozes e em lenha para as casas. Haviam roubado tudo e levado dali. O inglês não conseguia entender uma coisa dessas. Não creio! Quando eu lhe disse a verdade, ele não acreditou! E até hoje, quando leio um artigo, por mais ousado que seja, não acredito; sempre me grita no subconsciente: "E se tudo isso também é uma mentira? Ou alguma fábula?". Recordar a tragédia se tornou lugar-comum, um tópico! Um espantalho! (*Conclui com desespero e se cala por um tempo.*)

Levo tudo ao museu, carrego tudo que encontro. Mas às vezes penso que o melhor seria largar tudo e me mandar. É difícil aguentar!

Um dia, tive uma conversa com um jovem sacerdote. Estávamos junto à tumba recém-coberta de Sacha Gontcharóv. Um dos jovens que estiveram no teto do reator. Nevava, ventava, fazia um tempo feroz. O sacerdote oficiava o funeral. Lia a oração com a cabeça descoberta.

"Será que você não sente frio?", eu disse a ele mais tarde.

"Não, nessas horas eu sou todo-poderoso. Nenhuma outra cerimônia religiosa me transmite tanta energia quanto a fúnebre."

Eu me lembrei dessas palavras, porque são as palavras de um homem que está todo o tempo rodeado pela morte.

Mais de uma vez perguntei a jornalistas estrangeiros que vêm nos ver, muitos deles nos visitam repetidamente, por que eles vêm e por que pedem para ir à zona. Seria estúpido pensar que é só por dinheiro ou carreira. "Nós gostamos. Aqui recebemos uma forte carga de energia", confessam. Imagine! Uma resposta inesperada, não é? Para eles, na realidade, os nossos homens, os seus sentimentos e o seu mundo é algo nunca antes visto. A enigmática alma russa… Nós mesmos gostamos de beber e discutir sobre isso na cozinha. Um dos meus amigos disse certa vez: "Bem, se ficarmos saciados e desaprendermos a sofrer, quem nos achará interessantes?". Não posso esquecer essas palavras, mas também não tenho muito claro o que em nós atrai os outros: nós mesmos? Ou o que se pode escrever sobre nós? O que se pode compreender através de nós?

Por que damos voltas continuamente ao redor da morte? Tchernóbil. Já não teremos outro mundo. No início, quando arrancavam a terra de debaixo dos nossos pés extravasávamos a dor sinceramente, mas agora temos consciência de que não há outro mundo, nem para onde ir. O sentimento do trágico assentamento nesta terra de Tchernóbil. Uma visão de mundo completamente diferente. Da guerra regressou a geração "perdida", de Tchernóbil vive a geração "desorientada". Vivemos no desconserto. A única coisa que não mudou foi o sofrimento humano. O nosso único capital. Intocável.

Chego à minha casa, depois de tudo... A minha mulher me escuta e me diz baixinho: "Eu te amo, mas não vou te dar o meu filho, não vou dá-lo a ninguém. Nem a Tchernóbil, nem à Tchetchênia. A ninguém!". Nela, o medo já se instalou.

Serguei Vassílievitch Sóboliev, diretor da
Associação Republicana "Escudo para Tchernóbil"

Coro do povo

Klávdia Grigórievna Barsuk, esposa de um liquidador; Tamara Vassílievna Bieloókaia, médica; Ekaterina Fiódorovna Bobrova, evacuada da cidade de Prípiat; Andrei Burtis, jornalista; Ivan Naúmovitch Verguéichik, pediatra; Elena Ilínitchna Voronkó, habitante do povoado rural Bráguin; Svetlana Góvor, esposa de um liquidador; Natália Maksímovna Gontcharénko, evacuada; Tamara Ilínitchna Dubikóvskaia, habitante do povoado rural Naróvlia; Albert Nikoláievitch Zarítski, médico; Aleksandra Ivánovna Kravtsova, médica; Eleonora Ivánovna Laduténko, radióloga; Irina Iúrievna Lukachévitch, parteira; Antonina Maksímovna Larivóntchik, evacuada; Anatóli Ivánovitch Polischuk, hidrometeorologista; Maria Iákovlevna Savélieva, mãe; Nina Khantsévitch, esposa de um liquidador.

Há muito tempo não vejo mulheres grávidas felizes. Mães felizes. Assim que nasce o filho, a mãe pede: "Doutora, me mostre o bebê! Deixe-me vê-lo!". Apalpa a cabecinha, a testa, o corpo. Conta os dedos das mãos, dos pés. Observa-o todo. Quer se certificar: "Doutora, o meu filho é normal? Está tudo bem?". Quando trazem a criança para amamentar, tem medo: "Eu vivo perto de Tchernóbil. Eu peguei aquela 'chuva negra'".

Elas me contam os sonhos: um bezerro que nasceu com oito patas, um cachorrinho com cabeça de ouriço. Uns sonhos estranhos. Antes as mulheres não tinham esses sonhos. Eu nunca tinha escutado. E já tenho trinta anos de experiência como parteira.

Eu vivo toda a minha vida da palavra. Com a palavra. Ensino língua e literatura russa na escola. Isso aconteceu, creio, no início de junho, na época dos exames. De repente, o diretor da escola nos reuniu e anunciou: "Amanhã, venham todos com pás". Esclareceu: nós devíamos retirar a camada superior radiativa da terra ao redor dos prédios da escola; depois os soldados viriam asfaltar. Perguntamos: "Que meios de proteção nos darão? Trarão trajes especiais, respiradores?". A resposta era não. "Tragam as pás e cavem." Apenas dois jovens professores se recusaram, o resto acatou as ordens e cavou. Estávamos deprimidos, mas ao mesmo tempo é forte dentro de nós o sentimento de dever a cumprir, de nos fazer presentes ali onde as coisas são duras e perigosas, de defender a pátria. Acaso não é isso que ensino aos meus alunos? Justamente isto: ir adiante, atirar-se ao fogo, defender, sacrificar-se. A literatura que ensino não é sobre a vida, é sobre a guerra. Sobre a morte. Chólokhov, Serafímovitch, Furmánov, Fadíeev... Boris Polevói... Apenas dois jovens professores se recusaram. Mas são da nova geração. Já são outro tipo de pessoa.

Cavamos a terra desde a manhã até a noite. Quando voltávamos para casa, pareceu estranho vermos as lojas ainda abertas, as mulheres comprando meias e perfumes. Nós tínhamos vivenciado uma sensação de guerra. Tornou-se mais compreensível quando, de repente, surgiram filas para comprar pão, sal, fósforos. Quando todos passaram a torrar o pão. A lavar o chão cinco a seis vezes por dia, a calafetar as janelas. Ouvíamos rádio o tempo todo. Esse comportamento me era conhecido, embora eu tenha nascido depois da guerra. Eu procurava analisar os meus sentimentos e me surpreendi com a rapidez com que a minha psique tinha se adaptado à situação; embora eu não consiga entender como a experiência da guerra me era familiar. Eu era capaz de imaginar de que forma abandonaria a casa e iria embora com os meus filhos, que objetos levaria, o que escreveria à minha mãe. Ainda que ao redor transcorresse a vida tranquila de sempre, e a televisão transmitisse comédias.

A memória nos inspira. Nós sempre vivemos no terror, somos capazes de viver no terror; é o nosso habitat.

E nisso, o nosso povo não tem rivais...

Eu não estive na guerra, mas tudo isso me lembrou dela. Os soldados entravam nas aldeias e evacuavam as pessoas. As ruas das aldeias estavam cheias de carros militares: blindados, caminhões com lona verde, até tanques. As pessoas deixavam as casas na presença de soldados; e isso tinha um efeito deprimente, sobretudo nos que viveram a guerra. Primeiro, culparam os russos: eles eram os culpados, a central era deles... Depois, a culpa era dos comunistas... O coração batia de medo, um medo alienígena...

Nós fomos enganados. Prometeram-nos que depois de três dias poderíamos voltar. Deixamos a casa, a casinha de banho, o poço, o velho jardim. Na véspera, à noite, eu caminhei pelo jardim e vi as flores desabrochando. Mas pela manhã, estavam todas murchas. A minha mãe não pôde suportar a evacuação. Morreu dentro de um ano. Tenho dois sonhos que se repetem: no primeiro, vejo a nossa casa vazia; no segundo, perto da nossa cerca vejo a minha mãe, rodeada de dálias, viva... E sorrindo.

Todo o tempo, comparamos essa situação com a guerra. Mas podemos entender a guerra. O meu pai me falou sobre ela, eu li nos livros... Mas e isso, o que é? Na nossa aldeia deixaram três cemitérios: em um, descansam as pessoas, é o mais velho; em outro, os cachorros e gatos que tivemos de abandonar e que fuzilaram; no terceiro, as nossas casas.

Eles enterraram até as nossas casas...

Todo dia... Todo dia percorro as minhas lembranças... Percorro as ruas, passo pelas casas. Era tão tranquila a nossa cidadezinha. Não havia indústrias, só uma fábrica de doces. Certo domingo, eu estava deitada tomando sol, a minha mãe veio correndo: "Filha, Tchernóbil explodiu, as pessoas estão se escondendo em casa, e você aí, no sol". Eu ri: de Tchernóbil a Naróvlia eram quarenta quilômetros.

À noite, parou um carro perto da nossa casa. Entrou uma amiga minha com o marido: ela de roupão, e ele de agasalho esportivo e sapatos velhos. Tinham escapado de Prípiat pelo bosque, por estradas vicinais. Tinham fugido. Nas estradas a polícia fazia guarda, havia controle militar, não deixavam ninguém sair. A primeira coisa que ela me disse, aos gritos, foi: "Rápido, precisamos de leite e vodca. Agora!". Ela não parava de gritar: "Acabei de comprar mobília nova, geladeira nova. Fiz um casaco de pele. Deixei tudo lá, embrulhei num plástico. Não dormimos à noite. O que vai acontecer? O que vai acontecer?". O marido tentava acalmá-la. Ele contou que havia helicópteros sobrevoando a cidade, carros militares entornando uma espécie de espuma nas ruas. Os homens estavam sendo convocados por meio ano pelo Exército, como na guerra. Há dias aguardava-se na frente da tevê que Gorbatchóv aparecesse e se pronunciasse. Mas as autoridades se calavam...

Gorbatchóv surgiu só depois das celebrações das festas de maio e disse: "Não se preocupem, camaradas, a situação está sob controle. Houve um incêndio, um simples incêndio. Não é nada grave… Lá, as pessoas continuam vivendo e trabalhando".

Nós acreditamos nele.

Guardo essas imagens. Eu tinha medo de dormir à noite. De fechar os olhos…

Conduziram todo o gado das aldeias evacuadas ao centro do distrito, aos locais de recolha. As vacas, as ovelhas, os animais, enlouquecidos, disparavam pelas ruas. Quem queria, os capturava. Os caminhões frigoríficos seguiam até a estação de trem Kalinóvitchi e despachavam a carga para Moscou. Mas Moscou recusou a carne, e esses vagões, já convertidos em sarcófagos, regressaram à nossa cidade. Comboios inteiros. E aqui a enterraram. O cheiro de carne podre me perseguiu por várias noites. "Será que é esse o cheiro da guerra atômica?", eu pensava. A guerra deve emanar cheiro de fumaça…

Nos primeiros dias, levaram as nossas crianças à noite, para que menos pessoas vissem. Ocultavam a desgraça, escondiam. Mas o povo acabava se inteirando de tudo. Alguns levavam para os ônibus galões de leite, pães assados. Como durante a guerra. Com o que mais se pode comparar?

Reunião do Comitê Executivo Regional do Partido. Situação de guerra. Todos aguardam a declaração do chefe de defesa civil, porque se alguém se lembrava de algo sobre radiação, era através de algum fragmento de manual de física do décimo ano. Ele surge na tribuna e começa a dizer o que já se sabia dos livros e manuais sobre guerra atômica: que ao receber cinquenta roentgen, o soldado deve abandonar o combate; como se constroem abrigos; como usar máscaras antigás; o raio da explosão... Mas aqui não era nenhuma Hiroshima nem Nagasaki, era algo bem diferente... E nós já percebíamos isso...

Viajamos para a zona contaminada de helicóptero. Com o equipamento determinado pelas normas: sem roupas de baixo, macacão de algodão, como o dos cozinheiros, sobre o traje uma película de proteção, luvas e uma máscara de gaze. Todos os aparelhos pendurados. Descemos do céu junto a uma aldeia, e lá as crianças nadavam na areia como pardais. Mascavam raminhos, folhinhas. Os menorezinhos, sem calças, peladinhos... As ordens eram de que não nos dirigíssemos às pessoas para não provocar pânico...

E agora vivo com isso na minha consciência...

Logo começaram a aparecer uns programas na televisão. Um dos temas: uma mulher ordenha uma vaca, despeja o leite numa jarra, o repórter se aproxima com um dosímetro militar e o leva até a jarra. Segue-se o comentário: "Vejam, está totalmente dentro da norma", mas na verdade o reator fica a apenas dez quilômetros dali. Mostram o rio Prípiat. As pessoas se banham, tomam sol. Ao longe se vê o reator e volutas de fumaça sobre ele. Comentário: "Como podem comprovar, as emissoras ocidentais semeiam o pânico, difundem evidentes calúnias sobre o acidente". E novamente o dosímetro, ora medindo a radiação de um prato de sopa de peixe, ora de uma barra de chocolate, ou de bolos de um quiosque ao ar livre. Tudo isso é enganação. Os dosímetros militares, os que o nosso Exército dispunha na época, não foram feitos para medir produtos, eles só mediam a radiação ambiental.

A quantidade de mentiras associadas a Tchernóbil na nossa consciência... Talvez só tenha ocorrido coisa semelhante em 1941, na época de Stálin.

* * *

Eu queria ter um filho que fosse fruto do amor. Esperávamos o nosso primeiro filho. O meu marido queria um menino, e eu, uma menina. Os médicos tentavam me persuadir: "Você deve abortar. O seu marido esteve muito tempo em Tchernóbil". Ele é motorista e o chamaram já nos primeiros dias. Transportava areia e cimento. Mas eu não acreditava, não queria acreditar. Eu lia nos livros que o amor pode vencer tudo. Até a morte.

A criança nasceu morta. E sem dois dedos. Era uma menina. E eu chorava: "Se ao menos tivesse todos os dedos. Não vê, é uma menina...".

Ninguém entendia o que havia acontecido. Liguei para o serviço de recrutamento — nós, médicos, estamos sempre na ativa — e me ofereci como voluntária. Não lembro o sobrenome, mas a patente era de major. Ele me respondeu: "Precisamos de médicos jovens". Tentei convencê-lo: "Os médicos jovens, em primeiro lugar, não estão preparados, e em segundo, correm mais perigo, o organismo jovem é mais sensível ao efeito das radiações". E ele contestou: "As ordens são de recrutar os jovens".

Lembro que as feridas dos doentes começaram a cicatrizar mal. Outra coisa: a primeira chuva radiativa tornou os charcos amarelos. Amarelos ao sol. Agora, essa cor sempre me alarma. Por um lado, a consciência não estava preparada para nada semelhante, mas por outro... Não somos os melhores? Os mais extraordinários? Vivemos no país mais poderoso. O meu marido, que é uma pessoa com educação superior, é engenheiro, queria me convencer com toda seriedade de que se tratava de um ato terrorista. Uma sabotagem do inimigo. Assim nós pensávamos. Assim tínhamos sido educados. Mas eu me lembro do que me disse um economista com quem conversei num trem. Ele me contou sobre a construção da central nuclear de Smoliénski, sobre a quantidade de cimento, madeira, placas, pregos, areia e outras coisas mais que desapareciam da obra em direção às aldeias vizinhas. Em troca de algum dinheiro ou de uma garrafa de vodca.

Nas aldeias, nas fábricas, os trabalhadores do Partido intervinham: viajavam aos lugares, se relacionavam com o povo. Mas nenhum deles era capaz de responder a perguntas do tipo: o que é desativação; como proteger as crianças; quais os coeficientes de transmissão dos radionuclídeos às cadeias alimentícias; sobre as partículas alfa, beta e gama; sobre radiobiologia; sobre as radiações ionizantes; isso sem falar dos isótopos. Para eles, eram coisas do outro mundo. Eles ensinavam sobre o heroísmo do povo soviético, os símbolos do poder militar, as maquinações do serviço secreto ocidental.

Certo dia, pedi a palavra na reunião do Partido e perguntei: onde estão os profissionais? Onde estão os físicos? Os radiologistas? Mas então ameaçaram cassar a minha carteira.

Houve muitas mortes inexplicáveis, inesperadas. A minha irmã sofria do coração. Quando ouviu falar em Tchernóbil, pressentiu: "Você vai sobreviver a isso, eu não". Ela morreu dali a alguns meses. Os médicos não explicaram nada. Com o seu diagnóstico, ela poderia ainda viver muito tempo.

Contam que mulheres idosas começaram a ter leite no peito, como as parturientes. O termo médico para o fenômeno é "relaxamento". Mas, e para os camponeses? Era castigo de Deus. Aconteceu com uma velha que morava sozinha. Sem marido e sem filhos. Era a vontade de Deus. Ela caminhava pela aldeia e sacudia alguma coisa nos braços; pegava um fardo ou uma bolinha de criança, enrolava no vestido e saía embalando.

* * *

Eu tenho medo de viver nesta terra. Me deram um dosímetro, mas para que ele me serve? Lavo a roupa, deixo branca como a neve, e mesmo assim o dosímetro apita. Preparo a comida, asso um empadão: apita. Estendo o lençol da cama: apita. Pra que ele me serve? Dou de comer às crianças e choro. "Por que você está chorando, mamãe?"

Tenho dois filhos, dois meninos. Estou toda hora com eles no hospital. No médico. O maior, não dá nem para saber se é menino ou menina, pois está calvo. Já levei a professores, curandeiros, rezadeiras... É o menor da turma. Não pode correr nem brincar. Se alguém sem querer bate nele, sai sangue, ele pode morrer. Tem a doença do sangue, eu não sei dizer o nome. Quando estou com ele no hospital, penso: "Ele vai morrer". Mas entendi que não se pode pensar assim, porque a morte pode ouvir. Choro no toalete. Nenhuma mãe chora na enfermaria, só no toalete, no banheiro. Volto alegre.

"Você está com as bochechas mais rosadas, vai ficar bom."

"Mamãe, me leve embora do hospital. Aqui eu vou morrer. Aqui todo mundo morre."

Onde vou chorar? No toalete? Lá já tem fila. Lá, todas estão assim, como eu.

Na Radúnitsa, no Dia dos Mortos, nos deixaram ir ao cemitério. Visitar os túmulos. Mas quando queríamos entrar nos nossos quintais, a polícia avisava que era proibido. Os helicópteros voavam sobre nós. Ao menos vimos de longe as nossas casas e as benzemos.

Trago um ramo de lilás das minhas terras, e ele se mantém vivo já por um ano...

* * *

Agora vou te contar o que é o nosso homem, o homem soviético. A coisa acontece nas zonas "sujas". Nos primeiros anos, abasteceram o mercado com trigo-sarraceno e carne chinesa enlatada, e as pessoas se alegraram; se felicitavam e diziam: "Agora sim, não nos tiram mais daqui. Estamos bem!". A terra tinha se contaminado de maneira desigual. Um mesmo colcoz tinha campos "limpos" e "sujos". Pagavam mais aos que trabalhavam no "sujo", e todos queriam ir para lá. Negavam-se a ir para os "limpos".

Há pouco tempo, veio me visitar um amigo do Extremo Oriente e disse: "Vocês são como 'caixas-pretas'. São pessoas 'caixas-pretas'. Há 'caixas-pretas' em todos os aviões, elas registram todas as informações do voo. Quando o avião sofre uma avaria, encontram as 'caixas-pretas'".

Nós pensamos que vivemos como todo mundo. Andamos, trabalhamos, amamos... Não! Nós registramos informações para o futuro.

Eu sou pediatra. As crianças veem as coisas de forma diferente dos adultos. Por exemplo, elas não entendem que câncer significa morte. É uma ideia que não lhes ocorre. Elas sabem tudo sobre si mesmas: o diagnóstico, o nome dos tratamentos e de todos os remédios. Sabem mais que as mães. E as brincadeiras? Correm pela enfermaria uma atrás da outra e gritam: "Eu sou a radiação! Eu sou a radiação!". Quando elas morrem, o rostinho me parece tão surpreso... Tão perplexo...

Jazem na cama com uma expressão de tal assombro...

* * *

Os médicos me avisaram que o meu marido vai morrer. Ele tem câncer no sangue. Adoeceu depois que voltou da zona de Tchernóbil. Dois meses depois. A fábrica onde trabalhava o enviou. Chegou à noite do turno de trabalho e disse:

"Viajo pela manhã."

"O que você vai fazer lá?"

"Trabalhar no colcoz."

Recolhiam feno na zona dos quinze quilômetros. Colhiam beterraba, cavavam as batatas.

Voltou. Fomos à casa dos pais dele. Ele estava ajudando o pai a pôr gesso na estufa. E ali mesmo caiu. Chamamos a ambulância e o levaram ao hospital: tinha uma dose mortal de leucócitos. Ele foi enviado para Moscou.

Chegou de lá com um só pensamento: "Vou morrer". Voltou mais calado. Eu tentava convencê-lo. Implorava. Ele não acreditava nas minhas palavras. Então eu lhe dei uma filha, para que acreditasse. Eu não interpreto os meus sonhos. Às vezes estou subindo o cadafalso, às vezes estou toda de branco… Não leio livros de sonhos. Acordo uma manhã, olho para ele: como vou viver sozinha? Se ao menos a minha filha fosse crescida e pudesse se lembrar do pai… Mas é pequena, mal começou a andar. Corre para ele: "Pa-a-a-a". Afugento esses pensamentos.

Se eu soubesse… Teria trancado todas as portas e me postaria na entrada. Teria trancado a casa com dez cadeados.

Há dois anos que vivo com meu menino no hospital. As meninas pequenas, com as suas batas de hospital, brincam com bonecas. As suas bonecas fecham os olhos e morrem.

"Por que as bonecas morrem?"

"Porque são os nossos filhos, e os nossos filhos não vão viver. Eles nascem e morrem."

O meu Artióm tem sete anos, mas pela aparência lhe dão cinco.

Ele fecha os olhos e eu penso que dormiu. Então eu choro, acho que ele não está me vendo. Mas ele me diz:

"Mamãe, eu já estou morrendo?"

Dorme e quase não respira. Eu fico ajoelhada ao lado dele. Ao lado da cama.

"Artióm, abra os olhos... Diga alguma coisa..."

"Ainda está quentinho", eu penso.

Ele abre os olhos e volta a dormir. Em silêncio. Como se estivesse morto.

"Artióm, abra os olhos..."

Eu não o deixo morrer.

Há pouco tempo comemoramos o Ano-Novo. Preparamos uma boa mesa. Tudo era feito por nós: os defumados, o toucinho, a carne, os pepinos marinados, só o pão era da loja. Até a vodca era nossa, feita em casa. Tudo nosso, como virou piada hoje, tudo de Tchernóbil. Com césio e estrôncio de graça. E onde mais podíamos conseguir essas coisas? As vendas dos povoados estão vazias, e se aparece algo, com os nossos salários e pensões não podemos nem sonhar em comprar.

Vieram os convidados. Os nossos bons vizinhos. Jovens. Um professor e um mecânico do colcoz com a esposa. Bebemos, comemos. E começamos a cantar. Sem combinarmos nada, começamos a cantar canções revolucionárias. Canções de guerra. "Na aurora, a doce luz toca os muros do velho Krémlin", a minha preferida. Passamos uma noite agradável. Como antes.

Eu escrevi sobre isso ao meu filho. Ele está estudando na capital. É estudante. Recebo a resposta: "Mamãe, fiquei imaginando a cena, a terra de Tchernóbil. A nossa casa. O pinheiro iluminado no Ano-Novo. E as pessoas à mesa cantando canções revolucionárias e de guerra. Como se não tivesse existido nem o gulag nem Tchernóbil".

E senti medo, não por mim, mas pelo meu filho. Ele já não tem para onde voltar.

TERCEIRA PARTE

A ADMIRAÇÃO PELA TRISTEZA

MONÓLOGO SOBRE O QUE NÃO SABÍAMOS: QUE A MORTE PODE SER TÃO BELA

Nos primeiros dias, a pergunta mais importante era: quem é o culpado? Precisávamos de um culpado...

Mais tarde, quando já tínhamos respostas, passamos a pensar: o que vamos fazer? Como vamos nos salvar? E agora, quando nos resignamos à ideia de que a situação se prolongará não por um ou dois anos, mas por gerações, temos voltado mentalmente ao passado, revirando página após página...

Aconteceu na noite de sexta para sábado. De manhã, ninguém suspeitava de nada. Mandei o meu filho à escola, o meu marido foi ao barbeiro. Eu estava preparando o almoço, quando o meu marido veio correndo com as seguintes palavras: "Houve algum incêndio na central atômica. As ordens são de não desligar o rádio". Eu me esqueci de dizer que vivíamos em Prípiat, perto do reator. Até hoje tenho diante dos meus olhos o clarão cor de framboesa brilhante, o reator parecia iluminar-se de dentro. Uma luz incrível. Não era um incêndio comum, era uma luz fosforescente. Era lindo. Se esquecermos todo o resto, era muito bonito. Eu nunca tinha visto nada igual nem no cinema, nada que pudesse ser comparado àquilo. À noite, as pessoas se aglomeravam nas varandas; quem não tinha varanda, ia à casa dos amigos, dos conhecidos. Nós morávamos no nono andar, tínhamos uma linda vista. Em linha reta, abriam-se uns três quilômetros. Nós levantávamos as crianças nos braços: "Veja! Lembre-se disso!". E eram pessoas que trabalhavam no reator. Engenheiros, operários. Havia até professores de física. Estávamos envolvidos naquele pó negro. Conversávamos... Respirávamos... Admirávamos o espetáculo...

Alguns vinham de lugares a dezenas de quilômetros, chegavam de carro, de bicicleta, só para assistir àquilo. Não sabíamos que a morte pode ser tão bela. Eu não diria que ela não tinha cheiro. Não era um aroma de primavera ou de outono, mas algo completamente diferente, não era aroma de terra. Não... Picava a garganta e fazia os olhos lacrimejar. Não dormi a noite toda e escutava os passos dos vizinhos de cima, também sem sono. Arrastavam algo, davam batidas, é provável que estivessem empacotando as coisas. Vedavam as janelas. Eu afogava a dor de cabeça com Citramon.

De manhã, ao amanhecer, olhei em torno — não inventei isso agora nem mais tarde —, senti naquele momento que algo estava diferente, que algo tinha mudado. Completamente. Às oito horas da manhã já circulavam militares com máscaras antigás. Quando vimos soldados e veículos militares nas ruas da cidade, não nos surpreendemos, ao contrário: nos tranquilizamos. Uma vez que o Exército vinha ajudar, tudo voltaria ao normal. Não tínhamos a menor ideia de que o átomo de uso pacífico também matava. Que toda a cidade poderia não ter despertado daquela noite. Alguém ria na janela abaixo da minha, soava uma música.

Depois do almoço, começaram a anunciar pelo rádio que seriam feitas evacuações. Que nos tirariam da cidade por três dias, lavariam tudo e fariam as verificações. Ainda hoje escuto a voz do locutor: "evacuação das regiões mais próximas"; "não é permitido levar animais"; "reúnam-se próximo às vias". Recomendavam que as crianças levassem os livros escolares. O meu marido enfiou numa pasta os documentos e as nossas fotos de casamento. A única coisa que levei foi um lenço fino, em caso de mau tempo...

Desde os primeiros dias sentimos que nós, gente de Tchernóbil, éramos repudiados. Tinham medo de nós. O ônibus que nos levava parou à noite numa aldeia. As pessoas dormiram pelo chão da escola, no clube. Não havia mais onde se enfiar. E uma mulher nos convidou para ficar na casa dela: "Venham, vou fazer a cama. Pobrezinho do seu filho". E outra mulher que estava ao lado a afastava de nós: "Você ficou louca? Eles estão contaminados". Depois que nos transferimos para Moguilióv e o nosso filho foi à escola, no primeiro dia voltou correndo para casa, chorando. Puseram-no ao lado de uma menina, mas ela não quis sentar-se com ele porque era radiativo, como se por sentar-se ao seu lado pudesse morrer. O meu filho estava no quarto ano e aconteceu de ser o único de Tchernóbil nessa série. Todos tinham medo dele, chamavam-no de "vaga-lume", de "ouriço de Tchernóbil"... Eu me assustei de ver como a infância dele acabou tão rápido.

Nós deixávamos Prípiat e na nossa direção marchavam colunas de soldados. De blindados. Naquele momento eu tive medo. Não entendia nada e sentia medo. Mas a sensação de que aquilo não estava acontecendo comigo e sim com outras pessoas não me abandonava. Uma sensação estranha. Eu chorava, procurava comida, onde passar a noite, abraçava e acalmava o meu filho, mas dentro de mim havia não uma ideia, mas a constante impressão de ser uma espectadora. Eu me olhava no espelho e via uma estranha... Só em Kíev nos fizeram um primeiro pagamento, mas não dava para comprar nada: centenas de milhares de pessoas se deslocavam, já haviam comprado e consumido tudo. Muitos tinham infarto, ataques súbitos, ali mesmo, nas estações, nos ônibus. Quem me salvou foi a minha mãe. Na sua longa existência, a minha mãe havia perdido o seu lugar em mais de uma ocasião, ficando sem nada do que conseguira na vida. Da primeira vez, sofreu represália nos anos 1930. Tiraram tudo dela: vaca, cavalo, casa. Da segunda vez, foi um incêndio: só pôde salvar a mim, pequena ainda naquela época. "É preciso superar", ela me acalmava. "Nós estamos vivas."

Lembro que estávamos no ônibus, chorando. Um homem na primeira fila ralhava alto com a mulher: "Como você é estúpida! Todo mundo está levando ao menos alguma coisa, e nós, carregando potes vazios de três litros!". A mulher decidiu que, como viajavam de ônibus, ela poderia deixar pelo caminho com a sua mãe os potes vazios para conservas. Ao lado deles, pelo chão, havia enormes redes de pesca abauladas, nas quais tropeçávamos a torto e a direito. E, com aqueles potes, eles viajaram até Kíev.

Eu canto no coro da igreja. Leio os evangelhos. Vou à igreja, porque apenas lá falam sobre a vida eterna e confortam as pessoas. Em nenhum outro lugar você escutará palavras de consolo, e é tão necessário ouvi-las. Quando estávamos sendo evacuados, sempre que na estrada víamos uma igreja, todos faziam questão de visitá-la. Era difícil abrir caminho entre as pessoas. Ateus, comunistas, todos entravam.

Com frequência sonho que passeio com o meu filho pelas ruas ensolaradas de Prípiat. Hoje, é uma cidade fantasma. Caminhamos e contemplamos as rosas, em Prípiat havia muitas rosas, grandes canteiros de rosas. Foi um sonho. Toda a nossa vida já é um sonho. Na época eu era tão jovem, o meu filho era pequeno... Eu amava...

O tempo passou, tudo se tornou recordações. E eu de novo me sinto espectadora...

> *Nadiéjda Petróvna Vigóvskaia*, evacuada da cidade de Prípiat

MONÓLOGO SOBRE COMO É FÁCIL SE TORNAR TERRA

Eu levei um diário. Tentava me lembrar daqueles dias. Foram muitas impressões. E medos, claro. Irrompeu um mundo desconhecido, como Marte.

Sou de Kursk. Em 1969 construíram uma central atômica perto de nós, na cidade de Kurtchátov. Costumávamos ir lá para comprar alimentos, salsichas. Abasteciam os trabalhadores da central com produtos de primeira. Lembro-me de um grande açude onde se pescava. Perto do reator. Depois de Tchernóbil, passei a lembrar desse fato frequentemente. Agora isso já é impossível.

E foi assim: me entregaram a citação, e eu como pessoa disciplinada que sou me apresentei no mesmo dia ao escritório de recrutamento. O oficial folheia a minha ficha: "Você não foi recrutado nenhuma vez para os exercícios. Mas agora precisam de químicos. Não quer ir a um acampamento perto de Minsk por 25 dias?". E eu pensei: "E por que não? Assim descanso um pouco da família e do trabalho. Passo uns dias ao ar livre".

Em 22 de junho de 1986, às onze da manhã, me apresentei com as minhas coisas, uma marmita e uma escova de dentes. Estranhei que fôssemos tantos em tempos de paz. Me vieram na cabeça algumas recordações dos filmes de guerra. E o dia era justamente 22 de junho. Início da guerra.*

* Invasão da União Soviética pelos alemães, em 1941.

Mandaram-nos entrar em formação, separar fileiras, e assim até o anoitecer. Subimos aos ônibus quando já começava a escurecer. O comando deu a ordem: "Quem estiver com bebida alcóolica, que a beba. Viajaremos à noite de trem e de manhã estaremos na unidade. De manhã, quero todos frescos como pepinos, e sem bagagem supérflua". Entendido. A bebedeira durou a noite toda.

De manhã, encontramos a nossa unidade no bosque. Entramos novamente em formação, fizeram chamada por ordem alfabética e distribuíram roupas especiais. Deram-nos um equipamento, depois outro, e um terceiro. Penso comigo: "A coisa é séria!". Além disso, nos entregaram capote, chapéu, coberta, travesseiro — tudo de inverno, no entanto estávamos no verão, e nos prometeram que ficaríamos apenas 25 dias. "Qual é rapazes!", riu o capitão que nos conduzia. "Vinte e cinco dias? Vocês vão ralar seis meses em Tchernóbil." Ficamos atônitos. Estávamos furiosos.

Em seguida, para nos dobrar, nos dizem o seguinte: "Quem for à zona dos vinte quilômetros, receberá o salário em dobro. Quem trabalhar na de dez, ganhará o triplo, e quem chegar ao reator, multiplique por seis". Uns começaram a calcular que poderiam voltar para casa no próprio carro, outros queriam largar tudo, mas a disciplina militar...

O que era a radiação? Ninguém tinha ouvido nada. Eu havia justamente terminado uns cursos de defesa civil, e lá nos deram uns dados de trinta anos antes: cinquenta roentgen é uma dose mortal. Ensinaram como você deve se atirar ao solo para que a onda explosiva passe por cima sem te tocar. A irradiação, a onda térmica... Mas sobre o fato de que a contaminação radiativa do meio ambiente é o fator mais letal, nenhuma palavra foi dita. Tampouco os oficiais de carreira que nos levaram a Tchernóbil entendiam do assunto. Só sabiam de uma coisa: quanto mais vodca, melhor, porque ajudava contra a radiação.

Passamos seis dias perto de Minsk, todos os seis bebendo. Eu colecionava etiquetas de garrafas. No início bebíamos vodca, mas logo vi que começavam a correr umas bebidas estranhas: nitkhinol e vários outros limpa-cristais. Como químico, a experiência me interessava. O nitkhinol deixa as pernas bambas, mas a cabeça se mantém sóbria. Você recebe a ordem: "De pé!", mas cai.

O negócio é o seguinte: sou engenheiro químico, doutor em ciências químicas, e me obrigam a abandonar o emprego de responsável por um laboratório químico num importante complexo industrial. E como me utilizam? Põem nas minhas mãos uma pá. Esse foi praticamente o meu único instrumento. Foi aqui que nasceu o aforismo: contra o átomo, a pá.

Tínhamos meios de proteção: respiradores, máscaras antigás, mas ninguém os utilizava, o calor chegava a trinta graus, se pusesse aquilo, você morria na hora. Assinamos como se tivéssemos recebido um equipamento complementar, mas logo deixamos de lado o material. Há ainda outro detalhe: como viajamos. Dos ônibus subimos ao trem: no vagão havia 45 assentos, nós éramos setenta. Dormimos por turnos. Não sei por que me veio essa lembrança.

Mas, bem, o que era Tchernóbil? Viaturas militares, soldados. Postos de lavagem. Situação de guerra. Fomos alojados em barracas de campanha, dez em cada uma. Um tinha deixado em casa os filhos; outro, a mulher a ponto de parir; outro não tinha apartamento. Mas ninguém se queixava. Se tem de ser feito, que se faça. A pátria te chama, a pátria te ordena. Assim é o nosso povo...

Ao lado das barracas havia montanhas gigantescas de latas de conserva vazias. Verdadeiros Montblanc! Em algum lugar o Exército deve ter guardado essas reservas de emergência. A julgar pelas etiquetas, se conservavam por vinte, trinta anos. Em caso de guerra. Conservas de carne, de *kacha*,* de pescado... E havia uma gataria, eram como moscas. As aldeias tinham sido evacuadas. Nem uma alma sequer. Você ouve uma porta ranger com o vento e se volta, esperando ver uma pessoa ali. Mas no lugar de um homem, sai um gato...

Retirávamos a camada superior da terra, carregávamos os caminhões e transportávamos aquela terra para fossas comuns. A fossa, que eu imaginava ser uma complexa instalação técnica, era na verdade um grande buraco que se convertia em túmulo. A terra, nós levantávamos e enrolávamos em grandes rolos. Como um tapete. Uma capa verde com ervas, flores e raízes, aranhas e minhocas. Um trabalho de louco. Porque é impossível depurar a terra, separar dela o que é vivo. Se não bebêssemos toda noite, duvido que fosse possível aguentar. A cabeça não daria conta. Centenas de metros de terra arrancada, estéril. Casas, galpões, árvores, estradas, escolas, poços — tudo ficava como que pelado, no meio da areia, na areia. De manhã, quando você ia se barbear, sentia medo de se olhar no espelho, de ver o seu rosto. Porque vinha cada pensamento... cada pensamento... É difícil imaginar que as pessoas pudessem voltar, que pudessem viver ali de novo. E, no entanto, consertávamos os telhados, lavávamos as casas. Todo mundo compreendia que o nosso esforço era inútil. Milhares de pessoas. Mas seguíamos nos levantando todas as manhãs, fazendo a mesma coisa. Um absurdo!

Você encontrava um velho analfabeto, e ele te dizia: "Deixem esse trabalho ruim, filhos, venham comer conosco".

O vento sopra. As nuvens correm. O reator ainda está descoberto. Tiramos as camadas da terra e, ao cabo de uma semana: de volta ao mesmo lugar! Podem começar tudo de novo. Mas já não

---

* *Kacha*: mingau à base de cereais cozidos com leite, muito popular na Rússia e países vizinhos.

havia mais o que arrancar, só areia, que se desfaz. Só vi sentido numa coisa: quando lançaram, dos helicópteros, uma mistura especial para que se formasse uma película de polímero, aquilo impedia a terra de se mover, pois o vento a levantava com facilidade. Isso me pareceu lógico. De resto, continuamos cavando, cavando...

A população tinha sido evacuada, mas havia velhos em algumas aldeias. E que vontade de entrar numa dessas casas e almoçar com eles... pelo próprio ritual. Ao menos meia hora de uma vida normal, de uma vida humana... Ainda que não se pudesse comer nada, pois estava proibido. De qualquer modo, dava muita vontade de sentar à mesa de uma velha casa...

Atrás de nós, deixávamos só os túmulos. Pelo que diziam, seriam depois recobertos por pranchas de concreto e cercados por arame farpado. Ali deixávamos os caminhões basculantes, os instrumentos, os guindastes com que trabalhávamos, pois o metal tem a propriedade de acumular, de absorver a radiação. Mas contam que tudo isso logo desapareceu, que roubaram. Eu acredito, porque no nosso país tudo pode acontecer.

Uma vez, soou o alarme: os dosimetristas constataram que o nosso refeitório tinha sido construído numa zona onde a radiação era maior que no lugar no qual trabalhávamos. E nós já vivíamos ali havia dois meses. Assim é o nosso povo... Uns troncos e umas tábuas encravadas à altura do peito. Isso era o que chamavam de refeitório. Comíamos de pé. Nos lavávamos com água das barricas. O banheiro era uma vala larga em campo aberto. Nas mãos, a pá. E ao lado, o reator.

Depois de dois meses, começamos a compreender algumas coisas. E começaram a surgir perguntas: "Nós não somos condenados à morte. Já estamos aqui há dois meses, é suficiente. Está na hora de nos substituírem". O major-general Antóchkin se reuniu conosco para uma conversa e nos disse com toda franqueza: "Dará prejuízo substituir vocês. Já receberam um jogo de roupas, e mais outros dois. Já estão acostumados. Substituí-los sai caro e é complicado". E salientava que éramos heróis. Uma vez por semana, diante da formação, entregavam diplomas de honra àqueles que tinham cavado melhor a terra. Aos melhores coveiros da União Soviética. Isso não é loucura?

As aldeias estavam vazias. Viviam ali galinhas e gatos. Você entrava num galpão, e ele estava cheio de ovos, que fritávamos. Os soldados eram jovens valentes. Pegavam uma galinha. Faziam uma fogueira. E a garrafa de *samogón*. Todo dia, na barraca, acabávamos com uma garrafa de três litros de *samogón*.

Uns jogavam xadrez, outros tocavam violão. O homem se acostuma a tudo. Um se embriagava e se metia na cama, outro começava a gritar e a brigar. Dois pegaram um carro embriagados e se estatelaram. Tiveram de usar um maçarico para tirá-los das ferragens. Eu me salvei porque escrevia longas cartas para casa e tinha um diário. O chefe da seção política me caçou: "Onde você o guarda? O que escreve nele?". Exigiu de um colega que me espionasse. Mas ele me avisou:

"O que você está escrevendo?"

"Escrevi uma tese e agora trabalho em outra."

O sujeito se pôs a rir:

"Então, direi isso ao coronel. Mas veja se esconde bem esse negócio."

Eram bons rapazes, eu já falei; nenhum choramingas, nenhum covarde. Acredite: ninguém nunca nos vencerá. Nunca! Os oficiais não saíam das barracas. Desabados nos seus chinelos. Bebiam. Que se danem! E nós tínhamos que cavar. Assim é o nosso povo…

Os dosimetristas eram deuses. Todos tentavam se aproximar deles: "Então, quanta radiação eu tenho?". Um soldado engenhoso inventou uma arte: apanhou um pedaço de pau qualquer e amarrou na ponta um arame farpado. Batia na porta de uma casa e passava aquele pau pelas paredes. A velha ia atrás:

"Filho, o que acontece na minha casa?"

"Segredo militar, avó."

"Me conte, filho. Eu te trago uma caneca de *samogón*."

"Então, traga." Ele bebe. "Tudo normal por aqui, avó."

E ia embora para outra casa.

Na metade da nossa estadia, finalmente deram dosímetros a todos, umas caixas pequenas com um cristal dentro. Alguns tiveram a seguinte ideia: levavam de manhã os dosímetros até a fossa e à noite os recolhiam. Quanto mais radiação você apresentava, mais rápido te liberavam, ou te pagavam mais. Alguns o atavam à correia da bota, assim o dosímetro ficava mais perto do solo. Um teatro do absurdo! Um completo absurdo! Porque esses aparelhos não estavam carregados. Para começar a contar, seria necessário carregá-los com uma dose inicial de radiação. Ou seja, tinham nos presenteado com esses trastes, esses cacarecos, para nos distrair. Psicoterapia. Na verdade, eram umas engenhocas de silício, uns trastes vendidos no mercado havia uns cinquenta anos. No fim da estadia, anotaram nas nossas carteiras militares a mesma quantidade de radiação para todos: a dose média de radiação multiplicada pelo número de dias de permanência. Mediram a radiação nas barracas em que vivíamos e chegaram à dose média.

Não sei se é piada ou verdade. Um soldado liga para a namorada. Ela está preocupada, pergunta: "O que você está fazendo aí?". Ele decide contar bravata: "Acabei de sair do reator e lavei as mãos". Entram uns ruídos. A comunicação é cortada. A KGB está escutando.

Duas horas de descanso. Você tomba embaixo de um arbusto e vê que ele está carregado de cerejas maduras, grandes e doces. Você as abocanha. E amoreiras… Pela primeira vez vi amoreiras…

Quando não havia trabalho, nos faziam marchar por um território contaminado. Absurdo! À noite passavam filmes. Filmes indianos sobre o amor. Até as duas, três da madrugada. O cozinheiro não acordava, e no café da manhã a *kacha* ficava crua. Traziam jornais. Escreviam ali que somos heróis! Voluntários! Herdeiros de Pável Kortcháguin!* Publicavam fotografias. O que não daríamos para encontrar aquele fotógrafo.

Não muito longe, haviam se instalado umas unidades internacionais. Tártaros de Kazan. Vi um dos seus julgamentos de honra. Fizeram passar um soldado em frente à formação e, quando ele parava ou se afastava para o lado, batiam nele. Com os pés. Era um sujeito que entrava e limpava as casas. Encontraram com ele uma bolsa cheia de cacarecos. Os lituanos se instalaram à parte. Depois de um mês se amotinaram e exigiram que os mandassem de volta para casa.

Uma vez, realizamos uma missão especial: ordenaram que lavássemos urgentemente uma casa de uma aldeia vazia. Absurdo! "Para quê?" "Amanhã vão celebrar lá um casamento." Esguichamos água com a mangueira sobre o telhado, nas árvores, raspamos a terra. Ceifamos os brotos de batata, os canteiros, as ervas do pátio. Deixamos tudo como um areal. No dia seguinte, chegaram os noivos. Veio um ônibus cheio de convidados. Música. Uma noiva e um noivo de verdade, não de filme. Eles já moravam em outro lugar, tinham sido evacuados, mas os convenceram a vir filmar aqui uma cena para a posteridade. A propaganda funcionava. A fábrica de sonhos defendia os nossos mitos. Podemos sobreviver em qualquer lugar, até numa terra morta.

Antes de eu partir, o comandante me chamou:

"O que você escreveu?"

"Cartas para a minha mulher", respondi.

Seguiu-se a advertência:

"Pois tome cuidado quando voltar."

---

* Personagem do romance *Assim foi temperado o aço* (1932), do russo Nikolai Ostróvski. Tornou-se um modelo épico do realismo socialista soviético.

O que me ficou como recordação daqueles dias? Como cavamos. E cavamos... Em algum lugar do meu diário está escrito o que é que de fato eu compreendi ali. Já nos primeiros dias, eu compreendi como é fácil você se tornar terra.

Ivan Nikoláievitch Jmíkhov, engenheiro químico

MONÓLOGO SOBRE OS SÍMBOLOS E OS SEGREDOS DE UM GRANDE PAÍS

Lembro-me como se fosse uma guerra. Já no final de maio, cerca de um mês depois do acidente, começaram a chegar para exame alguns produtos da zona dos trinta quilômetros. O instituto funcionava 24 horas por dia. Como um órgão militar. Em toda a república, naquele momento só nós dispúnhamos dos profissionais e dos aparatos necessários. Traziam-nos as vísceras de animais domésticos e selvagens. Avaliávamos o leite. Depois das primeiras amostras, ficou bem claro que o que nos chegava não era carne, e sim resíduos radiativos.

Na zona, os rebanhos pastavam pelo sistema de turnos de guarda. Os pastores realizavam os seus turnos e iam embora. As ordenhadoras só entravam para ordenhar as vacas. As fábricas de leite cumpriam os seus planos de produção. Analisamos o leite. Não era leite, e sim resíduos radiativos. O mesmo acontecia com o leite em pó, o condensado e o concentrado. Durante muito tempo apresentamos a fábrica de leite Rogatchóv como um exemplo arquetípico nas palestras que dávamos. No entanto, o seu leite continuava a ser vendido nas lojas e nas barracas de comida. Quando as pessoas viam nas etiquetas que o leite era Rogatchóv, não o compravam; então, retiravam-no do mercado, mas logo apareciam latas sem etiquetas. Não creio que a causa fosse a falta de papel. Enganavam as pessoas. O Estado enganava as pessoas.

Toda informação se tornava um segredo guardado a sete chaves para não "provocar pânico". E isso durante as primeiras semanas. Justamente quando os elementos de vida curta emitiam a sua maior radiação, e tudo "irradiava". Nós fazíamos relatórios incessantemente. Incessantemente. Mas não podíamos dar os resultados de forma aberta. Cassavam o seu título universitário e até a carteira do Partido (*Começa a ficar nervoso.*) Mas não era o medo... O medo não era a razão, embora influísse, claro. É que... nós éramos homens do nosso tempo, do nosso país soviético. Acreditávamos nele; toda a questão está na fé. Na nossa fé. (*Acende um cigarro, nervoso.*) Acredite, não era por medo. Não era só por medo. Digo isso honestamente. Por respeito a mim mesmo, estou sendo honesto nesse momento. Quero que seja assim...

Na nossa primeira viagem à zona se comprovou que, no bosque, a radiação era cinco, seis vezes mais alta que a do campo e da estrada. Por todo lado havia altas doses. Os tratores trabalhavam... Os camponeses cultivavam as suas hortas... Em algumas aldeias medimos as glândulas tireoides de crianças e adultos. Resultado: cem, duzentas, trezentas vezes acima das doses toleráveis.

No nosso grupo havia uma radióloga. Ela teve um ataque de histeria ao ver as crianças sentadas na areia, brincando, empurrando barquinhos nos córregos.

O mercado estava aberto e, como de costume nas nossas aldeias, os objetos manufaturados e os alimentos encontravam-se lado a lado: casacos e vestidos ao lado de salsichas e margarina. Tudo exposto, aberto, sem sequer um papel celofane para cobri-los. Pegamos uma salsicha, um ovo. Passamos pelo raio X: não eram alimentos, e sim resíduos radiativos.

Vimos uma mulher jovem sentada num banco junto à sua casa amamentando o filho. Testamos o leite do peito: radiativo. A virgem de Tchernóbil...

Perguntávamos: "O que se pode fazer?". Respondiam-nos: "Façam as suas medições e assistam à televisão". Pela televisão, Gorbatchóv acalmava a todos: "Foram tomadas as medidas urgentes". Eu acreditei... Eu — um engenheiro com vinte anos de experiência e bom conhecedor das leis da física. Eu já sabia que qualquer ser vivo deveria sair desses lugares. Ainda que por um tempo. Mas nós fazíamos escrupulosamente as medições e íamos assistir às declarações na tevê.

Estávamos habituados a acreditar. Eu sou da geração pós-guerra, que cresceu nessa fé. De onde veio essa fé? Nós vencemos uma guerra tão terrível! O mundo todo nos reverenciou. Isso de fato ocorreu. Nas cordilheiras, esculpiam sobre as rochas o nome de Stálin! O que era isso? Um símbolo! O símbolo de um grande país.

Eis a resposta à sua pergunta: por que nós sabíamos e nos calamos? Por que não saímos à praça e gritamos? Nós relatávamos. Eu te disse que incessantemente fazíamos relatórios. Mas calávamos e nos submetíamos sem objeções às ordens por disciplina do Partido. Eu sou comunista. E nunca soube de nenhum dos nossos trabalhadores que tenha se assustado e se recusado a ir à zona. Eles seguiam para lá não por medo de perderem a carteira do Partido, mas pelas suas convicções.

Antes de tudo havia a fé de que o mundo em que vivemos é belo e justo, e de que o nosso homem estava acima de tudo, era a medida de todas as coisas. A derrocada dessa fé levou muitas pessoas ao infarto ou ao suicídio. Uma bala no coração, como o acadêmico Legássov. Porque quando você perde a fé e fica sem convicções, já não é mais um participante e sim um cúmplice, e para você já não há perdão. É assim que eu entendo.

Um sinal. Toda central nuclear da antiga União Soviética possuía um plano de emergência guardado em caixa-forte para o caso de acidente. Um protótipo. Secreto. Sem dispor de um plano como aquele, não se podia pôr em funcionamento a central. Esse protótipo foi elaborado muito antes do acidente, e teve por base justamente a central de Tchernóbil. Devia responder às perguntas: o que fazer e como? Quem responde pelo quê? Onde se encontra isso e aquilo? Estava tudo ali, até os menores detalhes. E, de repente, ocorre um acidente justo nessa central. O que é isso, uma coincidência? Um fato místico? Se eu fosse crente...

Quando você quer encontrar sentido em algo, torna-se uma pessoa religiosa. Eu sou engenheiro. Sou uma pessoa de outro tipo de fé. Os meus símbolos são outros.

O que faço agora com essa fé? O que faço agora?

Marat Filíppovitch Kokhánov, ex-engenheiro-chefe
do Instituto de Energia Nuclear da Academia
de Ciências da Belarús

MONÓLOGO SOBRE COMO NA VIDA AS COISAS TERRÍVEIS OCORREM EM SILÊNCIO E DE FORMA NATURAL

Desde o princípio...

Alguma coisa tinha acontecido em algum lugar. Eu nem sequer distingui o nome; em algum lugar, longe do nosso Moguilióv. O meu irmão chegou da escola e contou que distribuíram não sei que pastilhas para todas as crianças. Estava evidente que algo tinha acontecido. Ai, ai, ai! E foi isso.

Comemoramos um maravilhoso Primeiro de Maio no campo, junto à natureza. Regressamos tarde da noite, e no meu quarto a janela tinha sido aberta pelo vento. Isso é algo de que me lembrei mais tarde.

Eu trabalhava como inspetora no Serviço para Proteção da Natureza. Aguardávamos instruções, mas elas não chegavam. Aguardávamos. Entre os inspetores, quase não havia profissionais, sobretudo em cargo de direção: eram coronéis exonerados, ex-funcionários do Partido, aposentados e pessoas demitidas de outros lugares. Quando cometiam faltas, eram enviados para cá. E assim viviam, remexendo em papéis. Que barulho não fizeram depois das declarações do nosso escritor bielorrusso Aliés Adamóvitch em Moscou! Adamóvitch fez soar todos os sinos! Como o odiaram! Algo completamente absurdo. Aqui vivem os filhos e netos de todos esses funcionários; no entanto, não foram eles e sim um escritor que gritou para o mundo: "Salvem-nos!". Parece que neles vigorava o instinto de conservação. Nas reuniões do Partido, nos fumódromos, não paravam de falar dos "escritorezinhos": "Por que não se metem nos seus assuntos?"; "É desordem!"; "Há instruções!"; "Insubordinação!"; "O que ele entende? Não é físico"; "Para isso há o Comitê Central e o secretário-geral!".

Eu então compreendi, creio que pela primeira vez, o significado do ano de 1937. O que ocorreu naquele ano.

Nessa época, a imagem que eu tinha da central nuclear era totalmente idílica. Na escola e no instituto nos ensinavam que eram fantásticas "fábricas que produziam energia tirada do nada", onde trabalhavam pessoas de jalecos brancos que apertavam botões.

Tchernóbil explodiu contra o fundo de um total despreparo da consciência e absoluta fé na técnica. Não tínhamos nenhuma informação. Havia montanhas de papéis com o carimbo "ultrassecreto": "Declara-se que são secretos os dados do acidente"; "Declara-se que são secretos os resultados de tratamentos médicos"; "Declara-se que são secretos os índices de afecção radiativa do pessoal que interveio na liquidação".

Corriam rumores de que alguém havia lido isso, ouvido aquilo, dito aquilo outro. Desapareceram das bibliotecas todos os papéis ridículos (como foi demonstrado mais tarde) que diziam respeito à defesa civil. Alguns escutavam as rádios ocidentais. Só elas informavam quais pastilhas deviam ser tomadas e como utilizá-las corretamente. Mas a reação mais frequente era: "Os inimigos se alegram com a nossa desgraça, mas aqui tudo vai bem". "No dia 9 de maio, os veteranos vão desfilar. Tocará uma orquestra de sopro." Mesmo aqueles que foram apagar o reator, como se soube mais tarde, viviam em meio a boatos. "Dizem que é perigoso segurar o grafite com as mãos... Dizem..."

Surgiu na cidade, não se sabe de onde, uma mulher maluca. Andava pelo mercado e dizia: "Eu vi a radiação. Ela é azul, azul e reverbera". As pessoas deixaram de comprar leite e requeijão na feira. Você via uma velha vendendo leite, e ninguém comprava. "Não tenham medo", dizia, "eu não tiro a vaca do campo, eu mesma a alimento." Você saía da cidade, e ao longo da estrada surgiam uns espantalhos; via uma vaca pastando coberta por um plástico e ao lado dela uma velha também coberta por plástico. Você não sabia se ria ou se chorava.

Fomos enviados à zona para fazer verificações. A mim, coube a exploração florestal. Para os madeireiros, o plano não havia mudado; continuavam a retirar as toras de madeira normalmente. Pusemos um dispositivo no depósito, e o que ele marcava só o diabo sabe. Junto às tábuas, parecia que estava tudo normal, mas perto de umas vassouras já prontas o aparelho disparava. "De onde vêm essas vassouras?" "De Krasnopólie (como ficou claro mais tarde, era a região mais contaminada do nosso distrito de Moguilióv). Esse é o último lote. Os demais já foram enviados." "Como localizá-los nas várias cidades?"

Esqueci uma coisa que eu queria dizer. Sintomático... Ah! Lembrei! Tchernóbil fez surgir o sentimento novo e incomum de que cada um de nós tem a sua própria vida; até então isso parecia desnecessário. E as pessoas passaram a se preocupar com o que comiam, como alimentavam os filhos, o que seria ou não perigoso para a saúde, se mudavam ou não para outro lugar. Cada um tinha de tomar as suas próprias decisões. Antes, como se vivia? Com toda a aldeia, com toda a comunidade. Com o coletivo da fábrica ou do colcoz. Nós éramos soviéticos. Eu mesma era soviética. E muito! Estudava no instituto e passava o verão com a minha unidade comunista. Existia um movimento juvenil assim: as unidades das juventudes comunistas. Trabalhávamos nelas, e o dinheiro que ganhávamos, enviávamos a algum partido comunista latino-americano. No caso da minha unidade, mandávamos ao Uruguai.

Nós mudamos. Tudo mudou. É preciso fazer um grande esforço para compreender. Para se distanciar do que é habitual.

Eu sou bióloga. O meu trabalho de fim de curso foi o comportamento das vespas. Passei dois meses numa ilha desabitada. Tinha ali o meu ninho de vespas. As vespas, depois de passarem uma semana me vigiando, me adotaram na sua família. Não deixavam ninguém se aproximar a menos de três metros, mas eu, depois de uma semana, chegava a dez centímetros delas. E as alimentava de geleia de cereja diretamente no ninho. "Não destruam os formigueiros, é uma boa forma de vida distinta da nossa", era a frase preferida do nosso professor. O ninho de vespas estava conectado a todo o bosque, e eu pouco a pouco também me converti em parte da paisagem. Um camundongo se aproximou e veio sentar na ponta da minha galocha; um camundongo silvestre, do campo, já me considerava parte da paisagem: ontem eu estava aqui, hoje estou, amanhã estarei.

Depois de Tchernóbil... Numa exposição de desenhos de crianças, vi um em que uma cegonha caminha por um campo negro na primavera. Com uma anotação abaixo: "Ninguém disse nada para a cegonha". Esse é o meu sentimento.

Mas também havia o trabalho. O trabalho cotidiano. Viajávamos pela região colhendo amostras de água, de terra, que levávamos a Minsk. As nossas meninas resmungavam: "É como se a gente estivesse levando pasteizinhos quentes". Sem proteção, sem trajes especiais. Você se senta na frente, mas às suas costas as amostras "ardem".

Redigíamos atas para o enterramento das camadas de terra radiativa. Enterrávamos terra na terra. Que estranha ocupação do homem! Ninguém podia entender aquilo. Segundo as instruções, o enterramento deveria se realizar depois de uma prévia exploração geológica, de modo que as águas subterrâneas estivessem a uma profundidade de quatro a seis metros abaixo da vala e que as paredes e o fundo da vala fossem cobertos por plástico. Mas essas eram as instruções. Na vida as coisas são diferentes, claro. Como sempre. Não havia nenhuma prospecção.

Apontavam com o dedo: "Aqui, cave". E a escavadeira cavava. "Qual a profundidade cavada?" "O diabo é quem sabe. Se aparecer água, eu largo tudo do mesmo jeito". Descarregavam diretamente nas águas subterrâneas...

Alguns dizem: um povo santo e um governo criminoso. Logo lhe direi o que penso disso. Sobre o nosso povo e sobre mim mesma...

O meu trabalho mais importante foi no distrito de Krasnopólie; como já disse, o mais contaminado da nossa região. Para impedir que os radionuclídeos vertessem do campo para os rios, as instruções determinavam arar a terra em sulcos duplos, deixar um espaço, depois outros dois sulcos e assim por diante, com os intervalos. Eu tinha de examinar todos os pequenos rios e fazer as comprovações.

Até o centro do distrito havia linha de ônibus, depois era necessário um carro. Fui ver o presidente do distrito. O homem estava no seu gabinete arrancando os cabelos. Ninguém havia retirado o plano de produção, ninguém havia mudado o programa de semeadura; continuavam semeando ervilhas como antes, embora soubessem que as ervilhas são as que mais absorvem radiação, como todas as leguminosas. E isso, quando por ali chegava a 40 Ci ou mais. Ele não me escutava. Os cozinheiros e as enfermeiras dos jardins de infância haviam debandado. As crianças estavam com fome. Havia uma operação de apendicite a ser feita com urgência, era preciso enviar a pessoa de ambulância ao distrito vizinho, a sessenta quilômetros por uma estrada que mais parecia uma tábua de lavar. Todos os cirurgiões haviam debandado. De que carro eu falo? Sulcos duplos? Ele não me ouvia.

Eu me dirigi, então, aos militares. Esses jovens rapazes serviam ali havia meio ano. Agora estão mortalmente doentes. Os rapazes puseram à minha disposição um blindado e equipamentos; não era um tanque, mas um veículo de exploração com uma metralhadora. Lamento não ter tirado uma foto em cima dele. No blindado. Outra vez me pego romântica. O sargento que comandava o blindado se mantinha em permanente contato com a base: "Falcão! Falcão! Seguimos com a missão".

Fomos. Percorremos as nossas estradas, os nossos bosques, mas numa máquina de guerra. As mulheres junto às cercas choravam ao nos ver. A última vez que tinham visto esse tipo de veículo foi na época da Guerra Pátria.* Tinham medo de que estivesse começando uma nova guerra.

Segundo as instruções, os tratores destinados a arar os sulcos deveriam ter cabines protegidas, hermeticamente fechadas. Eu vi um trator assim. A cabine, de fato, era hermética. Ali estava o trator, mas o tratorista estava descansando sobre a relva. "Você está louco? Por acaso não te avisaram?", pergunto. "Não está vendo que eu cobri a cabeça com a jaqueta?", ele me respondeu. As pessoas não entendiam. Toda a vida os assustaram e os prepararam para uma guerra atômica. Mas não para Tchernóbil.

* Refere-se à Segunda Guerra Mundial.

Aqueles lugares são de uma beleza esplêndida. O bosque original se conservou, não era replantado, era o antigo. Os riachos serpenteavam, as suas águas da cor de chá, tão cristalinas. A relva verde. O eco das vozes no bosque. Para essa gente, estar nessa natureza é como sair de casa de manhã para o jardim. E você sabe que tudo aquilo está envenenado: os cogumelos, as bagas. Os esquilos correndo pelas aveleiras.

Encontramos com uma velha:

"Meninos, posso beber o leite da minha vaca?"

Nós olhávamos para o chão. A ordem era de recolher dados e de não nos dirigirmos às pessoas. O primeiro a abrir a guarda foi o sargento:

"Vozinha, quantos anos a senhora tem?"

"Ando lá pelos oitenta, pode ser que mais. Os documentos queimaram na guerra."

"Bem, então beba."

As pessoas do campo são as que mais dão pena, porque sofreram sem culpa, como as crianças. Porque Tchernóbil não foi inventado pelo camponês, que tem com a natureza uma relação de confiança, e não de rapinagem, uma relação de cem anos, mil anos. Segundo os desígnios divinos. E elas não entenderam o que aconteceu, elas queriam acreditar nos cientistas, em qualquer pessoa instruída como se fosse um sacerdote. E ainda por cima afirmaram a elas: "Está tudo bem. Não há nada de mal. Apenas lavem as mãos antes de comer".

Eu compreendi, não imediatamente, mas depois de alguns anos, que todos nós participamos... de um crime... (*Cala-se.*)

Você não pode imaginar a quantidade de coisas que era desviada da zona, alimentos que eram enviados para lá como ajuda e compensação aos seus habitantes: café, carnes, defumados, presunto, laranjas... em carros, furgões cheios. Na época, não havia aqueles alimentos em lugar nenhum. E os vendedores locais, todos os que controlavam, todos esses funcionários pequenos e médios, enchiam os bolsos.

O homem é pior do que eu pensava. E eu também me incluo nisso. Agora sei o que sou. (*Fica pensativa.*) Eu reconheço, certamente. É importante para mim mesma.

Um exemplo: vamos supor que num colcoz haja cinco povoados. Três "limpos" e dois "sujos", e que a distância de um para o outro seja de dois, três quilômetros. Aos dois pagam auxílio-funeral, aos três não. Numa das aldeias "limpas" constrói-se um complexo de criação de gado. Traremos forragem limpa, dizem. Mas de onde vão tirá-la? O vento arrasta o pó de um campo para o outro. A terra é a mesma. Para construir as instalações necessitam dos papéis. Uma comissão os assina, eu estou nessa comissão, embora todos saibam que não se pode aprovar aquilo. É crime! No final das contas, encontrei uma justificativa para mim mesma: o problema da limpeza da forragem não é da competência do inspetor de proteção da natureza. Eu sou de pouca importância. O que posso fazer?

Cada um encontrava uma justificativa. Alguma explicação. Eu fiz a experiência comigo mesma. E, numa palavra, compreendi que na vida as coisas mais terríveis ocorrem em silêncio e de forma natural.

Zóia Danílovna Bruk, inspetora do
Serviço para Proteção da Natureza

MONÓLOGO SOBRE O FATO DE QUE O RUSSO SEMPRE QUER ACREDITAR EM ALGO

E você não se deu conta de que entre nós não se fala nesse tema? Daqui a dezenas, centenas de anos, estes serão tempos mitológicos. Os lugares serão povoados por contos e mitos. Lendas.

Eu tenho medo da chuva. Eis o que Tchernóbil provocou. Tenho medo da neve. Do bosque. Das nuvens. O vento... De onde sopra? O que traz? Isso não é uma abstração, uma conclusão racional, mas um sentimento pessoal. Tchernóbil está na minha casa. No ser que me é mais caro, no meu filho, que nasceu na primavera de 1986. Está doente. Os animais e até as baratas sabem quantas vezes e quando vão parir. Os homens não podem saber, o criador não lhes concedeu o dom do pressentimento.

Há pouco tempo publicaram nos jornais que em 1993 as mulheres da Bielorrússia fizeram 200 mil abortos. E a primeira causa era Tchernóbil. Nós vivemos com esse medo por toda parte. A natureza suspendeu as atividades, está em estado de espera. Aguardando. "Desgraçado de mim! Onde se escondeu o tempo?", exclamaria Zaratustra.

Tenho refletido muito. Buscado um sentido, uma resposta.

Tchernóbil é uma catástrofe da mentalidade russa. Você nunca pensou nisso? Certamente estou de pleno acordo com os que escrevem que não foi o reator que explodiu, mas todo o sistema anterior de valores. Mas essa explicação ainda não me é suficiente.

Eu gostaria de me referir a algo que Tchaadáiev* foi o primeiro a assinalar: a nossa hostilidade ao progresso. A nossa atitude antitecnológica, anti-instrumental. Observe a Europa. Desde a época do Renascimento, a Europa vive sob o signo de uma relação instrumental com o mundo. Uma relação inteligente, racional. Que se traduz num respeito ao artesão, ao instrumento que este leva nas mãos.

Há um excelente conto de Leskóv:** "Uma vontade de ferro". De que se trata? É sobre o caráter russo, sobre o "pode ser que sim" e o "talvez não". Esse é o leitmotiv russo.

---

* Piotr Tchaadáiev (1794-1856): oficial da nobreza, escreveu as *Cartas filosóficas* (1836), que tiveram importante repercussão no pensamento da intelligentsia russa da época. Nelas, criticava o isolamento e a paralisia social da Rússia. Foi declarado louco pelo tsar Nicolau I.

** Nikolai Leskóv (1831-95): escritor russo, conhecido por seus contos.

O caráter alemão está na sua aposta no instrumento, na máquina. E o nosso? O nosso? Por um lado, está na tentativa de superar, de conter o caos; por outro, no nosso primarismo. Vá aonde você quiser, por exemplo, a Kiji. O que ouvirá? De que se gaba qualquer guia turístico? De que esse templo foi construído com apenas um machado e sem nenhum prego! Em lugar de construirmos uma boa estrada, pomos ferraduras numa pulga.* As rodas do carro afundam no barro, mas em compensação temos o pássaro de fogo nas mãos.

Em segundo lugar, eu penso que sim, que isso é o preço que pagamos pela rápida industrialização depois da revolução. Depois da Revolução de Outubro. Pelo salto adiante. Vamos voltar ao Ocidente. Houve um século têxtil, da manufatura. A máquina e o homem mudavam e avançavam juntos. Ia se formando uma consciência e um pensamento tecnológicos. E nós? O que o nosso camponês possui além das suas mãos? E até hoje! O machado, a foice, o facão. É tudo. É nisso que todo o seu mundo se apoia. Ah, e também a pá.

Como o russo fala com a máquina? Blasfemando. Batendo-lhe com o martelo, ou a patadas. Ele não gosta da máquina, odeia, despreza, porque não entende muito bem o que tem nas mãos, que força é essa.

Eu li em algum lugar que os trabalhadores da central atômica costumavam chamar o reator de panela, samovar ou fogareiro. Há um orgulho aqui: fritaremos ovos ao sol! Dentre os trabalhadores da central de Tchernóbil, muitos eram camponeses. De dia estavam nos reatores, e à noite, cuidando das suas hortas, ou na casa dos pais, na aldeia vizinha, plantando batatas com a pá ou espalhando esterco com a forquilha. Extraindo a colheita, também com as mãos. A sua consciência oscilava entre dois tempos,

---

* Refere-se ao conto "A pulga de aço", de Nikolai Leskóv.

entre duas eras: a da pedra e a atômica. E o homem, como um pêndulo, movia-se de um extremo a outro.

Imagine a estrada de ferro, uma via férrea traçada por brilhantes engenheiros; o trem é veloz, mas em lugar de um maquinista temos um cocheiro do século passado. Este é o destino da Rússia: viajar entre duas culturas. Entre o átomo e a pá.

E a disciplina técnica? Para a nossa gente, é parte da opressão, do jugo, das correntes. Um povo primário, livre. Sempre sonhando não com a liberdade, mas em fazer o que lhe agrada. Para nós, a disciplina é um instrumento repressivo. Há algo peculiar na nossa ignorância, algo próximo à ignorância oriental.

Eu sou historiador. Antes, me dediquei aos estudos linguísticos, à filosofia da língua. Nós pensamos com a língua, mas a língua também nos pensa. Aos dezoito anos, talvez um pouco antes, quando comecei a ler as obras em *samizdat** e vi se revelarem para mim autores como Chalámov e Soljenítsin, eu imediatamente compreendi que toda a minha infância e a infância dos amigos da minha rua estavam impregnadas da mentalidade dos campos de concentração — e isso apesar de ter crescido numa família de intelectuais (o meu bisavô foi sacerdote, o meu pai, professor da universidade de Petersburgo). Inclusive todo o léxico da minha infância saía da linguagem dos prisioneiros. Para nós, crianças, era normal chamar o nosso pai de *pakhán* e a nossa mãe de *makhana.*** "Para um cu ardiloso, uma pica com rosca", isso eu aprendi aos nove anos. Sim, nem uma palavra civil. Até os jogos, os ditos e as adivinhações vinham dos ambientes dos campos. Porque os presos não constituíam um mundo à parte, que só

---

* *Samizdat*: edições independentes, reproduzidas à mão ou em máquina de escrever, de obras proibidas na União Soviética. Alimentava a dissidência, às margens das publicações oficiais.

** No jargão carcerário, ambos os termos significam "chefe".

existia na cadeia, longe de nós. Tudo isso estava ao nosso lado. Como escreveu Akhmátova:* "meio país encarcerava e meio país estava encarcerado". Penso que essa nossa mentalidade carcerária devia inevitavelmente se chocar com a cultura. Com a civilização, com os ciclótrones.

Bem, e certamente fomos educados no peculiar paganismo soviético: o homem é soberano, a coroa da criação. É o seu direito fazer com o mundo o que lhe apraz. A fórmula de Mitchúrin** era: "Não podemos esperar que a natureza nos conceda os seus dons; a nossa tarefa é nos apropriarmos deles". Refiro-me à tentativa de inculcar no povo qualidades e propriedades que ele não possui. O sonho da revolução mundial é o sonho de reformar o homem e todo o mundo que o rodeia. Transformar tudo. É isso. O conhecido lema dos bolcheviques é: "Conduziremos a humanidade com mão de ferro à felicidade!". A psicologia do agressor. Materialismo de caverna. Desafio à história e desafio à natureza. E isso não tem fim. Derruba-se uma utopia e no seu lugar surge outra.

Agora, de repente, todos começaram a falar de Deus. De Deus e do mercado ao mesmo tempo. Por que não o buscaram no gulag, nas células de 1937, nas reuniões do Partido de 1948, quando pilhavam os cosmopolitas, ou na época de Khruchóv, quando destruíam os templos? O subtexto da atual busca de Deus é falaz e enganoso. Bombardeiam as casas pacíficas da Tchetchênia, humilham uma nação pequena e orgulhosa. E acendem velas nas igrejas. Somos capazes apenas de usar a espada. A kaláshnikov em lugar da palavra. Os restos dos tanquistas russos queimados em Grózni são retirados com pá e forquilha. O que resta deles. E, ato

* Anna Akhmátova (1889-1966): renomada poeta russa.
** Ivan Mitchúrin (1855-1935): biólogo soviético, pioneiro na hibridação de plantas.

contínuo, vemos o presidente rezando com os seus generais. E o país contempla esse espetáculo pela televisão.

O que nos falta? Responder à seguinte pergunta: a nação russa será capaz de fazer uma revisão de toda a sua história de maneira tão global como a que os japoneses fizeram depois da Segunda Guerra? Ou os alemães? Teremos suficiente coragem intelectual? Calam-se sobre isso. Falam do mercado, dos cupons de privatização, de cheques... Uma vez mais nos dedicamos a sobreviver, toda a nossa energia é voltada para isso. A alma é deixada de lado... De novo o homem está só...

Então, para que tudo isso? Para que o seu livro? As minhas noites insones? Se a nossa vida não é mais que um número de circo? Nesse caso, podemos pensar em algumas respostas. Uma é o fatalismo primitivo. Mas pode haver grandes respostas. O russo sempre quer acreditar em alguma coisa: na estrada de ferro, na rã (como o niilista Bazárov*), na fé bizantina, no átomo... E agora, no mercado...

Um personagem de Bulgákov** em *Cabala dos santarrões* diz: "A vida toda eu pequei. Eu era atriz". É a consciência do caráter pecador da arte. Do imoral que há na sua natureza. De que ela perscruta a vida alheia. Mas a arte, como o soro do infectado, pode se converter em vacina para outra experiência.

Tchernóbil é um tema dostoievskiano. Um tentame de justificativa do homem. Mas quem sabe as coisas não sejam bem mais simples: entrar no mundo na ponta dos pés e deter-se no umbral!? Surpreender-se com esse mundo divino... E assim viver...

Aleksandr Reválski, historiador

* Protagonista do romance *Pais e filhos*, de Ivan Turguêniev.
** Mikhail Bulgákov (1891-1940): escritor russo, autor, entre outros, de *O mestre e a Margarida*.

MONÓLOGO SOBRE A PEQUENA VIDA SER TÃO INDEFESA NOS TEMPOS GRANDIOSOS

Não me pergunte. Não vou dizer. Não vou falar sobre isso. (*Cala-se, pensativa.*) Não, eu posso conversar com você para tentar entender, se for possível. Só não tenha pena, não preciso de consolo. Estou pedindo! Não preciso disso. Não tem sentido sofrer desse modo, e muito menos ficar remoendo. É impossível! Impossível! (*Eleva a voz até gritar.*)

Estamos de novo na reserva, de novo vivemos num campo de concentração. No campo de Tchernóbil. As pessoas gritam slogans nas manifestações ou escrevem nos jornais: Tchernóbil destruiu o império, nos curou do comunismo... Das proezas que mais pareciam com suicídio, das ideias horríveis... Eu entendo. Proeza é uma palavra inventada pelo governo para pessoas como eu. Mas eu não tenho mais nada, mais nada além dela; eu cresci no meio dessas palavras e dessas pessoas. Tudo desapareceu, aquela vida desapareceu. Vou me apoiar em quê? Vou me salvar como? Não tem sentido sofrer desse modo. (*Cala-se.*) De uma coisa eu sei, nunca mais serei feliz.

Depois que ele voltou de lá, viveu alguns anos como em delírio. Contava e recontava. Eu guardava na memória.

No meio da aldeia havia um charco vermelho. Os patos e gansos o evitavam.

Os soldados jovenzinhos andavam descalços, desnudos. Deitavam na relva. Tomavam sol. "Levantem, diabos, que vocês vão morrer!" E eles: Ha-ha-ha!

Muitos saíam das aldeias nos seus próprios carros. Carros contaminados. Ordenavam: "Descarreguem o veículo!". E o carro ia parar numa vala especial. Os rapazes ficavam lá, chorando. E à noite, vinham desenterrá-lo às escondidas.

"Nina, que bom que nós temos dois filhos…"

Os médicos me disseram que ele tinha o coração muito dilatado. Os rins também dilatados, assim como o fígado.

Uma noite, me perguntou: "Você não tem medo de mim?". Começou a ter medo de se aproximar.

Eu não perguntava nada a ele. Eu o entendia e escutava com o coração… Eu queria perguntar… Queria falar… acho que frequentemente. Mas em outras ocasiões isso foi tão insuportável para mim que eu não queria saber mais nada. Odeio recordar! Odeio! (*Novamente eleva a voz até gritar.*)

Houve um tempo… houve um tempo em que eu invejava os heróis. Aqueles que tinham participado dos grandes acontecimentos, que viveram épocas de ruptura, momentos de reviravolta da história. Falámos e cantávamos sobre eles. Havia canções muito bonitas. (*Canta.*) "Águias, águias…" Agora esqueci as palavras. "Voem alto com as suas asas." É assim? Que lindas! Que lindas eram as palavras das nossas canções. Eu sonhava! Lamentava não estar lá em 1917 ou em 1941. Hoje penso de outra forma: eu não quero viver a história, no tempo histórico. A minha pequena vida ficaria imediatamente sem defesa. Os grandes acontecimentos a esmagariam sem sequer notá-la. Sem se deter. (*Fica pensativa.*) Depois de nós, restará apenas a história. Restará Tchernóbil. E onde está a minha vida? O meu amor?

Ele contava e recontava. Eu guardava na memória.

Pombos, pardais, cegonhas. Uma cegonha corre, corre pelo campo, quer alçar voo, mas não consegue. Um pardal pula, pula, mas não sobe, não voa mais alto que a cerca.

As pessoas partiram, nas casas agora só vivem as suas fotografias.

Seguiam por uma aldeia abandonada e deram com uma cena que parecia saída de um conto: uma velha e um velho sentados na entrada de uma casa e ouriços correndo em volta deles. E eram tantos que mais pareciam uma ninhada de pintinhos. A aldeia estava silenciosa como o bosque, não havia uma alma, e os ouriços, que deixaram de temer as pessoas, passaram a entrar no povoado e pedir leite. E também as raposas, lhe contaram, correm por lá, e os alces. Um dos rapazes não se segurou mais e disse: "Eu sou caçador!". E os velhos: "Vá embora! Vá embora!", acenaram. "Não toque nos animais. São os nossos parentes. Agora somos uma família."

Ele sabia que ia morrer. Que estava morrendo. E prometeu a si mesmo que viveria apenas com amizade e amor. Eu trabalhava em dois lugares, a pensão dele não era suficiente, mas ele pedia: "Vamos vender o carro, não é novo, mas alguma coisa vão dar por ele. E você ficará mais em casa. Vou poder te ver mais".

Chamava pelos amigos. Os seus pais vieram e passaram um longo tempo conosco. Alguma coisa ele compreendeu. Passou a compreender alguma coisa sobre a vida que antes não compreendia. As suas palavras já eram diferentes. "Nina, que bom que nós temos dois filhos. Uma menina e um menino."

Um dia lhe perguntei:

"Você estava pensando em nós e nas crianças? No que estava pensando?"

"Eu vi um menino que nasceu dois meses depois da explosão. Deram a ele o nome Anton. Mas todos o chamam Atómtchik."

"Você estava pensando…"

"Lá tudo dava pena. Até as moscas e os pardais. Tomara que todos estejam vivos. Que as moscas estejam voando, as vespas picando, as baratas correndo."

"Você…"

"As crianças desenham Tchernóbil. São quadros de árvores que crescem com a raiz para cima, de rios com águas vermelhas ou amarelas. Elas desenham e elas mesmas choram."

O amigo dele… O amigo me contou que tudo ali era terrivelmente interessante, divertido. Liam versos, cantavam e tocavam violão. Os melhores engenheiros e cientistas foram para lá. A elite de Moscou e Leningrado. Filosofavam. A Pugatchova se apresentou para eles, no campo. "Se vocês não dormirem, rapazes, vou cantar pra vocês até de manhã." Ela os chamava de heróis. O amigo dele morreu primeiro. Dançou no casamento da filha, fez todo mundo rir com as suas piadas. Apanhou uma taça para fazer um brinde e caiu. Os nossos homens... Os nossos homens estão morrendo como na guerra, só que em tempos de paz.

Não quero! Não quero lembrar! (*Fecha os olhos e se balança em silêncio.*) Não quero falar. Ele morreu e tive tanto medo, como num bosque escuro.

"Nina, que bom que nós temos dois filhos. Uma menina e um menino. Eles ficarão."

(*Continua.*)

O que eu quero entender? Eu mesma não sei. (*Sorri sem se dar conta.*)

Um amigo dele me propôs casamento. Ainda quando éramos estudantes... Quando éramos estudantes, ele me cortejava; depois se casou com uma amiga minha, mas logo se separou. Alguma coisa não deu certo na relação. Vinha me ver com um ramo de flores: "Você vai viver como uma rainha". Tinha uma loja, um apartamento esplêndido na cidade e uma casa no campo. Eu recusei. Ele se ofendeu: "Já se passaram cinco anos e não há meios de você esquecer o seu herói? Ha-ha-ha! Você vive com um monumento". (*Põe-se a gritar.*) "Fora! Fora!" Eu o expulsei de casa. "Estúpida! Vá viver com o seu salário de professora, com os seus cem dólares." Vivi e ainda vivo. (*Acalma-se.*)

Tchernóbil encheu a minha vida, e a minha alma se alargou. Ela sente dor. A chave secreta. Você se põe a falar depois dessa dor e te saem palavras bonitas. Eu dizia essas coisas, com essas palavras, só quando amava. E agora... Se eu não acreditasse que ele está no céu, como poderia suportar?

Ele contava. Eu guardava na memória. (*Fala como esquecida de si mesma.*)

Nuvens de pó. Tratores no campo. Mulheres com forquilhas. Dosímetro que soa.

Não há gente, e o tempo se move de outro modo. O dia é longo, longo como na infância.

Era proibido queimar as folhas. Eles as enterravam.

Não tem sentido sofrer desse modo. (*Chora.*) Sem as bonitas palavras conhecidas. Sem a medalha que lhe deram. Está em casa, no armário. Ele nos deixou.

De uma coisa eu sei: nunca mais serei feliz.

Nina Prókhorovna Kovaliova, esposa de um liquidador

MONÓLOGO SOBRE A FÍSICA PELA QUAL TODOS NÓS EM ALGUM MOMENTO ESTIVEMOS APAIXONADOS

Eu sou a pessoa de que você necessita. Você não se enganou. Desde a juventude adquiri o hábito de anotar tudo. Por exemplo, quando morreu Stálin: o que acontecia nas ruas, o que diziam os jornais. E sobre Tchernóbil, eu anotei tudo desde o primeiro dia, sabia que o tempo iria passar e muitas coisas seriam esquecidas, desapareceriam para sempre, como de fato aconteceu. Os meus amigos que estavam no centro dos acontecimentos, físicos nucleares, se esqueceram do que sentiram na época, do que conversaram comigo. Eu, por outro lado, tenho tudo anotado.

Naquele dia... Eu, que conduzia o laboratório do Instituto de Energia Nuclear da Academia de Ciências da Belarús, chegava ao trabalho. O nosso instituto ficava fora da cidade, no bosque. O tempo estava maravilhoso! Era primavera. Abri a janela. O ar estava limpo e fresco. Estranhei apenas não ver os chapins-reais voando por ali; eu os havia alimentado no inverno, pendurando pedacinhos de salsicha do lado de fora da janela. Teriam encontrado coisa melhor para comer?

Mas nesse momento houve pânico no reator do nosso instituto. Os aparelhos de dosimetria acusavam crescimento de atividade. A radiação nos filtros de depuração do ar aumentou em duzentas vezes. A potência da dose junto à entrada era de cerca de três milirroentgen a hora. Estava acontecendo algo muito sério. Esse grau de radiação se considera o máximo permitido em locais perigosos durante um tempo de trabalho não superior a seis horas. A primeira hipótese: na zona ativa a cobertura dos elementos refrigeradores teria se despressurizado. Mas comprovaram que estava tudo em ordem. Então, quem sabe, ao conduzirem o contêiner do laboratório de radioquímica, o arrastaram de tal forma pelo caminho que danificaram a sua cobertura interna e contaminaram o território? Prove-se agora ao limpar a mancha deixada no asfalto! O que teria acontecido? E como se fosse pouco, ainda anunciam pelo rádio interno: "Recomenda-se aos colegas não deixar o prédio". Entre os prédios, tudo ficou deserto. Nem uma alma. Dava arrepios. Era inusitado.

Os dosimetristas verificaram o meu gabinete: a mesa "ardia", a roupa "ardia", a parede... Fiquei de pé. Não tinha vontade nem de me sentar na cadeira. Molhei a cabeça na pia. Olhei o dosímetro: o efeito está evidente. Será possível que, apesar de tudo, venha daqui? Um acidente no nosso instituto! Um escapamento? Como desativar agora os ônibus que nos levam à cidade? E os colegas? Quebrávamos a cabeça. Eu tinha muito orgulho do nosso reator, eu o estudei milímetro por milímetro.

Ligamos para a central atômica de Ignalinski, ao lado. Os seus aparelhos também marcavam a atividade. Também havia pânico. Ligamos para Tchernóbil. Não respondiam a nenhum telefone na central. Até o meio-dia a coisa ficou clara. Uma nuvem radiativa se instalou sobre Minsk. Estabelecemos que a atividade era iódica. Ou seja, teria havido uma avaria em algum reator.

A primeira reação que tive foi ligar para a minha mulher e avisá-la. Mas todos os nossos telefones estavam ocupados. Oh, esse eterno medo! Esse medo que te incutiram durante décadas! E as pessoas ainda não sabiam de nada. A minha filha, depois das aulas do conservatório, costumava passear com as amigas pela cidade. Iam tomar sorvete. Ligar? Certamente terei problemas. Não me permitirão trabalhar em projetos secretos. De todo modo, não aguentei e peguei o telefone:

"Me escute com atenção."

"O que houve?"

"Fale baixo. Feche as janelas, enfie todos os alimentos em sacos plásticos. Ponha luvas de borracha e passe um pano úmido em tudo que puder. Depois ponha o pano num saco plástico e jogue fora bem longe. A roupa estendida na área, ponha tudo de novo para lavar. Não compre pão. E de forma alguma compre pastéis na rua."

"O que aconteceu?"

"Fale baixo. Dissolva duas gotas de iodo num copo de água. Molhe a cabeça."

"O que…" Não deixei a minha mulher completar, desliguei o telefone. Ela certamente entenderia, trabalha também no nosso instituto. Se algum funcionário da KGB escutou, certamente registrou no papel que fiz recomendações de salvamento para a minha família.

Às três e meia da tarde, esclareceram: tinha ocorrido uma avaria no reator de Tchernóbil.

À noite, voltamos para Minsk no ônibus de serviço. Durante a meia hora de viagem, permanecemos calados ou falamos de outros assuntos. Temíamos comentar em voz alta com os colegas o ocorrido. Todos levávamos a carteira do Partido no bolso.

Diante da porta de casa, havia um trapo molhado, ou seja, a minha mulher havia entendido tudo. Entrei na antessala, tirei o terno, a camisa, fiquei apenas de cueca. E senti, de repente, uma raiva enorme. Ao diabo com os segredos! Com esse medo! Apanhei a lista telefônica da cidade. E os caderninhos de telefone da minha mulher e da minha filha. Comecei a ligar para todas as pessoas na ordem das listas.

Me apresentava como funcionário do Instituto de Energia Nuclear, advertia a respeito da nuvem radiativa que pairava sobre Minsk e recomendava as medidas necessárias: lavar a cabeça com sabão de cozinha, fechar as janelas, a cada três ou quatro horas passar um pano molhado no chão, lavar de novo as roupas estendidas no varal, tomar iodo e como tomá-lo corretamente. A reação das pessoas era de gratidão. Nem perguntas nem expressões de medo. Tenho a impressão de que ou não acreditavam em mim ou não estavam em condições de dar conta da seriedade do fato. Ninguém se assustou. A reação foi surpreendente. Impressionante!

À noite, um amigo me ligou. Era doutor em física nuclear. Com que despreocupação! Como éramos crédulos! Só agora entendo isso. Ele me ligou e, entre outras coisas, disse que tencionava passar as festividades de maio na casa dos pais da mulher, na região de Gómel. Uma região que está a um passo de Tchernóbil! E levaria os filhos pequenos. "Decisão magnífica!", eu respondi aos gritos. "Você ficou louco?" Isso é o nosso profissionalismo. Isso é a nossa fé. Como gritei! Ele, certamente, nem se lembra de que salvei os seus filhos. (*Toma fôlego.*)

Nós... Eu falo de todos nós... Nós não esquecemos Tchernóbil, e não o compreendemos. O que os selvagens podiam entender dos relâmpagos?

No livro de ensaios de Adamóvitch há uma conversa dele com Andrei Sákharov sobre a bomba atômica: "Você sabia que a explosão nuclear deixa um bom aroma de ozônio?", comentava o acadêmico, o "pai" da bomba de hidrogênio. Palavras cheias de romantismo, para mim. Para a minha geração.

Desculpe, pela sua expressão, vejo a reação. A você isso parece um gesto de admiração diante de um pesadelo universal. E não diante do gênio humano. Mas isso é agora que a física nuclear está coberta de vergonha e opróbio. Na minha geração... Em 1945, quando fizeram explodir a bomba atômica, eu tinha dezessete anos. Eu amava a ficção científica, sonhava em voar para outros planetas, acreditava que a energia nuclear nos levaria ao cosmos. Ingressei no Instituto de Energia de Moscou e lá soube que existia uma faculdade ultrassecreta, a de física energética. Eram os anos 1950, 1960. Os físicos nucleares eram a elite. Todos entusiasmados com o futuro. Os humanitários eram rechaçados.

Na moeda de três copeques, dizia o nosso professor da escola, havia tanta energia que com ela podia funcionar uma central elétrica. Aquilo aguçava o nosso espírito. Eu devorei o livro do norte-americano Smith, que contava como se inventou a bomba atômica, como se realizaram os experimentos, os detalhes da explosão. No nosso país, tudo estava sob segredo.

Eu lia e imaginava. Entrou em cartaz um filme sobre os cientistas atômicos soviéticos, *Nove dias de um ano*,* e se tornou muito popular. Os altos salários, os segredos, tudo isso acrescentava romantismo à coisa. O culto da física! A era da física! Mesmo depois que Tchernóbil foi pelos ares, quão lentamente nos desprendemos desse culto. Chamaram os cientistas. Eles chegaram num voo especial ao reator, mas muitos nem levaram aparelho de barbear, pensavam que ficariam ali por algumas horas. Apenas algumas horas. Apesar de terem sido comunicados de que se tratava de uma explosão na central atômica. Mas eles acreditavam na sua física, todos eram daquela crédula geração.

---

* Filme de 1962, dirigido por Mikhail Room. Vencedor do Globo de Ouro daquele ano.

A era da física acabou em Tchernóbil.

Vocês já veem o mundo de outra forma. Li há pouco uma reflexão do meu filósofo preferido, Konstantin Leóntiev,* onde ele diz que as consequências da perversão físico-química algum dia exigirão que uma inteligência cósmica intervenha nos nossos assuntos terrestres. Por outro lado, nós, que tínhamos sido educados na época de Stálin, não podíamos tolerar a ideia da existência de poderes sobrenaturais. De mundos paralelos. Li a Bíblia mais tarde.

E me casei com a mesma mulher duas vezes, eu a deixei e voltei para ela. Nos reencontramos. Quem me explica esse milagre? A vida é surpreendente! Um mistério! Hoje eu acredito... No que acredito? Que o mundo tridimensional ficou muito estreito para o homem. Por que hoje há tanto interesse por outra realidade? Por novos conhecimentos... O homem se desprende da terra. Opera com outras categorias de tempo, se remete não só à Terra, mas a outros mundos. O apocalipse... O inverno nuclear... Na arte ocidental, tudo isso já foi representado, escrito, pintado, filmado. Vêm se preparando para o futuro. A explosão de grandes quantidades de armas nucleares dará lugar a incêndios colossais. A atmosfera ficará saturada de fumaça. Os raios solares não poderão alcançar a Terra e se produzirá uma reação em cadeia: frio, mais frio e mais frio.

Essa versão mundana sobre o "fim do mundo" vem sendo introduzida desde a época da Revolução Industrial, no século XVIII. Mas as bombas atômicas não desaparecerão, nem que se destrua a última ogiva nuclear. Os conhecimentos permanecerão.

Você se cala. Mas eu discuto o tempo todo com você. A nossa discussão é entre gerações. Você percebe isso? A história do átomo não é apenas um segredo militar, um enigma ou uma mal-

---

* Pensador e filósofo russo do século XIX.

dição. É a nossa juventude, o nosso tempo. A nossa religião. E agora? Agora me parece que são outros que governam o mundo, que nós, com as nossas armas e os nossos foguetes espaciais, somos como crianças. Mas ainda não estou convencido de todo. Não estou seguro disso.

Que coisa mais surpreendente a vida! Eu amava a física e pensava: nunca me dedicarei a outra coisa além da física. E agora quero escrever. Por exemplo, que o homem não convém à ciência, o homem de carne e osso, ele a atrapalha. O pequeno homem com os seus pequenos problemas. Escrever sobre como alguns físicos podem mudar o mundo todo. Sobre a nova ditadura. A ditadura da física e da matemática. Existe outra vida possível para mim.

Antes da operação, eu já sabia que tinha câncer. Eu pensava que a minha vida era uma questão de dias, que estava com os dias contados, e me era terrível a ideia de morrer. E logo passei a me fixar em cada folha, nas cores luminosas das flores, na claridade do céu, no cinza brilhante do asfalto e nas rachaduras por onde corriam formigas. Não, eu pensei, não devo pisar nelas. Coitadas. Por que têm de morrer? O aroma do bosque fazia a minha cabeça rodar. O aroma me vinha mais forte que as cores. As bétulas vaporosas. Os abetos pesados. E tudo isso, não verei mais? Queria viver mais um segundo, mais um minuto. Para que perdi tanto tempo, horas inteiras, dias, diante da televisão, entre montanhas de jornais? O principal é a vida e a morte. Não existe nada mais. Nada mais que eu possa pôr na balança.

Compreendi que só tem sentido o tempo vivido. O nosso tempo vivido.

Valentin Aleksiéevitch Borissiévitch, ex-diretor do Laboratório do Instituto de Energia Nuclear da Academia de Ciências da Belarús

MONÓLOGO SOBRE O QUE ESTÁ MUITO ALÉM DE KOLIMÁ, DE AUSCHWITZ E DO HOLOCAUSTO

Eu preciso desabafar com alguém. Os sentimentos transbordam de mim. Nos primeiros dias, as sensações se misturavam. Lembro-me de duas sensações muito fortes, a do medo e a do ressentimento. Tudo aquilo havia acontecido e não nos davam nenhuma informação: as autoridades se calavam, os médicos não diziam nada. Nenhuma resposta. No distrito, esperavam ordens da região; na região, esperavam ordens de Minsk; em Minsk, de Moscou. Uma interminável cadeia. Na realidade, estávamos indefesos. Essa era a principal sensação que tínhamos naqueles dias. Que em algum lugar bem longe estava Gorbatchóv. E mais algumas pessoas. Dois ou três homens decidiam o nosso destino. Decidiam o destino de todos. O destino de milhões de pessoas. Da mesma forma que outro punhado de homens podia nos matar. Não maníacos ou criminosos com planos terroristas na cabeça, mas os corriqueiros operadores de plantão da central atômica. Bons rapazes, por sinal.

Quando compreendi isso, senti um tremor avassalador. Era como se algo tivesse se revelado para mim. Compreendi que Tchernóbil fica muito além de Kolimá e de Auschwitz. Do Holocausto. Estou me expressando com clareza? O homem armado de machado e arco ou com lança-granadas e câmara de gás não pode matar todo mundo. Mas o homem com o átomo... Nesse caso, toda a Terra está em perigo.

Não sou filósofa, e não vou começar a filosofar. É melhor contar o que recordo.

Eu me lembro do pânico dos primeiros dias: uns irrompiam na farmácia e compravam estoques de iodo; outros deixavam de ir à feira comprar leite e carne, sobretudo a de vaca. Na nossa família, naqueles dias fazíamos o possível para não economizar, comprávamos os frios mais caros, confiando que fossem feitos de carne boa. Mas logo nos inteiramos de que justamente nos mais caros misturavam carne radiativa, parece que com o argumento de que muito menos gente os comprava e consumia. Estávamos desprotegidos. Mas isso tudo você já conhece. Quero falar de outra coisa. Do fato de que nós fomos uma geração soviética.

Os meus amigos são médicos e professores. Os intelectuais daqui. Tínhamos o nosso grupo. Um dia, nos reunimos na minha casa para um café. Vieram duas amigas íntimas, uma delas médica. As duas tinham filhos pequenos.

A primeira comentou:

"Amanhã vou à casa dos meus pais. Vou levar as crianças para lá. Se de repente adoecem, nunca mais vou me perdoar."

A segunda:

"Os jornais dizem que dentro de alguns dias a situação voltará ao normal. Enviaram tropas. Helicópteros, blindados. Disseram pelo rádio."

A primeira:

"Pois eu te aconselho: pegue as crianças e tire-as daqui! Esconda-as! O que aconteceu é pior que uma guerra. Nem dá para imaginar o que é."

Repentinamente as duas subiram o tom e a coisa acabou numa briga. Em acusações mútuas.

"Onde está o seu instinto maternal? Você é uma fanática!"

"E você é uma traidora! O que seria de nós se todos se comportassem como você? Venceríamos a guerra?"

Duas mulheres jovens e bonitas discutiam, ambas adoravam os seus filhos. Algo parecia se repetir. Uma partitura conhecida.

E todos nós que estávamos ali, inclusive eu, tínhamos a sensação de que a minha amiga nos deixava alarmados. De que nos privava de equilíbrio, de confiança em tudo aquilo que estávamos acostumados a confiar. Devíamos esperar até que dissessem algo. Anunciassem. Mas ela era médica, sabia mais: "Não são capazes de proteger os seus próprios filhos! Ninguém os ameaça? E, no entanto, têm medo!".

Como nós a desprezamos naquele momento. Como a odiamos. Ela estragou a nossa reunião. Estou me expressando com clareza? Não foi apenas o poder que nos enganou, nós mesmos não queríamos saber a verdade. E ela estava lá. No fundo do nosso subconsciente. Claro que agora não queremos confessar, é mais agradável repreender Gorbatchóv. Acusar os comunistas. Eles são os culpados, e nós, os bonzinhos. As vítimas.

No dia seguinte a minha amiga partiu, e nós enfeitamos os nossos filhos e os levamos ao desfile de Primeiro de Maio. Podíamos ir e podíamos não ir. A escolha era nossa. Ninguém nos obrigava nem exigia nada. Mas considerávamos o nosso dever. Como não ir! Num momento como aquele, um dia especial. Todos tinham de estar juntos. Saímos à rua com a multidão.

Na tribuna se encontravam todos os secretários distritais do Partido. Ao lado do primeiro secretário, a sua filha pequena; foi posta num lugar bem visível. Ela vestia uma capa com capuz, embora o sol brilhasse; ele, uma capa militar de campanha. Mas estavam ali. Disso eu me lembro. "Contaminada" não estava só a nossa terra, mas também a nossa consciência. E por muitos anos.

Eu mudei nesses anos mais que em toda a minha vida, em quarenta anos. Estamos fechados na zona. Não habitamos mais. Vivemos num gulag. O gulag de Tchernóbil. Eu trabalho na biblioteca infantil. As crianças esperavam que disséssemos algo a elas. Tchernóbil está por toda parte, em tudo o que nos rodeia, não temos escolha, temos que aprender a viver com ele. As crianças das séries mais altas, sobretudo, fazem perguntas: digam-nos como. Onde podemos pesquisar sobre isso? O que ler? Não há livros nem filmes. Nem mesmo contos ou mitos. Eu ensinava com amor, e queria vencer o medo com amor. Diante das crianças, eu dizia: "Amo as nossas aldeias, amo os nossos rios, os nossos bosques, que são os mais... os mais... São únicos! Não há nada melhor para mim". Eu não os enganava. Ensinava com amor. Estou me expressando com clareza?

Me incomoda a minha experiência como professora. Sempre falo e escrevo de forma bombástica, com uma emoção hoje fora de moda. Mas vou responder à sua pergunta: por que nos vemos impotentes? Eu me sinto impotente. Há cultura antes de Tchernóbil, e nenhuma cultura depois de Tchernóbil. Vivemos imersos nas ideias da guerra, da falência do socialismo e de um futuro indefinido. Nos faltam novas ideias, novos objetivos e pensamentos. Onde estão os nossos escritores, os nossos filósofos? Eu já não falo dos nossos intelectuais, que mais que todos ansiaram pela liberdade e prepararam o caminho para que se chegasse a ela, e que hoje foram deixados de lado. Pessoas empobrecidas e humilhadas. Acontece que não somos necessários. Não fazemos falta. Eu não posso comprar nem os livros de que preciso, mas os livros são a minha vida. Eu preciso. Nós precisamos mais que nunca de outros livros, porque a vida à nossa volta é outra. E nós somos estranhos nela. Não é possível se resignar a isso. Não me abandona a pergunta: por quê? Quem vai fazer o nosso trabalho? A televisão não vai educar as crianças, quem as educa são os professores. Mas esse é outro tema.

Eu recordei... para recobrar a verdade daqueles dias e dos nossos sentimentos. Para não esquecer como mudamos. E a nossa vida.

Liudmila Dmítrievna Poliánskaia, professora rural

MONÓLOGO SOBRE A LIBERDADE E O SONHO DE UMA MORTE COMUM

Aquilo era liberdade. Lá eu me sentia um homem livre. Você está surpresa? Estou vendo. Você está surpresa. Isso só quem esteve na guerra pode entender. Os homens que estiveram na guerra se põem a beber e recordar. Eu os escutei, e até hoje sentem melancolia. Por aquela liberdade, aquela sensação de voo. "Nenhum passo atrás!", era a ordem de Stálin. Os batalhões de contenção.* Isso é sabido. Já é história. Você sai disparando, sobrevive, recebe os merecidos cem gramas de vodca e tabaco. Mil vezes pode morrer, voar em pedaços, mas caso você se empenhe e engane o diabo, o demônio, o seu chefe, o combate, aquele que usa o outro capacete e a outra baioneta, conjure o próprio Altíssimo... Você poderá viver!

Eu estive no reator. Estar lá é como estar numa trincheira de primeira linha. O medo e a liberdade! Você vive a toda. A vida comum é impensável. Ininteligível. Lembre-se de que sempre nos preparavam para uma possível guerra. Eu não estava preparado.

Naquele dia, eu planejava ir ao cinema à noite com a minha mulher. Vieram à fábrica dois militares. Me perguntaram: "Você sabe distinguir o combustível da gasolina?". Perguntei: "Para onde vão me mandar?". "Como para onde? Para Tchernóbil, como voluntário."

A minha profissão militar era a de especialista em combustível para foguetes. Uma especialidade secreta. Fui levado diretamente da fábrica para lá, de camiseta, não me deixaram sequer passar em casa. Pedi: "Preciso avisar minha mulher". "Nós comunicaremos a ela."

---

* Batalhões posicionados atrás das unidades de choque, e que eram responsáveis por manter a disciplina e evitar a fuga dos soldados do campo de batalha.

No ônibus éramos umas quinze pessoas, oficiais da reserva. Gostei dos rapazes. É preciso ir, é preciso trabalhar. Nos mandaram ao reator, trepamos no teto do reator.

Ao redor das aldeias evacuadas, instalaram torres com soldados armados sobre elas. As armas carregadas. Barreiras. Tabuletas: "Acostamento contaminado. Proibido entrar e parar". Árvores de um branco-acinzentado, orvalhadas por um líquido de desativação. Um líquido branco. Como a neve. E o cérebro se turva sem você se dar conta!

Nos primeiros dias, tínhamos medo de nos sentar na terra, na relva; em vez de caminhar, corríamos; quando passava um carro, púnhamos os respiradores. Depois do turno de trabalho, entrávamos na barraca. Ha-ha-ha! Depois de dois meses, tudo aquilo já parecia normal, já era a sua vida. Abocanhávamos as cerejas, pescávamos... havia uns lúcios que nem te conto! E sardinhas, que secávamos para acompanhar a cerveja. Já te contaram isso? Jogávamos futebol. Nadávamos! Ha-ha-ha! (*Ri novamente.*)

Acreditávamos no destino, no fundo da alma somos todos fatalistas e não farmacêuticos. Não somos racionalistas. É a mentalidade eslava. Eu acreditava na minha estrela! Ha-ha-ha! E hoje sou um inválido de segundo grau. Adoeci rapidamente. Os malditos "raios". Isso é sabido. Até então, nem ficha médica na policlínica eu tinha. Ao diabo! Eu não sou o único. Era a mentalidade.

Eu, um soldado, tranquei uma casa alheia, entrei em outra casa alheia. Você se sente como se estivesse espiando alguém. A terra que não se pode semear. A vaca que cabeceia a cerca trancada, cuja chave está na casa. O leite que goteja pelo chão. Você se sente...

Nas aldeias que ainda não tinham sido evacuadas, os camponeses se dedicavam a fabricar *samogón*. Era a sua maneira de ganhar a vida. E vendiam para nós, que tínhamos os bolsos cheios: nos pagavam o triplo do soldo mais o triplo de subsídio diário.

Depois veio a ordem: os que vierem a beber, ficarão de serviço no segundo turno. Afinal de contas, a vodca ajudava ou não? Ainda que psicologicamente. Ali, acreditávamos piamente nessa receita. Isso é sabido.

A vida dos camponeses transcorria como de costume: plantavam, cultivavam, colhiam, e todo o resto seguia o seu curso. Os camponeses não estavam nem aí para os assuntos da corte, do poder. Para os negócios do primeiro secretário ou do presidente. Para naves espaciais e estações atômicas, para reuniões na capital. E não acreditavam que o mundo pudesse se transformar em apenas um dia; no entanto, eles já viviam num outro mundo, no mundo de Tchernóbil. Eles nunca haviam saído das suas terras.

Eles adoeciam pelo impacto da comoção. Não se resignavam, queriam continuar vivendo como sempre viveram. Levavam lenha às escondidas. Arrancavam os tomates verdes e envasavam. Os vidros explodiam e novamente eram postos para ferver. Como se pode destruir tudo isso, enterrar, converter em lixo? E nos dedicávamos pessoalmente a isso. A anular o trabalho deles, o secular sentido das suas vidas. Eles nos consideravam seus inimigos.

Eu, por outro lado, tinha uma vontade enorme de ir ao reator. "Não tenha pressa", me preveniam, "você verá que no último mês antes da desmobilização vão nos mandar todos para lá." Servimos por seis meses. E exatamente depois do quinto mês, nos deslocaram para o reator.

As piadas eram muitas, embora também se falasse seriamente que de um momento para o outro nos mandariam percorrer o teto. E que depois daquilo, sabe-se lá se aguentaríamos cinco anos, ou sete, ou dez. Isso é sabido. A cifra mais repetida era o cinco, não sei por quê. De onde tiraram isso? Mas sem barulho, sem pânico.

"Voluntários, um passo à frente!" E toda a unidade dava um passo à frente. Diante do comandante havia um monitor, ele ligava o aparelho, e na tela aparecia o teto do reator, com pedaços de granito e betume fundido. "Olhem ali rapazes, estão vendo? Retirem aqueles pedregulhos. Limpem tudo. E aqui, nesse quadrado, perfurem uma abertura".

O tempo era de quarenta, cinquenta segundos. Isso de acordo com as instruções. Mas era impossível! Eram necessários ao menos alguns minutos. Ida e volta. Carregava e descarregava. Uns seguravam as macas, outros lançavam a carga pela abertura perfurada. Atiravam o pedregulho, mas era proibido olhar para baixo. Apesar disso, olhavam.

Nos jornais diziam: "O ar sobre o reator é limpo". Nós líamos e gargalhávamos. E os xingávamos. O ar estava limpo, mas não faltavam doses para nós. Nos deram dosímetros. Um, que acusava cinco roentgen, num minuto saía de escala; outro, manual, marcava cem roentgen; em outros lugares os dosímetros também saíam de escala. Cinco anos de vida, nos disseram, e que não poderíamos ter filhos. Se em cinco anos morreríamos... Ha-ha-ha! (*Ri.*) Faziam todo tipo de piada. Mas sem barulho, sem pânico. Cinco anos. Eu já vivi dez. Ha-ha-ha! (*Ri.*)

Vieram nos entregar diplomas. Eu tenho dois. E todas aquelas gravuras: Marx, Engels, Lênin. E bandeiras vermelhas.

Um rapaz desapareceu, pensamos que tivesse escapado. Ao cabo de dois dias o encontraram nos arbustos, tinha se enforcado. Você não sabe como nos sentimos. Então, o responsável político veio nos dizer que isso, que aquilo, que o rapaz tinha recebido uma carta de casa, que a mulher o estava traindo. Quem acredita? Daí a uma semana, seríamos desmobilizados. E o encontraram nos arbustos.

Tínhamos um cozinheiro. O medo dele era tanto que não morava nas barracas, mas no armazém, onde escavou um abrigo debaixo das caixas de manteiga e conservas de carne. Levou para lá um colchonete e uma almofada. Dormia debaixo da terra. Um dia, resolveram formar uma nova equipe para enviar ao teto, buscavam mais gente. Mas nós todos já tínhamos estado lá. Então, o pescaram. Subiu só uma vez. E ganhou o segundo grau de invalidez. Ele me liga com frequência, não perdemos contato, ajudamos um ao outro. A nossa lembrança viverá enquanto estivermos vivos. Escreva isso.

Os jornais mentem, mentem sem parar. Não li em nenhum lugar que nós costurávamos as nossas malhas. As camisas de chumbo. As cuecas. Nos davam umas batas de borracha impregnadas de chumbo. Mas os calções, nós mesmos os fazíamos com chumbo. Nós é que cuidávamos. Isso é sabido. Numa aldeia, nos indicaram duas casas de encontro clandestinas. Você compreende, um bando de homens longe de casa há seis meses, sem mulheres, é uma situação extrema. Todos foram lá. As moças do lugar nos divertiam e choravam porque íamos morrer em breve. Vestíamos esses calções de chumbo sobre as calças. Escreva isso.

E as anedotas rolavam soltas. Aí vai uma: mandam o robô americano ao teto, ele trabalha cinco minutos e para. Segue o robô japonês, trabalha nove minutos e também para. Já o robô russo está trabalhando há duas horas. Nisso, se ouve pelo rádio: "Soldado Ivanóv, pode descer para descanso!". Ha-ha-ha! (*Ri.*)

Antes de nos dirigirmos ao reator, o comandante passou as instruções. Estávamos em formação. E alguns rapazes se rebelaram: "Já estivemos lá, devem nos mandar para casa". O meu campo de trabalho, por exemplo, é o combustível, a gasolina; no entanto, também me mandaram ao teto. E apesar de tudo, eu não disse nada. Eu mesmo queria ir. Achava interessante. Mas esses se rebelaram. Então, o comandante disse: "Só irão ao teto os voluntários; os restantes saiam da formação, terão uma conversa com o promotor". Então, os rapazes pensaram, falaram entre si e decidiram acatar a ordem. Não prestaram juramento? Não beijaram a bandeira? Não se ajoelharam? Pois agora devem rezar. Me parece que nenhum de nós duvidou de que poderiam nos segurar por um bom tempo. Espalharam o boato de que nos manteriam lá por dois ou três anos. Mas se algum soldado recebia mais de 25 roentgen, então o comandante da unidade poderia ser detido por irradiar seu pessoal. De maneira que ninguém tinha mais que 25 roentgen. Todos recebiam menos, compreende?

Mas eu gostava das pessoas. Dois ficaram doentes e encontraram um substituto. Ele mesmo se ofereceu: "Eu vou". E ele já tinha subido ao teto naquele dia. Ganhou o respeito de todos. E um prêmio de quinhentos rublos. Outro subiu ao teto para perfurar um buraco; já deveria descer, mas o sujeito continuava. Nós lhe fazíamos sinais: "Desça!". Mas o homem continuava perfurando, de joelhos. Era preciso furar o teto nesse local para introduzir uma canaleta e assim fazer descer os resíduos. Não se levantou enquanto não terminou. De prêmio, mil rublos. Com esse dinheiro, na época, era possível comprar duas motos. Agora tem invalidez de primeiro grau. É sabido. Mas pelos atos extremados pagavam na hora.

E ele está morrendo. Está morrendo nesse momento. Sofre terrivelmente. Eu o visitava nos feriados: "Adivinhe qual é o meu maior sonho". "Qual?" "Uma morte comum." Ele tem quarenta anos. Adora mulheres. Tem uma esposa linda.

Fomos desmobilizados. Subimos nos carros. Enquanto percorríamos a zona, íamos buzinando. Eu olho para aqueles dias. Estive perto de algo, de algo fantástico. E essas palavras "monumental", "fantástico" não dão conta do que foi. É um sentimento… Qual? (*Fica pensativo.*) Um sentimento que eu não experimentei nem no amor.

Aleksandr Kudriáguin, liquidador

MONÓLOGO SOBRE A ABERRAÇÃO QUE, APESAR DE TUDO, VÃO AMAR

Não tenha vergonha. Pode perguntar. Já escreveram tanto sobre nós, já estamos acostumados. Uma vez mandaram um jornal autografado. Mas eu não leio o que escrevem. Quem nos entende? Por isso temos que viver aqui. A minha filha me disse há pouco tempo: "Mamãe, se eu der à luz uma aberração, apesar de tudo, vou amá-la". Pode imaginar? Ela estuda no décimo ano e já tem essas ideias. E também as amigas. Elas pensam o tempo todo nisso. Uns conhecidos nossos tiveram um menino. Primeiro filho. O casal é jovem, bonito. Pois a boca do menino vai até as orelhas, sendo que não tem orelhas. Eu não vou mais visitá-los como antes. Não consigo. Mas a minha filha sempre vai; parece até que a casa deles a atrai. Não sei se imagina ou prepara o seu futuro. Mas eu não consigo.

Podíamos ter ido embora daqui, mas considerei com o meu marido e decidimos ficar. Temos medo das outras pessoas. Aqui ao menos são todos de Tchernóbil. Não assustamos um ao outro; se alguém oferece maçãs ou pepinos do seu jardim, da sua horta, nós pegamos e comemos. Não escondemos os alimentos com vergonha no bolso para depois jogá-los fora. Todos nós temos a mesma lembrança, a mesma sorte. Em qualquer outro lugar, em qualquer parte nós somos estranhos. Apestados. Olham para a gente de rabo de olho. Com receio. As pessoas nos chamam "gente de Tchernóbil", "crianças de Tchernóbil", "evacuados de Tchernóbil". Já estamos acostumados.

Tchernóbil agora faz parte da nossa vida. Mas vocês não sabem nada de nós. Nós metemos medo em vocês. Vocês fogem. É provável que se não tivessem deixado a gente sair daqui, se tivessem posto um controle policial, muitos de vocês ficariam até mais tranquilos. (*Cala-se.*) E não adianta querer provar o contrário.

Não vai me convencer! Isso eu sei e vivi nos primeiros dias. Peguei a minha filha e corri para Minsk, para a casa da minha irmã. E a minha irmã, uma pessoa do meu sangue, não nos deixou entrar na sua casa porque tinha uma criança de peito. Um pesadelo desses eu nunca podia imaginar. Nem inventar.

Nós dormimos na estação de trem. Uns pensamentos malucos vieram à minha cabeça. Para onde fugir? Talvez seja melhor acabar logo com tudo para não ter que sofrer. Isso foi nos primeiros dias. Todos se imaginavam com não sei que terríveis moléstias. Doenças impensáveis. Eu sou médica. Era possível adivinhar o que estava passando pela cabeça das pessoas.

Os boatos são sempre piores que qualquer informação verdadeira. Qualquer! Eu vejo os nossos filhos: onde quer que estejam, são rejeitados. Espantalhos vivos. Alvos de zombaria. No acampamento dos pioneiros, onde uma vez a minha filha esteve, tinham medo de tocá-la: "Vaga-lume de Tchernóbil; ela acende no escuro". À noite, chamavam-na do pátio para comprovar se ela acendia ou não, se não teria uma auréola sobre a cabeça.

Falam da guerra. Da geração da guerra. Comparam... A geração da guerra? Mas ela é feliz! Tiveram a Vitória. Eles venceram! Isso lhes deu uma grande energia vital, ou, como se diz agora, uma poderosa carga de vivência. Eles não temiam nada. Queriam viver, estudar, ter filhos. E nós? Nós temos medo de tudo. Tememos pelos nossos filhos, pelos netos que ainda não temos. Ainda não existem e já tememos por eles. As pessoas sorriem menos, não cantam mais como antes cantavam nas festas. Não apenas a paisagem mudou, pois onde antes se estendiam campos, cresceram novamente bosques e arbustos, mas também o caráter nacional mudou. Todos estão depressivos. O sentimento é o de estarem irremediavelmente condenados. Para uns, Tchernóbil é uma metáfora, um símbolo. Para nós, é a nossa vida. Simplesmente a vida.

Às vezes penso que seria melhor que vocês não escrevessem sobre nós. Que não nos observassem de fora. Que não fizessem diagnósticos: radiofobia, ou seja lá o que for; que não nos destacassem dos demais. Assim, teriam menos medo de nós. Na casa de um doente de câncer não se fala da sua terrível doença. Tampouco na cela de um condenado a prisão perpétua se contam os anos que lhe restam cumprir. (*Cala-se.*)

Não sei se você precisa ou não de tudo o que falei. (*Interroga.*) Vou pôr a mesa. Vamos almoçar? Ou você tem medo? Responda sinceramente, nós não nos ofendemos mais. Já vimos de tudo. Esteve aqui um correspondente, e eu percebi que ele estava com sede. Trouxe-lhe uma caneca com água, e ele tirou da bolsa a sua água mineral. Ficou envergonhado e se justificou. A conversa conosco, claro, não funcionou, eu não podia ser sincera com aquele homem. Eu não sou um robô, um computador. Nem de ferro! Ele tomou a água mineral, temendo encostar a boca na caneca, mas eu, eu deveria espalhar a minha alma sobre a mesa. Deveria dar a ele a minha alma.

(*Já sentadas à mesa. Almoçamos. Falamos de diversas coisas. E então…*)

Ontem, passei a noite chorando. O meu marido me disse: "Você era tão bonita". Eu sei a que se refere. Eu me olho no espelho toda manhã. Aqui, as pessoas envelhecem rápido, eu tenho quarenta anos, mas você me dá sessenta. Por isso as meninas têm pressa em se casar. Lástima de juventude, é tão curta.

(*Explode.*) Mas o que vocês sabem de Tchernóbil? O que podem escrever? Desculpe. (*Cala-se.*)

Como anotar a minha alma? Se tantas vezes nem eu mesma sei o que ela diz.

Nadiéjda Afanássievna Burakova,
habitante do povoado urbano Jóiniki

MONÓLOGO SOBRE O FATO DE QUE SE DEVE SOMAR
ALGO À VIDA COTIDIANA PARA COMPREENDÊ-LA

Você quer fatos, detalhes daqueles dias? Ou a minha história?
Eu me tornei fotógrafo lá. Antes disso, eu nunca tinha trabalhado com fotografia, e lá, de repente, comecei a fotografar, por acaso tinha comigo uma câmera. Fotografava para mim. Hoje é a minha profissão. Eu não podia me libertar das novas sensações que experimentava, não se tratava de uma vivência breve, mas de toda uma vivência da alma. Eu mudei. O mundo assomou aos meus olhos de outro modo. O sentido da vida. Compreende?

(*Fala e espalha as fotografias sobre a mesa, as cadeiras, o peitoril da janela: um girassol gigante, do tamanho da roda de um carro; um ninho de cegonhas numa aldeia deserta; um cemitério rural solitário com uma tabuleta no portão: "Alta radiação. É proibido entrar a pé ou de carro"; um carrinho de criança no pátio de uma casa de janelas lacradas e um corvo sentado sobre ele como no seu ninho; uma antiga cunha de guindaste sobre os campos abandonados.*)

Costumam perguntar: "Por que você não fotografa com filme colorido? Em cores!". Porque Tchernóbil significa "negro". As outras cores não existem.

A minha história? É um comentário a isto. (*Assinala as fotos.*) Bem… Vou tentar. Tudo está aqui. (*Novamente assinala as fotos.*) Naquela época, eu trabalhava numa fábrica e estudava à distância na universidade, na faculdade de história. Era torneiro de segunda categoria. Um dia, formaram um grupo e nos enviaram urgentemente para algum lugar. Como acontecia na guerra, no front.

"Para onde vamos?"

"Para onde mandarem."

"O que vamos fazer?"

"O que mandarem."

"Mas somos construtores."

"Então vão construir alguma obra."

Construímos prédios auxiliares: lavanderias, armazéns, galpões. A mim, mandaram carregar cimento. Que cimento era aquele, de onde vinha — ninguém comprovava. Carregávamos e descarregávamos. Eu passava o dia inteiro na pá, à noite só os dentes brilhavam. Era o próprio homem-cimento. Todo cinza. O corpo e a roupa de trabalho. À noite eu sacudia a roupa e pela manhã a vestia novamente.

Organizaram umas conversas políticas: que somos heróis, que isso é uma façanha, que estamos na vanguarda. Sempre o mesmo léxico militar. Mas... e o que é um rem? E um curie? O que é um milirroentgen? Fizemos essas perguntas, mas o comandante não pôde responder, na escola militar não lhe haviam ensinado nada disso. Mili, micro... era chinês. "Por que vocês querem saber? Cumpram as ordens. Vocês aqui são soldados." De fato, somos soldados, mas não presidiários.

Chegou uma comissão. "Bem", tranquilizaram, "por aqui está tudo normal. O ambiente está normal. A uns quatro quilômetros daqui, aí sim, não se pode viver, vão evacuar as pessoas de lá. Mas aqui está tudo tranquilo."

Veio com eles um dosimetrista. O sujeito conecta a caixa que trazia pendurada ao ombro e, num gesto bem amplo, começa a descer o aparelho até as nossas botas. Instantaneamente dá um salto para o lado, numa reação involuntária.

E aqui começa o mais interessante, sobretudo para você como escritora. Quanto tempo você acha que nós pensamos nesse incidente? Quando muito, alguns dias. A nossa gente é incapaz de pensar apenas em si, na sua própria vida; é incapaz de sentir a si mesma como um sistema fechado. Os nossos políticos são incapazes de pensar no valor da vida, mas tampouco as pessoas. Entende? Não nos constituímos dessa forma, somos feitos de outra massa.

Certamente, todos nós ali bebíamos, e muito. À noite, não restava um sóbrio; mas não bebíamos para nos embriagar e sim para conversar. Depois dos dois primeiros copos, alguém se angustiava, lembrava-se da esposa, dos filhos, contava sobre o trabalho, xingava o chefe. Mas depois de uma ou duas garrafas, as conversas versavam apenas sobre o destino do país e sobre a ordem do universo. Discutia-se sobre Gorbatchóv e Ligatchóv.* Sobre Stálin. Se, afinal, éramos ou não uma grande potência. Se viríamos ou não a ultrapassar os norte-americanos. Era 1986. Discutíamos que aviões eram os melhores, que naves espaciais eram as mais seguras. Bem, Tchernóbil voou pelos ares, mas os nossos foram os primeiros a viajar pelo cosmos! Entende? E a conversa continuava assim até todos estarem roncando, até o amanhecer. Mas sobre o porquê de não nos darem dosímetros e comprimidos preventivos, de não haver máquinas de lavar para que as roupas fossem lavadas todos os dias e não duas vezes por mês, isso eram detalhes que ficavam em último lugar, e ainda assim de passagem. Fomos feitos dessa forma, entende? O diabo os carregue!

A vodca era mais cotada que o ouro. Era impossível comprar. Nós bebemos tudo o que havia nas aldeias ao redor: vodca, *samogón*, loções, chegamos aos vernizes e aerossóis. Sobre a mesa podia haver um recipiente com três litros de *samogón* ou uma bolsa com garrafas de água de colônia "Chipr". E conversas e mais conversas. Entre nós havia professores, engenheiros. Toda uma Internacional: russos, bielorrussos, cazaques, ucranianos.

Conversas filosóficas sobre termos nos tornado prisioneiros do materialismo e este nos reduzir ao mundo dos objetos. Que Tchernóbil era uma porta aberta ao infinito. Lembro que discu-

---

* Iégor Ligatchóv, então secretário do Comitê Central e membro do Politburo do Partido. Principal aliado de Mikhail Gorbatchóv, afastou-se do presidente ao se posicionar contra a perestroika.

tíamos sobre o destino da cultura russa, sobre a sua inclinação para o trágico. Sem a sombra da morte, não se podia entender nada. Só sobre a base da cultura russa seria possível entender a catástrofe. Só a nossa cultura estava preparada para entendê-la. Eu vivia com esse pressentimento. Temíamos a bomba, o cogumelo atômico, e olhe o que se passou. Hiroshima foi algo pavoroso, mas compreensível. Já isso... Sabemos como uma casa se incendeia por causa de um fósforo ou de um projétil, mas isso não se parecia com nada. Chegavam rumores de que era um fogo extraterrestre, que nem era fogo, mas uma luz. Uma reverberação. Uma aurora. Não de um azul qualquer, mas de um azulado celestial. E que a fumaça não era fumaça.

Os cientistas, que antes ocupavam o trono dos deuses, agora haviam se convertido em anjos caídos. Em demônios! E a natureza humana seguia sendo tal qual no passado, um mistério para eles.

Eu sou russo, da região de Briansk. Lá as coisas são assim: você vê um velho sentado na entrada de casa, a casa está torta a ponto de desmoronar, mas ele se dedica a filosofar, a organizar o mundo. Em qualquer intervalo de fábrica, você encontra um Aristóteles. Ou na cervejaria. Como nós, filosofando presos ao reator.

Choviam repórteres de jornais para nos ver. Tiravam fotos. Inventavam os temas. Se fotografavam a janela de uma casa abandonada, punham diante dela um violino e intitulavam a foto "sinfonia de Tchernóbil", quando ali não havia necessidade de inventar nada. Eu queria gravar tudo na minha memória: um globo terrestre achatado por um trator no meio do pátio de uma escola; roupa lavada enegrecida, estendida havia vários anos num varal; bonecas envelhecidas pela chuva. Fossas comuns abandonadas. O mato que atingia a altura dos soldados de gesso do monumento, e sobre as estátuas, ninhos de pássaros. As portas arrebentadas de uma casa por onde passaram saqueadores, e as cortinas das janelas fechadas. As pessoas foram embora, e as fotografias continuaram a habitar a casa. Como as suas almas. Não havia nada que não fosse importante, nada que não transcendesse. Eu queria recordar tudo com exatidão e detalhes: a hora e o dia em que vi tal coisa, a cor do céu, as minhas sensações. Entende? O homem havia saído para sempre daqueles lugares. O que isso significa? Nós éramos os primeiros a experimentar esse "para sempre". Eu não podia deixar escapar nem o menor dos detalhes.

O rosto dos velhos camponeses se assemelhava aos ícones. Eles eram os que menos compreendiam o acontecido. Nunca haviam abandonado as suas casas, a sua terra. Apareciam neste mundo, se amavam, conseguiam o pão de cada dia com o suor do trabalho e prolongavam a espécie. Esperavam a chegada dos netos. E depois de viver a vida, abandonavam resignados esta terra, voltando a ela, convertendo-se nela.

A casa camponesa bielorrussa! Para nós, da cidade, não é mais que uma casa, uma construção para se viver. Mas para eles, era todo o seu mundo. O seu cosmos. Você atravessa as aldeias vazias e te dá um desejo tão grande de ver um ser humano... Vimos uma igreja arruinada, entramos nela. Aroma de cera. Dava vontade de rezar.

Eu queria recordar tudo isso e me pus a fotografar. Essa é a minha história.

Há pouco, enterrei um conhecido que esteve lá. Morreu de câncer no sangue. O funeral foi celebrado e, segundo o costume eslavo, as pessoas comeram e beberam. Você conhece. E as conversas começaram e prosseguiram até meia-noite. Primeiro sobre ele, sobre aquele que nos deixou. Mas e depois? Depois, novamente sobre o destino do país e sobre a ordem do universo. As tropas russas sairão da Tchetchênia ou não? Começará uma segunda guerra do Cáucaso, ou na realidade já começou? Que possibilidades tem Jirinóvski de ser presidente? E Iéltsin? Sobre a Coroa inglesa e a princesa Diana. Sobre a monarquia russa. Sobre Tchernóbil.

Agora já há diversas conjecturas. Uma delas é que os extraterrestres já estavam inteirados da catástrofe e nos ajudaram; outra, que se tratou de um experimento cósmico e que dentro de algum tempo começarão a nascer crianças com faculdades geniais. Incomuns. Ou talvez os bielorrussos desapareçam, assim como ocorreu em algum momento a outros povos: os citas, os cázares, os sármatas, os kimérios ou os astecas.

Somos metafísicos. Não vivemos na terra, mas nas nossas quimeras, nas nossas conversas. Nas palavras. Devemos somar algo à vida cotidiana para compreendê-la, mesmo quando estamos à beira da morte.

Essa é a minha história. Eu a contei. Por que me tornei fotógrafo? Porque me faltavam palavras.

Víktor Latun, fotógrafo

MONÓLOGO SOBRE O SOLDADO MUDO

Eu mesma não vou mais à zona; antes, ela me atraía. Se tiver de ver e pensar novamente em tudo isso, vou adoecer e morrer. As minhas fantasias vão morrer.

Você se lembra do filme *Vá e veja*?* Eu não consegui assistir até o fim, perdi a consciência. Nele, matavam uma vaca. A pupila dela ocupava toda a tela. Uma pupila. Como matavam as pessoas, eu já não vi. Não! A arte é o amor, estou absolutamente convenci-

---

* Filme de Eliem Klímov, de 1985, baseado em duas obras de Aliés Adamóvitch: *O relato de Khatín* e *Tropas de castigo*, em que se mostra o extermínio de uma aldeia bielorrussa pelas tropas nazistas.

da disso! Não gosto de ligar a televisão e de ler jornais. Lá só matam e matam. Na Tchetchênia, na Bósnia, no Afeganistão. Isso me faz perder a razão e corrompe a minha visão. O horror se tornou habitual, até mesmo banal. Nós nos transformamos de tal forma que o horror que hoje passa nas telas precisa ser ainda mais terrível que o de ontem. Caso contrário, não mete medo. Nós cruzamos a linha.

Ontem eu estava num ônibus e presenciei a seguinte cena: um menino não cedeu o lugar a um idoso. Este o repreendeu: "Quando você for velho, também não vão te ceder o lugar."

"Eu nunca vou ficar velho", respondeu o menino.

"E por quê?"

"Todos nós vamos morrer logo."

À nossa volta só se fala na morte. As crianças pensam na morte. Mas isso é algo que só deveria ser pensado no final da vida, e não no início dela.

Eu vejo o mundo em cenas. A rua para mim é um teatro, a casa é um teatro. O homem é um teatro. Nunca me lembro de um acontecimento por inteiro. Apenas dos detalhes, dos gestos.

Tudo se embaralhou na minha memória, se misturou. Não sei se vi no cinema ou nos jornais. Onde vi, ouvi. Ou teria apenas vislumbrado?

Vejo como uma raposa louca vagueia pela rua de uma aldeia abandonada. Aparenta calma, delicadeza, como uma criancinha. Ela se aproxima carinhosa dos gatos selvagens, das galinhas.

Um silêncio. Que silêncio existe ali! Completamente diferente daqui. E de repente, no meio desse silêncio, se ouve a estranha voz humana: "Gocha é bom. Gocha é bom". Balança-se numa velha macieira uma jaula oxidada com a portinhola aberta. Um papagaio domesticado fala consigo mesmo.

Começa a evacuação. Lacram-se a escola, o escritório do colcoz, o soviete local. Durante o dia, os soldados retiram as caixas-fortes e os documentos. À noite, os habitantes desmancham a escola, levam tudo o que há nela: os livros da biblioteca, os espelhos, as cadeiras, os lavabos, um globo enorme... Um dos últimos a chegar, de manhã, percebe que já não há mais nada. Ele leva os tubos de ensaio vazios do laboratório de química.

Apesar de todos saberem que dentro de três dias também eles seriam levados de lá. E que tudo aquilo teria de ficar.

Por que recordo tudo isso, por que guardo? Nunca montarei um espetáculo sobre Tchernóbil, assim como nunca pus em cena nenhuma peça sobre a guerra. Nunca terei em cena um homem morto. Nem mesmo um animal ou um pássaro morto.

No bosque, me aproximo de um pinheiro e vejo uma coisa branca. Penso: são cogumelos. Mas eram pardais mortos com o peito para cima. Lá, na zona...

Eu não compreendo o que é a morte. Diante dela, eu me detenho para não enlouquecer. Para não cruzar para o outro lado da vida. A guerra deveria ser mostrada como algo tão pavoroso que provocasse vômito nas pessoas. Que pusesse as pessoas doentes. Ela não é um espetáculo.

Nos primeiros dias, ainda não tinham mostrado nem uma foto, mas eu já imaginava os telhados desmoronados, as paredes caídas, a fumaça, as vidraças quebradas. Não se sabe para onde estão levando aquelas crianças silenciosas. Uma frota de carros. Os adultos choram, as crianças não. Nenhuma foto tinha sido publicada. Certamente se perguntássemos àquelas pessoas, veríamos que não dispomos de outra imagem do horror que não seja: explosão, incêndio, cadáveres, pânico.

Disso eu me lembro desde criança. (*Cala-se.*) Mas sobre isso, falarei mais tarde. À parte.

O que se passou aqui é algo desconhecido. É outro tipo de horror. Não se vê, não se ouve, não tem cheiro nem cor. No entanto, nós mudamos física e psicologicamente. Alterou-se a fórmula do sangue, o código genético, a paisagem. Independente do que pensamos ou façamos. De manhã eu me levanto e tomo chá. Vou ao ensaio com os estudantes. E isso pende sobre a minha cabeça. Como um sinal. E como uma interrogação. E eu não tenho com o que comparar. Nada do que me lembro da minha infância se parece com isso.

Só vi um bom filme sobre a guerra. Esqueci qual era o título. Um filme sobre um soldado mudo. Ele se mantém calado durante todo o filme. É acompanhado por uma alemã grávida, que esperava um bebê de outro soldado russo. E a criança nasce, nasce na estrada, numa carroça. Ele levanta o bebê nos braços e a criança mija no seu fuzil. O homem ri. O riso são suas palavras. Ele olha para a criança, para o seu fuzil e ri. Fim do filme. No filme não há russos nem alemães. O único monstro é a guerra. E há o milagre, a vida.

Mas agora, depois de Tchernóbil, tudo mudou. E isso também. O mundo mudou, já não parece mais eterno, como até pouco tempo atrás. A terra se tornou pequena. Nós fomos privados da imortalidade, foi isso que aconteceu conosco. Perdemos o sentido de eternidade. Pela televisão, eu vejo como as pessoas matam, todos os dias. Atiram. Hoje são pessoas sem imortalidade que matam. Um homem matando outro. Depois de Tchernóbil.

Lembro-me de algo muito vagamente, algo distante. Eu tinha três anos quando fui conduzida com minha mãe à Alemanha, a um campo de concentração. Eu lembro que tudo era bonito. Talvez tenha sido a minha maneira de ver as coisas. Uma montanha alta. Não sei se chovia ou nevava. As pessoas reunidas num grande semicírculo negro, todas com um número. Um número no sapato. Uma pintura amarelo-clara no sapato. Nas costas. Por toda parte, números e mais números. E a cerca de arame farpado. Sobre a torre, um homem com capacete; cachorros correm e ladram muito forte. E não sinto nenhum medo. Há dois alemães: um deles, grande, gordo, de roupa preta; o outro, pequeno, em traje marrom. O que está de preto aponta com a mão para algum lugar. Do obscuro semicírculo sai uma sombra negra e se revela uma pessoa. O homem de preto começa a golpear essa pessoa. Cai a chuva ou a neve. Cai...

Lembro-me de um italiano alto e bonito, que cantava sem parar. A minha mãe chorava e as outras pessoas também. Eu não podia entender por que choravam, quando alguém cantava algo tão bonito.

Fiz uns esboços de cenas sobre a guerra. Experimentei fazer algo com eles, mas nunca deu em nada. Nunca montarei uma obra sobre a guerra. Não me sai nada.

Uma vez, levamos à zona de Tchernóbil um espetáculo alegre. Chamava-se "Poço, dê-nos água!". É um conto. Chegamos ao centro do distrito de Khotímsk. Ali há um orfanato, uma casa para crianças órfãs. Não os evacuaram de lá.

Chega o intervalo da apresentação. As crianças não aplaudem. Não se levantam. Ficam caladas. Segunda parte. Termina o espetáculo. Novamente não aplaudem. Não se levantam. Permanecem caladas.

Os meus alunos estavam em lágrimas. Nos reunimos atrás da cortina: o que acontece com elas? Mais tarde, compreendemos: as crianças acreditavam em tudo o que acontecia na cena. Na história, esperava-se um milagre. As crianças normais, as que têm família, sabem que aquilo é teatro. Mas estas esperavam o milagre.

Nós, os bielorrussos, nunca tivemos nada eterno. Nós não tivemos nem uma terra eterna, sempre alguém a arrancava de nós, apagava os rastros do nosso povo. E não pudemos viver no eterno, como está escrito no Antigo Testamento: este engendrou um segundo que engendrou um terceiro. A cadeia, as ligações. Nem sabemos o que fazer com o eterno, não somos capazes de viver com ele. Somos incapazes de percebê-lo. Mas finalmente o eterno nos foi dado. O nosso eterno é Tchernóbil. Eis o que nos restou.

E nós, o que fazemos? Nós rimos. Como na antiga anedota. As pessoas se compadecem daquele cuja casa incendiou. Tudo queimou. Em resposta, ele diz: "Mas quantos ratos foram fritos!", e rola de rir. Esse é o bielorrusso! O riso através das lágrimas. Mas os nossos deuses não riem. Os nossos deuses são mártires. Os gregos sim, tinham deuses que riam, divindades alegres. E as fantasias, os sonhos, as piadas, que também são textos? Ou não tratam também de quem somos? Mas nós não os sabemos ler.

Em todo lugar só ouço uma melodia. Ela atrai, atrai... Mais que uma melodia, mais que uma canção, é um pranto de carpideira. É que o nosso povo, diz ela, está programado para suportar qualquer desgraça. Uma interminável espera da desgraça.

E a felicidade? A felicidade é algo passageiro, casual. O povo costuma dizer: "uma desgraça não é desgraça", "com a desdita, não há pau que valha a pena", "de um só golpe, a desgraça te dá nos dentes", "quando em casa reina a desdita, o galo não canta". Além dos sofrimentos, não temos mais nada. Não temos outra história, não temos outra cultura.

E apesar disso, os meus alunos se apaixonam, têm filhos. Mas os seus filhos são calados, fracos. Depois da guerra, voltei do campo de concentração. Voltei viva! A única coisa importante, então, era sobreviver. A minha geração até hoje se espanta de ter sobrevivido. Em lugar de beber água, eu podia comer neve. Durante o verão, não saía do rio, mergulhava cem vezes. Os seus filhos não podem comer neve. Nem sequer a neve mais limpa, a mais branca. (*Fica pensativa.*)

Como imagino o espetáculo? Pois não deixei de pensar nele, penso o tempo todo...

Da zona me trouxeram um argumento, um conto atual.

Um velho e uma velha permaneceram na aldeia. Durante o inverno, o velho morre. A velha o enterra sozinha. Passa uma semana cavando um buraco no cemitério. Envolve o homem numa peliça quente para que não tenha frio. Apoia-o sobre um trenó de criança e o leva ao cemitério. E enquanto percorre o caminho, vai rememorando a vida conjugal. Para o funeral, a velha assa a última galinha. O odor da carne atrai um cachorrinho famélico, que se arrasta até a velha. Assim, a anciã passa a ter com quem conversar e chorar.

Um dia inclusive sonhei com esse meu futuro espetáculo. Vejo uma aldeia deserta, as maçãs em flor. Florescem os lilases. Frondosos, elegantes. No cemitério, florescem as pereiras silvestres.

Pelas ruas cobertas pela relva, correm gatos com as caudas levantadas. Não há ninguém. Os gatos fazem amor. Tudo floresce. Há beleza e silêncio. Os gatos correm por uma estrada, esperam alguém. Na realidade, eles se lembram dos homens.

Na Bielorrússia, não temos Tolstói. Não temos Púchkin. Mas temos Iánka Kupala. Iákub Kolós. Eles escreveram sobre a terra. Nós somos seres da terra, não do céu. A nossa monocultura é a batata. Cavamos as hortas, plantamos e todo tempo olhamos para a terra. Para o vale! Para baixo! E se o homem levanta a cabeça, nunca a ergue acima do ninho da cegonha. O ninho já é, para ele, muito alto, já é o céu. Mas não temos o céu que chamamos cosmos, isso não existe na nossa consciência. Então, emprestamos algo da literatura russa, da polonesa. Da mesma forma que os noruegueses precisam de Grieg, e os judeus de Shalom-Alekhem, como centro de cristalização ao redor do qual eles poderiam se reunir e reconhecer a si mesmos. Foi esse o papel que Tchernóbil desempenhou para nós. Tchernóbil está plasmando algo em nós. Está criando algo. Agora nos convertemos num povo. No povo de Tchernóbil. Não somos um caminho da Rússia à Europa e da Europa à Rússia. Só agora...

A arte é memória. Memória daquilo que fomos.

Eu tenho medo. Tenho medo de uma coisa: de que o medo ocupe na nossa vida o lugar do amor.

Lília Mikháilovna Kuzmenkova, professora da Escola de Arte e Cultura de Moguilióv e diretora de teatro

MONÓLOGO SOBRE AS ETERNAS E MALDITAS PERGUNTAS: O QUE FAZER? E QUEM É CULPADO?

Eu sou um homem do meu tempo, sou um comunista convicto. Não nos dão a palavra. É moda. Atualmente é moda injuriar os comunistas. Agora somos inimigos do povo, somos criminosos. Respondemos por tudo, até pelas leis da física. Eu era, na época, primeiro secretário do Comitê Distrital do Partido.

Nos jornais, escrevem: "São eles, os comunistas, os culpados. Construíram centrais atômicas baratas e ruins, não levaram em conta a vida humana. Não pensaram nos homens, o homem para eles é areia, esterco da história. Fora com eles! Fora!". As perguntas malditas: o que fazer e quem é culpado? São perguntas eternas. Invariáveis na nossa história. Sempre diante da impaciência e da sede de vingança e sangue. "Fora com eles! Fora!" Querem fazer rolar cabeças. Pão e circo.

Outros se calam, mas eu falarei. Vocês escrevem... Bom, não você concretamente, mas os jornais escrevem que os comunistas enganaram o povo, esconderam dele a verdade. Que nós devíamos... Os telegramas do Comitê Central e do Comitê Regional do Partido nos deram a seguinte tarefa: não permitir que o pânico fosse disseminado. O pânico, de fato, é algo terrível. Só durante a guerra houve tal interesse pelas informações; as pessoas seguiam os boletins do front como agora acompanhavam as comunicações de Tchernóbil. O medo e os rumores. As pessoas estavam morrendo não pela radiação, e sim pelo evento.

Nós devíamos... Era o nosso dever... Não se pode dizer que desde o primeiro momento se ocultou tudo. De início, ninguém sabia a dimensão do ocorrido. Nós nos regíamos pelas considerações políticas mais elevadas. Mas se deixamos de lado as emoções, se deixamos de lado a política...

É preciso confessar que ninguém acreditava no que tinha acontecido. Os cientistas não podiam crer! Não havia nenhum exemplo semelhante. Não apenas no nosso país, mas no mundo inteiro. Ali, no local, os cientistas estavam estudando a situação, na própria central, e lá mesmo tomavam as decisões. Há pouco tempo eu assisti ao programa "Momento da Verdade" com Aleksandr Iákovlev, membro do Politburo e principal ideólogo do Partido na época. Junto com Gorbatchóv. E o que ele lembrava? Que tampouco eles, lá em cima, tinham uma visão completa do quadro.

Numa sessão do Politburo, um dos generais exclamou: "O que é a radiação? No polígono de testes... Depois de uma explosão atômica... À noite bebemos cada um uma garrafa de vinho tinto. E não aconteceu nada". Falavam de Tchernóbil como de um simples acidente, um acidente comum.

Se então eu tivesse anunciado que as pessoas não podiam sair à rua, a reação seria: "Como assim? Você quer sabotar o Primeiro de Maio?". Viraria uma questão política. Eu teria de entregar a minha carteira do Partido. (*Acalma-se um pouco.*) Não é anedota, eu creio, é verdade. Aconteceu. Contam que o presidente da Comissão Governamental, Scherbina, ao chegar à central nos primeiros dias depois da explosão, exigiu que o levassem imediatamente ao local do acidente. Explicaram a ele: há montes de grafite, campos de radiação terríveis, alta temperatura, não é possível ir até lá. "De que física estão falando? Eu tenho que ver tudo com os meus próprios olhos", gritou aos subordinados. "À noite tenho que informar ao Politburo." Um estereótipo militar do comportamento. Não conheciam outro. Não compreendiam o que de fato é a física. Que há algo chamado reação em cadeia. Que nenhuma ordem ou disposição governamental poderia mudar a física. Que o mundo se fundamenta na física, e não nas ideias de Marx.

E então, e se eu anunciasse? Quem se atreveria a suspender as demonstrações do Primeiro de Maio? (*Começa novamente a se exaltar.*) Nos jornais escrevem... Como se o povo estivesse na rua e nós num bunker subterrâneo. Eu estava na tribuna e fiquei as mesmas duas horas que todos sob o sol. Sem capuz, sem capa impermeável. E no Nove de Maio, o Dia da Vitória. Desfilei com os veteranos. Tocavam acordeão. Dançávamos, bebíamos.

Todos nós éramos parte desse sistema. Acreditávamos nele! Acreditávamos nos altos ideais. Na nossa vitória! Venceremos Tchernóbil! Nos esforçaremos e venceremos. Líamos com entusiasmo o que se contava sobre a luta heroica para dominar o reator, que havia escapado ao controle dos homens. Conduzíamos discussões políticas.

Imagine, a nossa gente sem uma ideia? Sem um grande sonho? Isso também era terrível. Observe o que está se produzindo hoje. Desmantelamento. Vazio de poder. Capitalismo selvagem. Mas... Estão sentenciando o passado. Toda a nossa vida. Falta apenas Stálin. O arquipélago gulag.

Mas que filmes nós tínhamos! Que canções maravilhosas! Agora me diga: por quê? Responda. Pense e responda. Por que agora não temos mais filmes como aqueles? E canções como aquelas? Devem-se elevar as aspirações do homem, inspirá-lo. Os ideais são necessários. Então você terá um governo forte. A salsicha não pode ser um ideal, a geladeira cheia não é um ideal. Uma Mercedes-Benz não é um ideal. É preciso ideais radiosos! E isso nós tínhamos.

Nos jornais, no rádio e na televisão, gritavam: "A verdade! A verdade!". Nas reuniões, exigiam: "Queremos a verdade!". As coisas vão mal, muito mal. Muito mal! Logo, todos morreremos! A nação vai desaparecer!

Quem precisa dessa verdade? Quando na Convenção irromperam as multidões exigindo a execução de Robespierre, acaso tinham razão? Submeter-se à multidão, tornar-se multidão. Não podíamos permitir o pânico. Era o meu trabalho. O meu dever. (*Cala-se.*) Se eu sou criminoso, então por que a minha neta... a minha pequena... também está doente? A minha filha deu à luz justamente naquela primavera, e a trouxe à nossa casa, em Slávgorod, envolta em cueiros. No carrinho. Vieram algumas semanas depois da explosão na central. Os helicópteros sobrevoavam, os veículos militares circulavam nas estradas. A minha esposa pedia: "É melhor mandá-las para a casa de parentes. Tirá-las daqui". Eu, que era o primeiro secretário distrital do Partido, proibi categoricamente: "O que as pessoas vão pensar se eu mando para fora a minha filha com o bebê? As crianças delas estão aqui". E aqueles que tentavam escapulir, salvar a sua pele... Esses eu chamava ao Comitê, ao meu gabinete: "Você é comunista ou não é?". As pessoas se punham à prova. Se eu sou criminoso, por que não cuidei da minha própria criança? (*Seguem palavras desconexas.*) Eu mesmo... Ela... Na minha casa... (*Depois de algum tempo se acalma.*)

Durante os primeiros meses, na Ucrânia, estavam alarmados; mas aqui na Bielorrússia tudo estava calmo. O período de semear estava no auge. Eu não me escondia, não me trancava nos gabinetes, eu circulava pelos campos, pelos prados. Onde aravam, onde semeavam. Você esqueceu que antes de Tchernóbil o átomo era chamado "trabalhador da paz"? Nós tínhamos orgulho de viver na era do átomo. Não havia medo do átomo, não me lembro disso. Nós não tínhamos medo do futuro.

Bom, e o que é o primeiro secretário distrital do Partido? Uma pessoa comum, com um diploma universitário comum, o mais frequente é que fosse engenheiro ou agrônomo. Alguns tinham também feito a escola superior do Partido. Tudo que eu sabia sobre radiação era aquilo que nos ensinaram nos cursos de defesa civil. E lá, não ouvi nem uma palavra sobre césio no leite, sobre estrôncio. Nós levávamos o leite com césio para as fábricas. Entregávamos remessas de carne. Ceifávamos o capim a quarenta curie. Cumpríamos os planos. Com toda responsabilidade. Eu os puxava para a frente. Porque ninguém suspendia os nossos planos. Um traço... Um quadro, como se diz. Nos primeiros dias, as pessoas experimentavam não só medo, mas também entusiasmo. Eu sou uma pessoa que não sabe o que é instinto de autopreservação. É normal, porque tenho muito forte dentro de mim o sentido do dever. Mas muitos eram assim, eu não era o único. Sobre a minha mesa havia dezenas de petições que diziam coisas como: "Solicito que me mandem a Tchernóbil". Iriam de coração, voluntários! As pessoas estavam dispostas a se sacrificar sem pensar duas vezes nem pedir nada em troca. Escrevam vocês o que quiserem, mas existia algo chamado "caráter soviético". E existia também o "homem soviético". Seja lá o que for que escrevam, não conseguirão negar. Ainda lamentarão ter perdido tudo isso. Vão se lembrar.

Vinham nos ver uns cientistas e discutiam até chegar a gritar. Até ficarem roucos. Eu me aproximo de um deles e digo: "Você acha normal que as nossas crianças brinquem numa areia radiativa?". Ele me responde: "Alarmistas! Amadores! O que vocês sabem de radiação? Eu sou técnico nuclear. Se ocorre uma explosão atômica, em uma hora sou eu que estarei lá, no epicentro. Na terra fundida. E vocês querem levantar pânico?". Eu acreditei nele. Eu chamava as pessoas ao meu gabinete e lhes dizia: "Colegas! Se eu fugir, se vocês fugirem, o que as pessoas dirão? Que os comunistas desertaram?". Se não fosse convincente, usava outras palavras: "Você é patriota ou não é? Se não é, ponha na mesa a sua carteira do Partido. E suma!". Alguns sumiam.

Comecei a suspeitar de algo. Tinha as minhas próprias suspeitas. Quando fechamos um acordo com o Instituto de Física

Nuclear para que inspecionasse as nossas terras, eles recolheram plantas, amostras de terra preta e levaram para análise em Minsk. Um tempo depois, me ligaram:

"Consiga, por favor, um transporte para lhe enviarmos de volta a terra."

"O que é isso, uma brincadeira? Até Minsk são quatrocentos quilômetros." Quase deixei cair o telefone. "Devolver a terra?"

"Não estamos brincando", responderam. "Segundo as instruções que recebemos, todas essas amostras devem ser enterradas numa fossa, num bunker subterrâneo de concreto armado. Recebemos amostras de toda a Bielorrússia. Os nossos depósitos estão entupidos até o teto. Você ouviu?"

E enquanto isso, nessa mesma terra estávamos arando, semeando. Nessa terra as nossas crianças brincavam. Exigiam que cumpríssemos o plano do leite e da carne. Do cereal se fazia álcool. As maçãs, cerejas e peras eram empregadas em sucos.

A evacuação... Se alguém olhasse aquilo de cima, pensaria que havia eclodido a Terceira Guerra Mundial. Enquanto esvaziavam uma aldeia, a outra era advertida: evacuação dentro de uma semana! E durante toda aquela semana, os habitantes enfeixavam a palha, segavam o mato, lavravam as hortas, cortavam a lenha. Levavam a vida de sempre. As pessoas não entendiam o que estava acontecendo. E depois de uma semana, eram retirados em veículos militares.

Reuniões, viagens de trabalho, uma ordem atrás da outra, noites sem dormir. O que não se chegava a passar. Junto ao Comitê do Partido de Minsk, lembro que havia um homem com um cartaz: "Deem iodo ao povo". Fazia calor. E ele de capa.

(*Volta ao início da nossa conversa.*)

Vocês esquecem, mas na época a central atômica era o futuro. Mais de uma vez ressaltei. Fiz propaganda. Estive numa central atômica: era um silêncio solene. Uma limpeza... Num canto, bandeiras vermelhas e flâmulas "Vencedor da competição socialista". Era o nosso futuro. Vivíamos numa sociedade feliz. Diziam para nós que éramos felizes, e éramos felizes. Eu era um homem livre, e não me ocorria pensar que alguém pudesse considerar a minha liberdade como uma não liberdade. Agora a história nos expulsa, como se não fôssemos nada. Estou lendo Soljenítsin. Eu penso... (*Cala-se.*) A minha neta tem leucemia. Já paguei por tudo, e foi um preço alto.

Eu sou um homem do meu tempo. Não sou um criminoso.

Vladímir Matviéevitch Ivanóv, ex-primeiro secretário do
Comitê Distrital do Partido de Slávgorod

MONÓLOGO SOBRE UM DEFENSOR DO PODER SOVIÉTICO

Eh-eh-eh! À puta que os pariu. Eh-eh-eh! (*Segue-se uma montanha de xingamentos.*) Vocês não têm um Stálin. Mão de ferro.

O que você está gravando aí? Quem te deu permissão? Nada de fotos. Tire os teus trastes daqui. Pode guardar! Senão, eu tomo. Você entendeu? Vocês vêm aqui... Temos a nossa vida. Nós sofremos e vocês escrevem. Escritores de merda! Tiram vantagem do povo. Confundem. Arrancam dele o que não tem. A ordem acabou! Não há ordem! Entende? Vocês vêm aqui... com gravador.

Pois, sim, eu defendo! Eu defendo o poder soviético. O nosso poder. Do povo! Na época do poder soviético, nós éramos fortes, todos nos temiam. O mundo todo olhava para nós! Uns tremiam de medo e outros nos invejavam. Caralho! E agora? Agora? Democracia? Trazem os seus chocolates, as suas margarinas rançosas, a sua medicina caduca, os seus jeans usados como se nós fôssemos uns selvagens que acabamos de descer da árvore. Da palmeira.

É uma ofensa à nossa potência! Entende? Vocês vêm aqui... Que potência a nossa! Caralho! Enquanto Gorbatchóv não subiu ao trono... Ao diabo esse cara com a mancha. Esse Górbi. Górbi... que atuava pelos seus planos, pelos planos da CIA. O que vocês querem me provar? Entende? Foram eles que explodiram Tchernóbil. A CIA e os democratas. Eu li nos jornais. Se não tivessem explodido Tchernóbil, a nossa potência não tinha desabado. A nossa grande potência! Caralho! (*Segue-se uma montanha de xingamentos.*) Entende?

Na época dos comunistas, o pão custava vinte copeques, e agora custa 2 mil. Por três rublos, eu comprava uma garrafa. E ainda dava para o tira-gosto. E com os democratas? É o segundo mês que não posso comprar calças. Ando de camisa rasgada. Venderam tudo! Tudo hipotecado! Nem os nossos netos conseguirão pagar.

Eu não estou bêbado, eu sou a favor dos comunistas! E eles nos defendiam, nós, a gente simples. E não me venham com histórias! Democracia... A censura mudou, pode escrever o que quiser. O homem livre. Caralho! Se esse homem livre morre, não há nem com que enterrá-lo.

Morreu uma velha. Sozinha, sem filhos. A pobre ficou dois dias na casa, com uma blusinha velha, embaixo dos ícones. Não pudemos comprar um caixão. Na juventude, tinha sido uma stakhanovista das primeiras. Passamos dois dias sem ir ao campo. Organizamos um encontro. Caralho! E o presidente do colcoz veio falar ao povo. E nos disse que agora, quando morresse uma pessoa, o colcoz daria grátis um ataúde de madeira, um cordeiro ou cervo e duas caixas de vodca para o funeral. Com os democratas... Duas caixas de vodca. Grátis! Uma garrafa para cada homem vira bebedeira, meia garrafa é remédio. Para a radiação.

Por que você não anota isso? São as minhas palavras. Mas você só anota o que quer. Vocês tiram vantagem do povo. Confundem. Querem se fazer com capital político? Encher os bolsos de dólares? Temos a nossa vida aqui. Sofremos. E não há culpados! Dê o nome de algum culpado! Eu sou a favor dos comunistas! Quando eles voltarem, num instante vão encontrar os culpados. Caralho! Entende? Vocês vêm aqui... gravam...

Eh-eh-eh! À puta que os pariu. (*Segue-se uma montanha de xingamentos.*)

(*Não deu o nome*)

MONÓLOGO SOBRE COMO DOIS ANJOS SE ENCONTRARAM COM A PEQUENA OLGA

Eu tenho vários materiais. Todas as estantes de casa estão cheias de pastas grandes. Sei tantas coisas que já nem posso escrever.

Durante sete anos juntei recortes de jornais, instruções, panfletos. As minhas anotações... Disponho de cifras, vou te dar tudo. Eu posso lutar, organizar demonstrações, piquetes, conseguir medicamentos, visitar crianças enfermas, mas não consigo escrever. Faça isso.

São tantos sentimentos que não dou conta deles, eles me paralisam, me confundem. Tchernóbil já tem os seus *stalkers*.* Os seus escritores. Eu não quero entrar no círculo dos que exploram esse tema. É preciso escrever com honestidade. Escrever tudo. (*Fica pensativa.*)

Caía aquela chuva quente de abril. Faz sete anos que me lembro dessa chuva. As gotas escorriam como mercúrio. Dizem que a radiação não tem cor? Mas os charcos eram ou verdes ou de um

---

* Termo usado para denominar aqueles que invadem ilegalmente as zonas contaminadas, em referência ao romance dos irmãos Arkádi e Boris Strugátski, *Piknik na obotchine* [Piquenique à beira da estrada], de 1971. O livro foi adaptado para o cinema por Andrei Tarkóvski, em 1979, com o título *Stalker*.

amarelo brilhante. Uma vizinha veio me cochichar que na rádio Svoboda tinham informado sobre uma avaria na central atômica de Tchernóbil. Eu não dei nenhuma importância a isso. Estava absolutamente segura de que, se fosse algo sério, nos preveniriam. Existem procedimentos técnicos especiais, sinalizações especiais, refúgios antiaéreos. Vão nos avisar. Estávamos convencidos disso! Todos nós passamos pelos cursos de defesa civil. Eu mesma completei o curso, fiz os exames.

Mas na noite daquele mesmo dia, a vizinha me trouxe uns pozinhos. Um parente tinha dado a ela e explicado como tomar (ele trabalhava no Instituto de Física Nuclear); ele pediu, porém, silêncio absoluto sobre o assunto. Ela lhe deu a palavra de que ficaria muda como um peixe, como uma pedra! Ele temia, sobretudo, conversas e perguntas pelo telefone.

Naquela época, o meu neto pequeno vivia na minha casa. E eu? Eu de todo modo não acreditei. Acho que nenhum de nós tomou aqueles pozinhos. Nós éramos muito confiantes. Não apenas a geração mais velha, mas também os jovens.

Eu me lembro das primeiras impressões, dos primeiros burburinhos. Eu passava de um tempo a outro, de um estado a outro. De lá para cá... Como uma pessoa que escreve, eu refletia sobre essas passagens, elas me interessavam. Como se em mim houvesse duas pessoas, a anterior e a posterior a Tchernóbil. Mas agora é difícil restabelecer esse "antes" com toda fidelidade. A minha maneira de ver as coisas mudou.

Eu viajei à zona desde os primeiros dias. Lembro que ao parar em algum povoado, o que me impressionava era o silêncio! Nem pássaros, nem nada. Não se ouvia nada. Eu andava pelas ruas... silêncio. Certo, as casas estavam vazias, não havia pessoas, tinham partido, mas tudo ao redor estava mudo, não havia nem um pássaro. Pela primeira vez vi uma terra sem pássaros. Sem mosquitos. Nada voava.

Um dia chegamos à aldeia Tchudianí — 150 curie. À aldeia Malínovka — 59 curie. Os habitantes receberam doses cem vezes superiores às dos soldados que vigiavam as zonas de experiência com bombas atômicas. Ou seja, o polígono atômico. Cem vezes! O dosímetro estrilava, a agulha saía de escala. E nos escritórios dos colcozes, penduravam informativos assinados por radiologistas do distrito, em que estes asseguravam que as cebolas, as verduras, os tomates e os pepinos eram perfeitamente comestíveis. Tudo crescia e todos comiam.

O que dizem agora esses radiologistas distritais? E o secretário distrital do Partido? Como se justificam?

Em todas as aldeias encontrávamos muita gente bêbada. Até as mulheres andavam alcoolizadas, sobretudo as ordenhadoras e as encarregadas do gado. Cantavam canções. A canção da moda nessa época era: "Para nós, tanto faz. Para nós, tanto faz". Ou seja, que se dane. Era do filme *Brilliántovaia ruká* [O braço de brilhantes].*

Naquela mesma aldeia, Malínovka (distrito de Tchérikov), demos uma passada no jardim de infância. As crianças corriam pelo pátio. Os pequenos se arrastavam na areia. A diretora nos explicou que trocavam a areia todo mês, traziam-na de algum lugar. Pode-se imaginar de onde vinha essa areia. As crianças eram tristes. Brincamos com eles, mas não sorriram. A educadora começou a chorar: "Não adianta, as nossas crianças não sorriem. E em sonhos choram". Encontrei na rua uma mulher com um recém-nascido: "Quem a autorizou a dar à luz aqui, com 59 curie?". "A médica radiologista veio e me aconselhou apenas a não secar os cueiros na rua."

Persuadiam as pessoas a não partir, a permanecerem no lugar. Claro! Era mão de obra. Mesmo quando transferiam, quando

---

* Comédia de 1969 dirigida pelo russo Leonid Gaidai.

evacuavam a população para sempre, ainda assim traziam as pessoas para os trabalhos do campo. Para colher as batatas.

O que eles dizem hoje? Os secretários distrital e regional? Como se justificam? De quem, segundo eles, é a culpa?

Eu guardei muitas dessas instruções. Ultrassecretas. Vou te dar tudo. Aqui, por exemplo: "Instruções para o tratamento das peças de galinha contaminadas". Nos locais de produção, exigia-se que as pessoas fossem vestidas como se estivessem em território contaminado, em contato com elementos radiativos. Com luvas de borracha, batas de borracha, botas e tudo mais. Se a peça tem tantos curie, deve-se fervê-la em água salgada, jogar fora a água e usar a carne em patês e embutidos. Se tem outros tantos curie, emprega-se para farinha de carne ou para alimentos de animais. Desse modo se cumpriam os planos de produção de carne. Os bezerros das zonas contaminadas eram vendidos a preço baixo em outros lugares. Em lugares "limpos". Os motoristas que os conduziam contavam que eles eram engraçados, tinham pelos que iam até o chão e eram esfomeados, comiam qualquer coisa: trapos, papel. Que era fácil alimentá-los! Vendiam-nos nos colcozes, mas se alguém quisesse, podia levar para o seu estábulo. Ação criminosa! Criminosa!

Pelo caminho, observamos um caminhão de carga que seguia lentamente, como num enterro. Fizemos parar. Ao volante estava um rapaz jovem. Perguntei: "Você está com algum problema? Por que está dirigindo tão devagar?". "Não, é que estou levando terra radiativa." E o calor! A poeira! "Você está louco! Ainda pode casar e ter filhos", gritei. "E onde vou ganhar cinquenta rublos por viagem?" Com cinquenta rublos, no valor da época, era possível comprar uma boa roupa. E o pagamento falava mais alto que a radiação. Pagamentos extras e uns miseráveis complementos. Uma miséria, se o comparamos ao valor da vida.

Ao mesmo tempo trágico e cômico.

Duas avós estavam sentadas num banco perto de casa. As crianças corriam por ali. Medimos a radiação: setenta curie.

"De onde são as crianças?"

"De Minsk. Eles vêm passar o verão."

"Aqui há muita radiação!"

"Para que você vem aqui anotar radiação? Nós já a vimos."

"Não se pode ver a radiação."

"Pois olhe: está vendo aquela casa ali meio construída? Os moradores a abandonaram e foram embora. Por medo. Uma noite dessas, fomos ver por dentro. Olhamos pela janela. E ali estava, debaixo de uma viga, a radiação. Com uma cara ruim e os olhos de fogo! Negra, negra!"

"Não pode ser!"

"Pois te juramos! Por Deus!"

E se persignam; se persignam de forma alegre. Se riem delas mesmas ou de nós?

Depois de algumas viagens, nos reunimos na redação.

"Como vão as coisas?", perguntamos uns aos outros.

"Tudo normal!"

"Tudo normal? Você já se olhou no espelho? Você voltou grisalho!"

Surgiram anedotas. Anedotas de Tchernóbil. A mais curta: "Que povo bom eram os bielorrussos".

Recebi a tarefa de escrever sobre a evacuação.

Em Polésie, existe a seguinte crença: se você quer voltar para casa, plante uma árvore perto de uma estrada larga. Eu chego lá, entro no quintal de uma casa, em outro, todos estão plantando árvores. Entrei num terceiro, sentei e chorei. A dona da casa me explica: "A minha filha e o meu genro plantaram uma ameixeira; a segunda filha, uma sorva negra; o filho mais velho, um viburno; e o mais novo, um salgueiro. Eu e o meu marido, uma macieira". Nós duas nos despedimos, ela me pediu: "Olhe quantos morangos, o quintal inteiro. Leve os morangos". Ela queria deixar algo, algum rastro da sua vida.

Consegui escrever pouca coisa. Bem pouco. Fui deixando: um dia eu me sento e recordo. Nas férias farei isso.

Ah, sim. Lembrei de uma coisa. Um cemitério de aldeia. No portão, uma tabuleta: "Alta radiação. É proibido entrar a pé ou de carro". Nem para aquele mundo, como dizem, te deixam ir. (*Surpreendentemente, começa a rir. É a primeira vez que ri em toda a longa conversa.*)

Disseram a você que era rigorosamente proibido fotografar perto do reator? Só com autorização especial. Tomavam a sua câmera. Antes da partida dos soldados que tinham servido lá, os revistavam, como no Afeganistão, para ver se, Deus me livre, eles não possuíam nenhuma foto. Nenhuma prova. Quanto aos operadores de câmera de televisão, os funcionários da KGB tomavam-lhes as fitas e as devolviam veladas. Quantos documentos destruídos... Testemunhos perdidos para a ciência. Para a história. Seria bom encontrar agora aqueles que deram essas ordens.

Como se justificariam? O que inventariam?

Eu nunca os perdoarei. Nunca!

Nem que seja só por uma menina. Ela dançava no hospital, estava dançando para mim uma "polquinha". Naquele dia, completava nove anos. Era tão bonita, dançando. Dali a dois meses, a mãe me ligou: "Ólienka está morrendo!". E eu não tive forças para ir naquele dia ao hospital. Depois, já era tarde. Olga tinha uma irmãzinha mais nova. A menina acordou uma manhã e disse: "Mamãe, eu vi no sonho dois anjos que vieram voando e levaram a nossa Ólienka. Eles disseram que a Ólienka vai ficar bem lá. Ela não tem mais dor. Mamãe, dois anjos levaram a nossa Ólienka".

Eu nunca perdoarei ninguém.

Irina Kisseliova, jornalista

MONÓLOGO SOBRE O PODER ILIMITADO DE UNS HOMENS SOBRE OUTROS

Eu não sou um humanista, sou um físico. Por isso, fico com os fatos, apenas os fatos.

Um dia haverão de responder por Tchernóbil. Chegará o dia em que será necessário responder por isso, assim como ocorreu com relação ao ano de 1937. Ainda que seja dentro de cinquenta anos! Ainda que estejam velhos. Que estejam mortos. Terão de responder, os criminosos! (*Cala-se por um momento.*) É preciso conservar os fatos. Os fatos! Porque estes serão exigidos.

Naquele dia, 26 de abril, eu estava em Moscou. Numa viagem de negócios. Lá eu soube a respeito do acidente.

Liguei para Minsk, para o primeiro secretário do Comitê Central da Belarús, Sliunkóv. Eu chamo uma, duas, três vezes e não me põem em contato com ele. Falo com o seu ajudante (que me conhece muito bem):

"Estou ligando de Moscou. Me ponha em contato com Sliunkóv, tenho uma informação urgente sobre o acidente!"

Chamo pelos canais governamentais e, evidentemente, as linhas já estão sendo controladas. É só começar a falar sobre o acidente, e a linha telefônica é cortada. Vigiam, naturalmente! Escutam. Os órgãos competentes, claro. O Estado dentro do Estado. E isso de eu querer falar com o primeiro secretário do Comitê Central? E eu, quem eu sou? Sou o diretor do Instituto de Energia Nuclear da Academia de Ciências da Belarús. Professor, membro da Academia. Mas controlam também a mim.

Preciso de umas duas horas para que ponham na linha o próprio Sliunkóv. Informo:

"O acidente é sério. Segundo os meus cálculos (eu já havia falado com outras pessoas em Moscou e tinha feito os meus cálculos), a coluna radiativa se move até nós. Para a Bielorrússia. É necessário realizar imediatamente uma operação de profilaxia de iodo em toda a população e evacuar todo mundo que se encontre perto da central. Deve-se retirar toda a população e os animais num raio de cem quilômetros."

"Já me informaram", disse Sliunkóv. "Houve um incêndio, mas já foi apagado."

E eu, sem poder me conter:

"Isso é um engano! Um engano evidente! Qualquer físico poderá lhe dizer que o grafite arde a umas cinco toneladas por hora. Imagine por quanto tempo ficará ardendo!"

Peguei o primeiro trem para Minsk. Passei a noite em claro. De manhã já estava em casa. Meço a tireoide do meu filho: 180 microrroentgen por hora! A tireoide era o dosímetro ideal. Era preciso iodo de potássio. O iodo comum. Pinga-se duas ou três gotas em meio copo de água para as crianças, e três ou quatro gotas para os adultos. O reator ardeu por dez dias, durante os dez dias isso tinha que ter sido feito. Mas ninguém nos escutava! Nem cientistas nem médicos! A ciência servia à política, a medicina estava amarrada à política. O que mais fazer! É preciso não esquecer o tipo de consciência que tínhamos, o tipo de pessoas que éramos no momento que isso aconteceu, dez anos atrás. Funcionava a KGB, o controle secreto. Abafavam as rádios ocidentais. Existiam mil tabus, segredos políticos e militares. As instruções... Acrescente-se a isso que fomos educados na ideia de que o átomo soviético para a paz não era tão perigoso quanto a turfa e o carvão. Éramos pessoas presas do medo e do preconceito. Nas mãos da superstição. Mas fico com os fatos, apenas os fatos.

No mesmo dia em que cheguei, 27 de abril, decidi viajar à região de Gómel, fronteira com a Ucrânia. Os distritos de Bráguin, Khóiniki e Naróvlia situam-se apenas a algumas dezenas de quilômetros da central nuclear. Eu precisava de uma informação completa. Levar os equipamentos, medir o ambiente. As medidas acusaram o seguinte: em Bráguin, 30 mil microrroentgen por hora; em Naróvlia, 28 mil. E as pessoas seguiam arando, semeando. Pintavam os ovos e assavam os pães para a Páscoa. Que radiação? O que é isso? Nenhuma ordem havia chegado. De cima, pedem informes: como está a semeadura? Em que ritmo? Olhavam para mim como se eu fosse louco: "Do que você está falando, professor?". Os roentgen, microrroentgen... eram linguagem de outro planeta.

Regressamos a Minsk. Na avenida central, por toda parte vendiam pastéis, sorvetes, carne moída, bolos. Sob a nuvem radiativa.

Dia 29 de abril. Lembro com exatidão. Por datas. Às oito horas da manhã eu já estava sentado na sala de espera de Sliunkóv. Tenho de chegar de todas as formas até ele. Mas Sliunkóv não me recebe. E assim até as cinco e meia. Às cinco e meia, sai do gabinete de Sliunkóv um dos nossos poetas mais famosos. Já nos conhecíamos:

"Estava discutindo com o camarada Sliunkóv os problemas da cultura bielorrussa."

"Logo não haverá ninguém para desenvolver essa cultura", explodi, "e ler os seus livros, se não deslocarmos imediatamente as pessoas da região de Tchernóbil! Não se salvarão!"

"O que você está dizendo? Já apagaram o incêndio lá."

Chego de qualquer forma a Sliunkóv. Descrevo o quadro que vi no dia anterior. É preciso salvar as pessoas! Na Ucrânia (eu tinha ligado para lá), já haviam iniciado a evacuação.

"O que pretendem os seus dosimetristas (do instituto) correndo a cidade e espalhando o pânico? Já me aconselhei em Moscou com o acadêmico Ilin. A situação é normal. Mandamos tropas e equipamentos militares para reparar a ruptura. Na central, trabalha uma comissão governamental. E também procuradores. Estão pondo tudo em ordem. É bom não esquecer que há uma guerra fria. Estamos cercados de inimigos."

Já haviam se precipitado sobre a nossa terra milhares de toneladas de césio, iodo, chumbo, zircônio, cádmio, berílio, boro, quantidades incalculáveis de plutônio (nos reatores RBMK de urânio e grafite, na versão de Tchernóbil, extraía-se plutônio estratégico, do qual se fabricavam bombas atômicas) — ao todo 450 tipos de radionuclídeos. Uma quantidade equivalente a 350 bombas atômicas como a que lançaram sobre Hiroshima. Era preciso falar sobre a física. Sobre as leis da física. Mas se falava sobre inimigos. Buscavam-se inimigos.

Cedo ou tarde deverão responder por isso.

"Um dia você se justificará", falei a Sliunkóv, "dizendo que não era mais que um construtor de tratores (ele tinha sido diretor de uma fábrica de tratores) e que não entendia nada de radiações; mas eu sou físico e tenho ideia das consequências."

Mas o que é isso? Como é que um professor qualquer, um físico qualquer ousa dar lições ao Comitê Central? Não, as autoridades não eram uma gangue de criminosos. Elas eram, antes de tudo, uma combinação letal de ignorância e corporativismo. O princípio da vida deles, a premissa adquirida nos meandros do poder era não se destacar. Ser condescendente.

O fato é que estavam justamente negociando em Moscou uma promoção para Sliunkóv. Esse é o ponto! Creio que ele tinha sido chamado pelo Krémlin, da parte de Gorbatchóv. E vocês, bielorrussos, façam o favor, nada de pânico; o Ocidente já está armando barulho. Porque estas são as regras do jogo: se você não agradar aos seus superiores, não ascenderá no seu cargo, não conseguirá a viagem de férias, não te darão uma *datcha*. Você deve satisfazê-los. Se tivéssemos continuado no mesmo sistema fechado de antes, atrás da cortina de ferro, as pessoas até hoje estariam vivendo perto da central. Na zona secreta! Lembre-se dos casos de Kichtim e Semipalátinsk.* Um país stalinista. Continuávamos sendo um país stalinista.

As instruções para o caso de guerra nuclear prescrevem que diante da ameaça de acidente nuclear ou ataque nuclear deve-se aplicar imediatamente uma profilaxia de iodo em toda a população. Em caso de ameaça! E o que é que nós tínhamos aqui? Tínhamos 3 mil microrroentgen por hora. Mas não se preocupavam com as pessoas, e sim com o poder. Era a pátria do poder, e não a pátria do povo. A prioridade do Estado era indiscutível. E o valor da vida humana se reduzia a zero. Havia modo de fazê-lo! Nós propusemos vários. Sem grande alarde, sem pânico. Simplesmente introduzir o preparado de iodo nos reservatórios de onde se extraía a água potável, acrescentá-lo ao leite. Bom, a água não teria o mesmo gosto, e o leite também não. Na cidade, achavam-se prontos setecentos quilos do preparado. E ali ficaram, armazenados nos depósitos. Tinham mais medo da ira dos superiores que do átomo. Todos esperavam uma chamada telefônica, uma ordem. Ninguém fazia nada por conta própria. Temiam assumir pessoalmente as responsabilidades.

Eu carregava um dosímetro na minha pasta. Para quê? Não me recebiam, estavam fartos de mim nos gabinetes superiores. Então, eu tirava o dosímetro e o aproximava das tireoides das secretárias e dos motoristas particulares sentados nas salas de espera. As pessoas se assustavam e isso às vezes funcionava, então me deixavam passar.

"O que é isso, professor, está ficando histérico? Ou será que só você se preocupa com o povo bielorrusso? As pessoas de qual-

---

* Locais onde ocorreram acidentes nucleares. Em 1957, na cidade secreta Tcheliábinski-40, próxima a Kichtim, nos Urais, uma explosão de resíduos radiativos contaminou um extenso território. Em Semipalátinsk, no Cazaquistão, se realizavam as provas das bombas nucleares e termonucleares soviéticas.

quer modo vão morrer de alguma coisa: tabaco, acidente de automóvel, suicídio."

Riam-se dos ucranianos: veja como se ajoelham para o Krémlin, mendigam dinheiro, medicamentos, aparelhos de dosimetria (não havia aparelhos suficientes); enquanto isso, o nosso (se referiam a Sliunkóv) em quinze minutos informou qual era a situação: "Tudo está normal. Vamos nos recuperar com as nossas próprias forças". Elogiavam: "Que valentes, os irmãos bielorrussos!".

Quantas vidas custou esse elogio?

Eu tenho informações de que eles (as autoridades) tomavam iodo. Quando os colegas do nosso instituto os examinaram, todos estavam com a tireoide limpa. Isso não seria possível sem iodo. Além disso, levaram os seus filhos às escondidas para longe do acidente. E só visitavam a zona com máscaras e roupas especiais. Todo o aparato que os outros não possuíam. E há tempos já não é segredo que perto de Minsk mantinham um gado especial. Cada rês com um número individual, pessoal. Terras especiais, estufas especiais. Controle especial. Algo repugnante. (*Cala-se.*) Ninguém ainda respondeu por isso.

Pararam de me receber, de me escutar. Eu os inundava de cartas com notas oficiais. Distribuía mapas, cifras. Enviava para todas as instâncias. Juntei quatro pastas com 250 folhas cada. Fatos, apenas fatos. Por via das dúvidas, sempre fazia duas cópias, uma ficava no meu gabinete de trabalho e a outra escondida em casa. A minha mulher escondia. Por que eu fazia cópias? Porque temos memória. Nós vivemos num país que... O gabinete, eu mesmo trancava. Pois um dia cheguei de uma viagem de trabalho e as pastas tinham desaparecido. Todas as quatro pastas grossas.

Eu cresci na Ucrânia, o meu avô era cossaco. Esse é o meu caráter. Continuei a escrever, a fazer intervenções. Era preciso salvar as pessoas! Evacuá-las imediatamente! Eu estava sempre em viagem de trabalho. O nosso instituto compôs o primeiro mapa das zonas contaminadas. Todo o sul aparece em vermelho. O sul ardia.

Isso já é história. História de um crime.

Levaram do instituto todos os aparelhos de controle de radiação. Confiscaram-nos. Sem explicação. Ligaram para a minha casa e me ameaçaram: "Pare de assustar as pessoas, professor! Ou você vai acabar lá, onde Judas perdeu as botas. Não adivinha? Esqueceu? Você esquece rápido!". Pressionavam os trabalhadores do instituto e os amedrontavam.

Escrevi para Moscou.

O presidente da nossa Academia, Platónov, me convoca:

"O povo da Bielorrússia um dia se lembrará de você, você fez muito por ele. Mas fez mal em escrever para Moscou. Muito mal! Exigem que eu o retire do cargo. Por que você escreveu? Será que não sabe com quem está lidando?"

Eu tinha os mapas, as cifras. E eles? Eles poderiam me jogar num hospital psiquiátrico. Ameaçaram fazer isso. Poderiam ter provocado um acidente de automóvel. Advertiram-me sobre isso. Poderiam lançar às minhas costas um processo penal. Por propaganda antissoviética. Ou por uma caixa de pregos que não tivesse sido contabilizada.

Bem, abriram um processo penal.

Conseguiram o que queriam. Tive um infarto. (*Cala-se.*)

Tudo estava nas pastas: os fatos e as cifras. As cifras de um crime.

No primeiro ano, 1 milhão de toneladas contaminadas se converteu em alimento, alimento cuja finalidade foi alimentar o gado (e essa carne logo foi parar na mesa dos humanos). As aves e os porcos se alimentaram de ossos recheados com estrôncio.

Evacuaram as aldeias, mas seguiram semeando os campos. Segundo os dados do nosso instituto, uma terça parte dos colcozes e *sovkhozes* tinha as terras contaminadas com césio-137, e frequentemente o grau de contaminação superava os cinquenta curie por quilômetro quadrado. Impossível pensar em se obter uma produção limpa, nem sequer se deveria permanecer ali por muito tempo. Em muitas terras o estrôncio-90 havia se precipitado.

Nas aldeias, as pessoas se alimentavam da própria horta, mas não se fazia nenhuma verificação. Ninguém instruía as pessoas, ninguém lhes ensinava o que fazer. E muito menos existia qualquer programa para isso. Só havia verificações para os produtos que saíam da zona. Para as remessas que iam para Moscou. Para a Rússia.

Nós observamos de maneira seletiva o estado de saúde das crianças nas aldeias. Alguns milhares de meninos e meninas. Eles tinham 1,5 mil, 2 mil, 3 mil milirroentgen, e até mais que isso. Essas meninas já não poderão ter filhos. Têm os genes marcados.

Quantos anos se passaram, e eu às vezes acordo e não consigo mais dormir.

Um trator arando o campo... Pergunto ao funcionário do Comitê Distrital do Partido que nos acompanha:

"O tratorista está protegido ao menos com uma máscara?"

"Não, as pessoas trabalham sem respiradores."

"Mas por quê? Não enviaram nada para cá?"

"Claro que sim! Enviaram tantos que temos estoque até o ano 2000. Mas não os distribuímos. Senão vai dar pânico, as pessoas vão sair correndo. Vão embora!"

"Você se dá conta da barbaridade que estão cometendo?"

"Para você é fácil pensar desse modo, professor. Se tirarem o seu trabalho, você encontra outro. Mas e eu, para onde eu vou?"

Que poder é esse! Um poder ilimitado de determinados homens sobre outros. Já não se trata de engano, é uma guerra contra inocentes.

Ao longo de Prípiat, vemos barracas de acampamento, famílias inteiras descansando. Se banham, tomam sol. Essas pessoas não sabem que já há algumas semanas estão se banhando e tomando sol sob uma nuvem radiativa. Era terminantemente proibido falar com elas. Mas eu vejo crianças, então me aproximo e começo a explicar aos pequenos. Ficam assombradas, perplexas. "E por que o rádio e a televisão não dizem nada disso?"

Ao meu lado estava um funcionário. Nas nossas viagens, necessariamente algum funcionário local devia nos acompanhar. O sujeito se cala. Pude adivinhar pela expressão quais sentimentos lutavam no seu íntimo: informar ou não informar? Porque ao mesmo tempo ele sente pena daquela gente. É um homem normal. Mas eu não sei qual dos sentimentos vencerá: informar ou não informar? Cada um faz a sua escolha. (*Cala-se por algum tempo.*)

Nós ainda somos um país stalinista. E o homem stalinista ainda vive.

Lembro em Kíev, na estação de trem. Os comboios levavam, um depois do outro, milhares de crianças assustadas. Homens e mulheres chorando. Foi, então, a primeira vez que pensei: quem precisa de uma física assim? De uma ciência como essa? Se o preço a pagar é tão alto... Hoje já se sabe. Já se escreveu sobre o ritmo acelerado com que se construiu a central atômica de Tchernóbil. Construiu-se à maneira soviética. Os japoneses levantam instalações como essa em doze anos, mas aqui fazemos em dois, três anos. A qualidade e a segurança de uma instalação especial como aquela não se distinguiam da de um complexo agropecuário. De uma granja de aves! Quando faltava algo, faziam vista grossa e substituíam esse algo por qualquer coisa que tivessem à mão. Assim, o teto da sala de máquinas se cobriu de alcatrão, que foi o que os bombeiros estiveram apagando. E quem dirigia a central atômica? Entre os diretores, não havia nenhum físico nuclear. Havia engenheiros de energia, de turbinas, comissários políticos, mas nenhum especialista. Nenhum físico.

O homem inventou uma técnica para a qual ainda não está preparado. Não está ao seu nível. É possível dar uma pistola a uma criança? Nós somos crianças loucas. Mas isso são emoções, e eu me proíbo de me deixar levar pelas emoções.

A terra... A terra e a água estavam cheias de radionuclídeos, dezenas deles. Faltam radioecólogos. Não havia nenhum na Bielorrússia, trouxeram-nos de Moscou. Durante um tempo, trabalhou na nossa Academia de Ciências a professora Tcherkássova, uma cientista que havia se dedicado ao problema das pequenas doses e das irradiações internas. Cinco anos antes de Tchernóbil, fecharam o seu laboratório; no nosso país não pode haver nenhuma catástrofe. Como você pode pensar nisso? As centrais atômicas soviéticas são as mais avançadas e as melhores do mundo. Que doses pequenas? Que radiações internas? Alimentos radiativos? Suprimiram o laboratório e aposentaram a professora. Deixaram-na como guarda-roupeira em algum lugar, pendurando casacos.

E ninguém respondeu por nada.

Depois de cinco anos, o câncer de tireoide aumentou trinta vezes entre as crianças. O crescimento das lesões congênitas de desenvolvimento se estabeleceu, assim como o das doenças renais, do coração, da diabete infantil.

Depois de dez anos, a duração média de vida dos bielorrussos se reduziu a cinquenta ou sessenta anos.

Eu creio na história. No julgamento da história. Tchernóbil não terminou, apenas começa.

Vassíli Boríssovitch Nesterénko, ex-diretor do Instituto de Energia Nuclear da Academia de Ciências da Belarús

MONÓLOGO SOBRE AS VÍTIMAS E OS SACERDOTES

O homem se levanta de manhã cedo. Inicia a sua jornada. E não se detém para pensar na eternidade, os seus pensamentos estão no pão de cada dia. Mas você quer que a gente pense na eternidade. É o erro de todos os humanistas.

O que é Tchernóbil?

Chegamos a uma aldeia. Temos um pequeno ônibus alemão (com que presentearam a nossa fundação), e as crianças nos rodeiam: "Tia! Tio! Nós somos de Tchernóbil. O que vocês trouxeram para a gente? Me dê um presente, tia! Me dê alguma coisa, tio, me dê!".

Isso é Tchernóbil.

A caminho da zona, pela estrada, encontramos uma velha de saia bordada para dias de festa e avental, com uma trouxa nas costas.

"Aonde vai, avó? Visitar alguém?"

"Vou para Marki. Para a minha casa…"

Ela se dirige a um lugar com 140 curie! Faz uma caminhada de 25 quilômetros. Ela vai num dia e volta noutro. Trará na volta um recipiente de três litros que esteve pendurado dois anos na sua cerca. Mas estará em casa.

Isso é Tchernóbil.

O que eu lembro dos primeiros dias? Como foi? Nesse caso eu deveria começar por… Para contar a minha vida, é preciso começar pela infância. O mesmo acontece aqui. Eu tenho o meu marco zero. E me lembro de outra coisa… Lembro o quadragésimo aniversário da Vitória. Foram os primeiros fogos de artifício que vimos em Moguilióv. Depois da solenidade oficial, as pessoas não se dispersaram como de hábito, mas permaneceram ali, cantando canções. Isso foi totalmente inesperado. Eu me lembro do sentimento geral. Depois de quarenta anos, todos se puseram a falar da guerra, começaram a compreender. Porque até esse momento, todos nos dedicávamos a sobreviver, a nos reconstituir, a ter filhos.

O mesmo se dará com Tchernóbil. No futuro ainda voltaremos a Tchernóbil e ele se revelará para nós com mais profundidade. Ele se converterá em algo sagrado. Num muro das lamentações. Por enquanto não há fórmulas. Não há fórmulas! Não há ideias. Os curie, os rems, os roentgen — isso não significa assimilar a realidade. Não é filosofia. Não é uma visão de mundo. O nosso homem ou leva um fuzil, ou leva uma cruz. Tem sido assim por toda a nossa história. E não existiu outro homem. Ainda não.

A minha mãe trabalhava no Estado-Maior da Defesa Civil da cidade. Ela foi uma das primeiras a se inteirar; todo o aparelho se pôs em marcha. De acordo com a instrução que penduraram nos gabinetes, era necessário informar imediatamente a população, distribuir respiradores, máscaras antigás etc. Os depósitos secretos foram abertos, os selos e lacres das portas rompidos, mas tudo o que havia lá se encontrava em estado lamentável, era irrecuperável, inutilizável. Nas escolas, as máscaras antigás eram de um modelo anterior à guerra e nem sequer os tamanhos correspondiam aos das crianças. Os aparelhos indicavam uma radiação fora da escala, mas ninguém podia entender nada, uma coisa assim nunca havia acontecido. E simplesmente desligaram os aparelhos.

A minha mãe justificava: "Se tivesse começado uma guerra, saberíamos o que fazer. Para a guerra, dispúnhamos de instruções. Mas isso?".

Quem encabeçava a nossa defesa civil? Generais e coronéis para quem a guerra começa da seguinte forma: estações de rádio transmitem as declarações do governo, alarme aéreo, projéteis explosivos, bombas incendiárias. Eles não se davam conta de que estávamos em outra época. Mas isso só seria possível com uma ruptura psicológica. Uma ruptura que ocorreu agora. Hoje nós sabemos que podemos estar em casa tomando o nosso chá, celebrando algo, conversando, rindo, enquanto a guerra prossegue o seu curso. Nem perceberemos que já desaparecemos.

Quanto à defesa civil, era um jogo de que tomavam parte alguns senhores de idade. Que respondiam pela realização de desfiles e exercícios militares. Isso valia milhões. Nós éramos obrigados a deixar o trabalho durante três dias, sem nenhuma explicação, para tomar parte em exercícios militares. Esse jogo se chamava "Em caso de guerra atômica". Os homens representavam soldados e bombeiros, as mulheres, enfermeiras. Recebíamos macacões, botas, bolsas de primeiros socorros, pacotes de ataduras e alguns medicamentos. E é isso! O povo soviético deve enfrentar o inimigo dignamente. Mapas secretos, planos de evacuação, tudo isso se guardava em caixas-fortes. Seguindo esses planos, em minutos contados soava o alarme, e as pessoas deveriam estar mobilizadas para ser conduzidas ao bosque, a alguma zona segura. Tocavam a sirene e… Atenção! Guerra!

Os melhores eram premiados com bandeiras. E se celebrava um banquete de campanha. Os homens brindavam pela nossa vitória futura! E, claro, pelas mulheres!

Isso foi há pouco tempo. Já agora… Anunciou-se um alarme na cidade. Atenção! Defesa civil! Foi na semana passada. As pessoas ficaram apreensivas, mas era outro tipo de temor. Já não temiam uma invasão americana ou alemã, e sim um novo Tchernóbil. "Será possível?"

Em 1986, quem éramos nós? Como nos surpreendeu essa versão tecnológica de fim de mundo? Quem era eu? Nós? A nossa intelectualidade local tinha os seus círculos. Vivíamos uma vida à parte, afastados de tudo à nossa volta. Era uma forma de protesto. Tínhamos as nossas leis: não líamos o jornal *Právda*, mas a revista *Ogoniók*** passava de mão em mão. Logo que as rédeas afrouxaram, sorvíamos com ânsia aquele ar fresco. Líamos as obras em *samizdat*, que depois de muito tempo chegaram às nossas mãos, a esse nosso fim de mundo. Líamos Soljenítsin, Chalámov. Vênia Ierofiéev. Visitávamos uns aos outros e levávamos conversas in-

---

* Primeira publicação dentro do espírito da perestroika, sobretudo no que se refere à liberdade de expressão.

termináveis nas cozinhas. Tínhamos certos anseios. Por exemplo, em algum lugar viviam atores, estrelas de cinema. Então, eu me fazia de Catherine Deneuve, vestia alguns panos ridículos, fazia um penteado inusitado. Era uma ânsia de liberdade, uma busca por aquele mundo desconhecido. Mas era também um jogo, uma fuga da realidade. Um integrante do nosso grupo perdeu a coragem, passou a embebedar-se, outro ingressou no Partido e começou a fazer carreira. Ninguém acreditava que um dia os muros do Krémlin pudessem ruir. Fender, desabar. Não durante a nossa vida. Bem, se deve ser assim, estamos nos lixando para o que acontece por lá, vamos viver aqui. No nosso mundo ilusório.

Quanto a Tchernóbil, de início a nossa reação foi a mesma. Que me importa? As autoridades que se virem, Tchernóbil é deles. E além do mais é longe. Não está nem no mapa, não nos interessa. Nós não precisamos dessa verdade. Mas quando apareceram nas garrafas de leite as etiquetas "Leite para crianças" e "Leite para adultos", então dissemos a nós mesmos: aí tem coisa! Algo estava acontecendo bem perto. Eu não sou membro do Partido, mas sou soviética. Surgiu o medo: o que há com as folhas do rabanete esse ano, que parecem com as da beterraba? À noite, ligamos a televisão e lá dizem: "Não se deixem influenciar por provocações". E todas as dúvidas se dissipam.

E a demonstração do Primeiro de Maio? Ninguém nos obrigava a ir; a mim, por exemplo, ninguém me obrigou. Tínhamos escolha, mas não a usamos. Eu não me lembro de outra demonstração do Primeiro de Maio tão cheia de gente, tão alegre como a daquele ano. Tinha soado o alarme e todos queriam se abrigar no rebanho. Apoiar-se no outro. Estar junto com os demais. Era preciso criticar alguém, sejam as autoridades, seja o governo ou os comunistas.

Hoje eu penso... Venho buscando o ponto de ruptura. Onde se rompeu? Mas a ruptura está no início de tudo. É a nossa falta de liberdade. O ápice do livre pensamento é: "Posso comer rabanetes ou não?". A falta de liberdade está dentro de nós.

Eu trabalhava como engenheira na fábrica Khimvoloknó; havia lá um grupo de especialistas alemães que tinham vindo instalar novas máquinas. Eu observava como essas outras pessoas se comportavam, esse povo de um outro mundo. Quando souberam sobre o acidente, na mesma hora exigiram que os médicos viessem, que lhes dessem dosímetros, e passaram a controlar os alimentos. Eles escutavam as suas emissoras de rádio e sabiam o que deviam fazer. Não lhes deram nada, evidentemente. Então, os alemães arrumaram as malas e se prepararam para partir. Comprem-nos as passagens! Mandem-nos de volta para casa! Nós vamos embora, uma vez que vocês não estão dispostos a garantir a nossa segurança. Entraram em greve e enviaram telegramas para o seu governo. Para o seu presidente. Lutavam pelas suas mulheres, pelos seus filhos (tinham vindo com a família). Por suas vidas.

E nós? Como nos comportamos? Ah, vejam só esses alemães, que histéricos! Covardes! Medem a radiação no borche, nos bolinhos de carne. Evitam sair à rua. Chega a ser cômico! Os nossos homens sim que são homens de verdade! Homens russos! Dispostos a tudo! Lutam contra o reator! Não temem pela própria vida! Sobem ao teto fundido com mãos nuas em luvas de borracha (nós tínhamos visto isso na tevê)! E as nossas crianças vão com as suas bandeirinhas ao desfile! E também os veteranos de guerra. A velha guarda! (*Fica pensativa.*)

Mas isso é também a imagem da barbárie, essa falta de medo pela própria vida. Nós sempre falamos "nós" e não "eu": "nós mostraremos o heroísmo soviético", "nós revelaremos o caráter soviético" para o mundo todo! Essa sou eu! Mas não quero morrer. Tenho medo.

É interessante observar hoje a si mesma, observar os seus sentimentos. Como mudaram. Analisar tudo isso. Há tempos procuro estar mais atenta ao mundo que me rodeia. Ao entorno e a mim mesma. Depois de Tchernóbil, sente-se isso. Nós temos aprendido a dizer "eu". Eu não quero morrer! Eu tenho medo. Mas, e então? Então, um dia ligo a tevê, aumento o volume e assisto entregarem a bandeira vermelha a umas ordenhadoras, vencedoras da competição socialista! Mas isso é aqui? Perto de Moguilióv? Numa aldeia situada no centro da mancha de césio? Dali a pouco a evacuarão. Logo, logo. Entra a voz do locutor: "A população trabalha com total entrega, sem se importar com as dificuldades"; "Maravilhosa mostra de coragem e heroísmo".

Que venha o dilúvio! Avancemos em passo revolucionário! Sim, eu não sou membro do Partido, mas ainda sou soviética! "Camaradas, não prestem atenção nas provocações!", troveja dia e noite na televisão. E as dúvidas se dissipam.

(*O telefone toca. Voltamos à conversa depois de meia hora.*)

Todas as pessoas novas me interessam. Todas as que pensam nisso.

Temos à nossa frente a tarefa de compreender Tchernóbil como filosofia. Há dois Estados separados por uma cerca de arame farpado: um é a zona, o outro, o restante. Nos postes apodrecidos que cercam a zona, como se fossem cruzes, penduraram panos brancos. São os nossos costumes. As pessoas vão ali como se estivessem indo a um cemitério. O mundo depois da tecnologia. O tempo andou para trás. Ali estão enterradas não só as suas casas, mas também uma época inteira. A época da fé! Da fé na ciência! Na ideia de uma justiça social! O grande império se desfez em pedaços. Desmoronou. Primeiro, com o Afeganistão, e logo depois com Tchernóbil. Com a queda do império, nós ficamos sozinhos. Temo dizer isso, mas nós... nós amamos Tchernóbil. Passamos a amar. Reencontramos o sentido da nossa vida. O sentido do nosso sofrimento. Como a guerra. O mundo nos descobriu, a nós, bielorrussos, depois de Tchernóbil. Antes, éramos uma janela para a Europa. Tchernóbil... Nós somos ao mesmo tempo as suas vítimas e os seus sacerdotes. É terrível pronunciar isso. Entendi isso faz pouco tempo.

Na zona, até os ruídos são outros. Você entra numa casa e tem a sensação de estar no conto da Bela Adormecida. Se ainda não a saquearam, você pode encontrar fotografias, utensílios, móveis. E tem a impressão de que os donos estão por ali. Às vezes os encontramos. Mas eles não falam de Tchernóbil, e sim de como os enganaram. Eles se preocupam em saber se receberão tudo a que têm direito e se outros não estão recebendo mais que eles. O nosso povo sempre tem a sensação de que o estão enganando, em todas as etapas do grande caminho. Por um lado há niilismo e negação; por outro, fatalismo. Não acredita nas autoridades, nem nos cientistas, nem nos médicos, mas tampouco toma qualquer iniciativa. É uma gente inocente e desvalida, que encontra sentido e justificação no próprio sofrimento; todo o resto parece não ter importância.

Ao longo dos campos veem-se tabuletas com os dizeres: "Alta radiação", enquanto seguem arando as terras. Verificam-se trinta curie, cinquenta curie. Os tratoristas, trabalhando em cabines abertas (passados dez anos, até hoje não há tratores com cabines herméticas), respiram o pó radiativo. Dez anos se passaram! Quem somos nós? Vivemos numa terra radiativa, aramos, semeamos. Trazemos crianças ao mundo. Qual é, então, o sentido do nosso sofrimento? Para que sofremos? Por que há tanto sofrimento? Eu discuto muito sobre isso com os meus amigos. Frequentemente discutimos. Porque a zona não são os rems, os curie, os microrroentgen. É o povo. O nosso povo. Tchernóbil deu uma "ajuda" ao nosso sistema moribundo. Mas trouxe de volta a época das medidas extremas. A redistribuição. O racionamento. Assim, como antes te metiam na cabeça que "se não fosse a guerra", agora surgia a possibilidade de jogar tudo na conta de Tchernóbil.

"Se não fosse Tchernóbil"… E outra vez, a resposta do povo com os olhos lânguidos de tristeza: "Dê-nos algo! Dê-nos algo para repartir. Uma manjedoura! Um para-raios!".

Tchernóbil já é história, mas também é o meu trabalho. Viajo, vejo. Houve, em certa época, a aldeia patriarcal bielorrussa. A casa bielorrussa. Sem banheiro e sem água quente, mas com ícones, um poço de madeira, toalhas bordadas, mantas. Com a sua hospitalidade. Um dia passamos numa dessas casas para tomar água e a dona retirou de um velho cofre, velho como ela, uma toalha bordada e me estendeu: "Isso é para você, como lembrança da minha casa". Havia o bosque, o campo. Conservavam a vida em comunidade e traços da velha liberdade: a terra ao redor da casa, o pomar, a vaca. De Tchernóbil, foram transferidos para a "Europa", para uns povoados de tipo europeu. Lá, podiam construir uma casa melhor, mais confortável, mas jamais poderiam reconstruir no novo lugar aquele vasto mundo ao qual estavam visceralmente ligados. Um golpe colossal na psique do ser humano, que rompeu as tradições de toda uma cultura secular. Quando você se aproxima desses novos povoados, essas pessoas aparecem como miragens no horizonte. Como pinturas em tons de azul, amarelo e vermelho. E os nomes dos povoados são Maiski, Solniétchni.* Os *cottages* europeus são muito mais cômodos que as velhas casas. Era um futuro já pronto. Mas não se pode cair no futuro de paraquedas. Converteram essa gente em etíopes. Eles sentavam na terra e esperavam a chegada do avião ou do ônibus com ajuda humanitária. Não havia absolutamente a menor chance de que se alegrassem com aquilo: fui tirado do inferno, tenho uma casa, uma terra limpa e tenho que salvar os meus filhos, que levam Tchernóbil no sangue e nos genes. Esperam um milagre. Vão à igreja. Sabe o que pedem a Deus? Isso mesmo, um milagre.

---

* Povoado "de maio", "do sol".

Não, não pedem que Deus lhes dê saúde e forças para que consigam algo por si mesmos. Estão acostumados a pedir. Seja ao estrangeiro, seja aos céus.

Vivem nesses *cottages* como se estivessem numa jaula. As casas se arruínam e se desmontam. Vive nelas um homem privado de liberdade, um indivíduo condenado. Vive na humilhação e no medo, e não crava nela um prego. Quer que chegue o comunismo. Espera. O comunismo é necessário para a zona. Ali, em todas as eleições, votam a favor da mão de ferro, anseiam pela ordem stalinista, militar. Para eles, isso é sinônimo de justiça. Na nova moradia, vivem numa espécie de ordem marcial: postos de polícia, gente de uniforme militar, sistema de salvo-conduto, racionamento, funcionários que distribuem a ajuda humanitária. Sobre as caixas, vem escrito em alemão e em russo: "Proibido trocar. Proibido vender". Mas tudo é vendido em todos os lugares. Em qualquer quiosque.

E novamente como um jogo, um show publicitário. Eu conduzo uma caravana de ajuda humanitária. De gente de fora, estrangeiros, que em nome de Cristo ou por alguma outra razão vêm nos ver. E nos charcos, na lama, com as suas jaquetas, casacos e botas de lona, encontro a minha tribo. "Não precisamos de nada! De qualquer forma vão roubar tudo!", leio essas palavras nos seus olhos. Mas ao mesmo tempo, percebo neles o desejo de que fique uma caixa, um caixote, alguma coisa estrangeira. Já sabemos onde vive essa e aquela idosa. Como numa reserva. E vem um desejo louco e repugnante... de ofender! Eu digo, subitamente: "Nós agora vamos lhes mostrar algo incrível! Vocês verão algo que não encontrarão nem na África! Que não existe em nenhum outro lugar do mundo! Medições de duzentos curie! De trezentos curie". E as avós começam a mudar as suas expressões; algumas se converteram em autênticas "estrelas" de cinema. Já aprenderam os monólogos, até as lágrimas brotam nos momentos apropriados. Quando apareceram os primeiros estrangeiros, elas se calavam, só choravam. Agora já aprenderam a falar. Podem conseguir uns chicletes para as crianças, uma caixinha ou outra de roupa. Quem sabe... E tudo isso convive lado a lado com uma filosofia profunda, porque esses homens têm a sua própria relação com a morte, com o tempo. E não abandonam as suas velhas casas, não trocam os seus cemitérios queridos por chocolate alemão. Nem por goma de mascar.

Na viagem de volta, eu lhes mostro: "Que bela terra!". O sol já está baixo no horizonte. Ilumina o bosque, o campo, se despede de nós. "Sim", diz alguém do grupo de alemães, falante de russo, "bela, mas envenenada." Tem nas mãos um dosímetro.

Então, entendi que aquele pôr do sol era só para mim. É a minha terra.

Natália Arsénievna Roslova, presidenta do Comitê de Mulheres de Moguilióv "Crianças de Tchernóbil"

Coro de crianças

Aliocha Biélski, nove anos; Ánia Boguch, dez anos; Natacha Dvoriétskaia, dezesseis anos; Léna Judró, quinze anos; Iura Juk, quinze anos; Ólia Zvónak, dez anos; Sniéjana Ziniévitch, dezesseis anos; Ira Kudriátcheva, catorze anos; Iúlia Kaskó, onze anos; Vánia Kovaróv, doze anos; Vadim Krasnosolníchko, nove anos; Vássia Mikúlitch, quinze anos; Anton Nachivánkin, catorze anos; Marat Tatártsev, dezesseis anos; Iúlia Taráskina, quinze anos; Kátia Chevtchuk, catorze anos; Boris Chkirmánkov, dezesseis anos.

Eu estava no hospital. Estava tão doente... Pedi à minha mãe: "Mamãe eu não aguento mais. É melhor que você me mate!'".

A nuvem era tão negra, um aguaceiro tão grande... Os charcos ficaram amarelos. Verdes. Como se tivessem pintado tudo. Diziam que era o pólen das flores. Nós não corríamos pelos charcos, só olhávamos. A vovó nos trancava no galpão. Ficava de joelhos e rezava. E nos dizia: "Rezem! É o fim do mundo. É o castigo de

Deus pelos nossos pecados". O meu irmão tinha oito anos, e eu seis. Nós começamos a pensar nos nossos pecados: ele tinha quebrado um pote de geleia de framboesa, e eu não tinha contado à minha mãe que prendi e rasguei o vestido novo na cerca, e depois escondi no armário.

A minha mãe se veste sempre de preto. Com um lenço preto. Na nossa rua, todo dia enterram alguém. Todo mundo chora. Eu escuto a música, corro para casa e rezo o pai-nosso. Rezo pela mamãe e pelo papai.

Os soldados chegaram nos carros, vieram nos buscar. Eu pensei que tinha começado uma guerra. Os soldados carregavam metralhadoras de verdade. Diziam umas palavras que eu não entendia: "desativação", "isótopos".

No caminho, tive um sonho: explodia uma bomba! Mas eu continuava vivo! Não havia mais casas nem família, nem pardais nem corvos. Tudo tinha sumido. Acordei assustado, dei um pulo. Abri as cortinas e olhei pela janela para ver se aquele horrível cogumelo ainda estava no céu.

Eu me lembro de um soldado perseguindo um gato. Quando se aproximou do bichano, o dosímetro zumbiu como uma metralhadora: tata-tatatatata-tata. Um menino e uma menina corriam atrás do gato, era deles. O menino não dizia nada, mas a menina gritava: "Não vou te dar o meu gato!". Corria e gritava: "Foge, bichaninha! Foge, fofinha!". E o soldado corria atrás deles com uma bolsa grande de plástico.

Nós deixamos o meu hamster trancado em casa. Era branquinho. Deixamos comida para dois dias. E fomos embora para sempre.

* * *

Era a primeira vez que eu viajava de trem. O trem estava cheio de crianças. Os menorezinhos berravam, se sujavam. Havia uma educadora para vinte crianças, e todos choravam: "Mamãe! Cadê a minha mamãe!? Quero ir para casa!". Eu tinha dez anos, mas as meninas da minha idade ajudavam a acalmar as crianças. As mulheres vinham nos ver nas plataformas das estações e benziam o trem. Traziam para a gente bolinhos, leite, batatas quentinhas.

Nos levavam para uma região perto de Leningrado. Lá, quando nos aproximávamos das estações as pessoas se benziam e olhavam de longe. Tinham medo do nosso trem. E em cada estação, lavavam todo o trem. Uma vez, numa parada, descemos do vagão e fomos a uma cantina; não deixaram mais ninguém entrar depois de nós: "Aqui tem umas crianças de Tchernóbil tomando sorvete". A cantineira falava pelo telefone: "Depois que forem embora, vamos lavar o chão com cloro e ferver os copos". E nós estávamos escutando.

Uns médicos nos receberam. Estavam com máscara antigás e luvas de borracha. Tiraram toda a nossa roupa, todas as coisas, até envelopes, lápis e canetas, puseram tudo em sacos plásticos e enterraram no bosque.

Nós ficamos tão assustados que depois, durante muito tempo, ficávamos esperando o momento em que começaríamos a morrer.

Mamãe e papai se beijaram e eu nasci.

Antes eu pensava que nunca ia morrer. Mas agora sei que vou morrer. Tinha um menino no hospital comigo, Vádik Korinkóv. Ele desenhou uns passarinhos para mim, e umas casinhas.

Ele morreu. Não tenho medo de morrer. Você vai dormir por muito tempo e não acorda nunca. Vádik me disse que quando ele morresse, ia viver muito tempo em outro lugar. Um menino mais velho que falou isso para ele. Ele não tinha medo.

Eu sonhei que tinha morrido. No sonho, ouvi a minha mãe chorar. E acordei.

Nós partimos… Quero contar como a vovó se despediu de casa. Ela pediu ao papai para apanhar no celeiro um saco de painço e espalhou tudo pelo jardim: "Para os passarinhos de Deus". Recolheu os ovos num cesto e despejou no pátio: "Para o nosso gato e para o cachorro". Cortou toucinho para eles. Tirou todas as sementes dos saquinhos: de cenoura, abóbora, pepino, cebola, de vários tipos de plantas e flores… E espalhou tudo pela horta: "Que vivam na terra". Depois, se inclinou diante da casa. Diante do celeiro. Percorreu as macieiras e se inclinou diante de cada uma delas.

E o vovô, quando estávamos saindo, tirou o chapéu.

Eu era pequeno. Tinha seis… não, acho que oito anos. É isso mesmo, oito anos. Contei agora. Lembro que eu tinha muito medo. Tinha medo de correr descalço pela grama. Mamãe tinha medo que eu morresse. Eu não nadava, não mergulhava, tinha medo de tudo. De arrancar nozes no bosque. De pegar um besouro com a mão. Porque ele anda na terra, e ela está contaminada. As formigas, as borboletas, os zangões, todos estavam contaminados. Mamãe lembra que na farmácia disseram a ela para me dar uma colher de chá de iodo! Três vezes por dia. Mas ela ficou com medo.

Nós estávamos esperando a primavera: será que as margaridas vão desabrochar de novo, como antes? Todos nos diziam que o mundo estava mudando. Pelo rádio, pela televisão. Então, talvez as margaridas se transformassem. Se transformariam em quê? Em alguma coisa diferente. E nas raposas nasceria um segundo rabo, os ouriços nasceriam sem espinhos, as rosas, sem pétalas. Os homens pareceriam humanoides, de cor amarela. Sem cabelo, sem pestanas. Só olhos. E o pôr do sol não seria vermelho, seria verde. Eu era pequeno. Tinha oito anos.

A primavera veio, e as folhas dos brotos brotaram como sempre. Verdes. As macieiras floresceram. Brancas. Começamos a sentir o aroma das cerejas. As margaridas desabrocharam. Estava tudo como antes. Então, corremos até o rio para falar com os pescadores: os peixes ainda têm cabeça e cauda como antes? O lúcio também? Fomos verificar os estorninhos: ainda voavam? E teriam ninhadas?

Tivemos muito trabalho naqueles dias. Fomos verificar tudo.

Os adultos cochichavam. Eu ouvi.

Desde o ano em que eu nasci, 1986, nunca houve nem meninos nem meninas na nossa aldeia. Nem um. Eu vivia sozinho. Os médicos não queriam que eu nascesse. Assustavam mamãe. Uma coisa assim. Então, a minha mãe escapou do hospital e se escondeu na casa da minha avó. E então eu... apareci. Nasci, quero dizer. Eu ouvi tudo isso escondido.

Não tenho irmão nem irmã. Mas eu queria muito. De onde vêm as crianças? Eu queria ir lá buscar um irmãozinho.

A vovó me dá respostas diferentes:

"A cegonha é que traz, carrega no bico. Às vezes, uma menina cresce no campo. Os meninos crescem nos bagos, quando são atirados ali pelos passarinhos."

A mamãe diz outra coisa:

"Você caiu do céu."

"Como?"

"A chuva despejou você, caiu direto nas minhas mãos."

Tia, você é escritora? Como é isso de que eu podia não existir? Então, onde eu estaria? Num lugar bem alto no céu? Talvez noutro planeta?

Antes eu adorava ir a exposições. Ver os quadros. Trouxeram uma exposição sobre Tchernóbil para a nossa cidade: no bosque, um potro correndo com oito ou dez patas. Um bezerro com três cabeças. Uma jaula com uns coelhos calvos, como que de plástico. Pessoas de escafandro passeando por um prado. Árvores mais altas que igrejas, e flores como árvores. Não consegui ver até o fim. Dei com um quadro: um menino com os braços estendidos, talvez para uma flor, talvez para o sol, mas esse menino em lugar de nariz tinha uma tromba. Me deu vontade de chorar, de gritar: "Nós não precisamos dessas exposições! Não tragam isso para cá! Todos já falam em morte à nossa volta. Em mutantes. Eu não quero!".

No primeiro dia as pessoas foram à exposição, depois ninguém mais pisou lá. Em Moscou e Petersburgo, os jornais disseram que as pessoas estavam indo em massa. Aqui, a sala ficou vazia.

Fui fazer um tratamento na Áustria. Lá tinha gente capaz de pendurar uma fotografia dessas em casa. Um menino com tromba, ou com nadadeiras em lugar de braços. E olhar a foto todo dia, para não esquecer os que estão mal. Mas quando você vive aqui, percebe que nada disso é ficção científica, nada disso é arte, que é a vida. A minha vida. Se pudesse escolher, eu penduraria no meu quarto paisagens bonitas para que tudo fique normal: as árvores, os pássaros. Coisas normais. Alegres.

Quero pensar em coisas bonitas.

* * *

No primeiro ano depois do acidente, os pardais desapareceram da nossa aldeia. Antes, eles estavam em todo lugar: nos jardins, no asfalto. As pessoas apanhavam os pássaros e os depositavam em caixas com folhas. Naquele ano proibiram queimar as folhas, elas eram radiativas. Então, enterravam.

Depois de dois anos, os pardais voltaram. Nós ficamos alegres e gritamos: "Ontem eu vi um pardal. Eles voltaram".

Desapareceram os besouros de maio. E até hoje, não tem nenhum. Pode ser que eles voltem daqui a cem anos, mil anos, como diz o nosso professor. Mas nem eu vou poder ver. Eu que só tenho nove anos.

E a minha avó, então, que está velhinha?

Era 1º de setembro. Início das aulas. Mas naquele dia não havia nem um buquê. As flores, nós já sabíamos, tinham radiação. Antes das aulas começarem, os soldados vieram trabalhar na escola, no lugar dos carpinteiros e dos pintores. Eles cortaram as flores, arrancaram a terra, puseram tudo em caminhões basculantes e levaram para algum lugar. Talharam um parque grande e antigo. Cortaram as velhas tílias.

A vovó Nádia era sempre chamada nas casas quando morria alguém. Para carpir e fazer as orações. Ela dizia: "Não caiu nenhum raio. Não veio nenhuma seca. O mar não cobriu. E estão ali, caídas como ataúdes negros". Ela chorava pelas árvores como chorava pelas pessoas. "Ah, o meu carvalho!" "A minha macieira querida!"

Depois de um ano, evacuaram todos nós e enterraram a aldeia. O meu pai é motorista, ele esteve lá e nos contou. Primeiro cavam um buraco enorme. De cinco metros. Chegam os bombeiros e com as mangueiras molham a casa toda, de cima até as fundações, para não levantar pó radiativo. As janelas, o telhado, a porta, molham tudo. Depois, um guindaste suspende a casa e deposita no buraco. Os livros, as bonecas, os potes de conservas, essas coisas caem e se espalham. Uma escavadeira recolhe tudo. Enterram tudo com areia e barro e comprimem. No lugar da aldeia fica um campo liso. A nossa casa está enterrada lá. E a escola, o soviete local. E também o meu herbário e dois álbuns de selos, que eu sonhava buscar.

Eu tinha uma bicicleta. Tinham acabado de comprar para mim.

Eu tenho doze anos. Passo o dia todo em casa, sou inválida. O carteiro traz à nossa casa duas pensões, a minha e a do meu avô. As meninas da minha turma, quando souberam que eu tinha câncer no sangue, ficaram com medo de sentar do meu lado. De me tocar. Mas eu olhava as minhas mãos, a minha pasta e os cadernos. Não havia nada de diferente. Por que tinham medo de mim?

Os médicos disseram que eu adoeci porque o meu pai trabalhava em Tchernóbil. Mas eu nasci depois disso.

E eu amo o papai.

Eu nunca vi tanto soldado. Os soldados molhavam as árvores, as casas, os telhados. Lavavam as vacas do colcoz. Eu pensava: "Coitados dos bichos do bosque! Ninguém nunca os lava. Vão morrer. E o bosque também ninguém nunca lava. Também vai morrer".

A professora dizia: "Desenhem a radiação". Eu desenhei uma chuva amarela. E um rio vermelho.

* * *

Desde pequeno, eu gostava de máquinas. Eu sonhava: vou crescer e serei técnico como o papai, que também adorava máquinas. Nós dois juntos estávamos sempre construindo alguma coisa. Montando coisas.

O papai foi embora. Eu não ouvi ele sair, estava dormindo. De manhã, vi a minha mãe chorando: "O papai está em Tchernóbil".

Esperamos o papai como se ele tivesse ido à guerra.

Ele voltou para casa e para a fábrica onde trabalhava. Não contava nada. Mas na escola, eu dizia orgulhoso para todo mundo que o meu pai tinha voltado de Tchernóbil, que tinha trabalhado lá como liquidador, que liquidador era quem ajudava a liquidar o acidente. Herói! Os meus colegas me invejavam.

Depois de um ano, o meu pai adoeceu.

Nós passeávamos pelo jardim do hospital. Isso foi depois da segunda cirurgia. E ele pela primeira vez conversou comigo sobre Tchernóbil.

Trabalhava perto do reator. Tudo estava tranquilo e em paz, lembrava, parecia até bonito. Mas alguma coisa estava acontecendo. Os jardins cresciam, mas para quem? As pessoas tinham abandonado as aldeias. Quando passaram pela cidade de Prípiat, viram varandas com flores e roupas penduradas; debaixo de um arbusto, uma bicicleta com a bolsa de lona de um carteiro cheia de jornais e cartas. Sobre ela havia um ninho de passarinho. Como eu vi no cinema.

Eles "limpavam" os locais de tudo o que era possível retirar. Arrancavam a terra contaminada de césio e estrôncio. Lavavam os telhados. Mas no dia seguinte, tudo voltava a "arder".

"Ao nos despedirmos, nos deram um aperto de mão e nos entregaram um certificado em que expressavam o seu agradecimento pela nossa dedicação", recordava o meu pai. Recordava e recordava. Da última vez em que voltou do hospital, ele nos disse: "Se eu sobreviver, direi adeus à química e à física. Deixarei a fábrica. Só trabalharei de pastor".

A mamãe e eu ficamos sozinhos. Não vou para o instituto técnico, como sonha a minha mãe. Foi lá que o meu pai estudou.

Eu tenho um irmãozinho pequeno. Ele adora brincar de "Tchernóbil". Constrói um abrigo, cobre de areia o reator. Ou então se veste de espantalho e corre atrás de todo mundo: "Uh-uh-uh! Eu sou a radiação! Uh-uh-uh! Eu sou a radiação!".

Ele ainda não existia quando aquilo aconteceu.

De noite é como se eu voasse. Voo ao redor de uma luz brilhante. Isso não é o mundo real, mas também não é o além. É um e outro, e alguma coisa mais. No sonho, sei que posso entrar dentro desse mundo e passar por ele. Ou ficar nele. A língua enrola, a respiração falha, mas lá eu não preciso falar com ninguém. Já aconteceu algo parecido comigo outra vez. Mas quando foi, eu não lembro. Sinto um desejo de me fundir com os outros, mas não vejo ninguém. Só a luz. A sensação é de que eu posso tocá-la. Como eu sou enorme! Estou com os outros, mas já separado, à parte. Sozinho. No início da minha infância eu via algumas imagens em cores, como vejo agora, nesse sonho.

Há um determinado momento em que eu não posso pensar em mais nada. Apenas... De repente, uma janela se abre. Entra uma repentina rajada de vento. O que é isso? De onde vem? Entre mim e alguém mais se estabelece um contato. Uma comunicação.

Mas como me aborrecem essas paredes cinza do hospital. Como estou fraco ainda. Cubro a cabeça, porque a luz me perturba. E eu me estico, me estico. Começo a olhar para o alto.

E a minha mãe chega. Ontem ela pendurou um ícone na enfermaria. Cochicha alguma coisa naquele canto, se põe de joelhos. Todos se calam: professores, médicos, enfermeiras. Acham que eu não suspeito de nada. Que não sei que vou morrer em breve. Mas de noite eu aprendo a voar.

Quem disse que voar é fácil?

Certa época, eu fazia versos. Estava apaixonado por uma menina do quinto ano. No sétimo, descobri que a morte existe. O meu poeta preferido é García Lorca. Li dele: "A obscura raiz do grito". À noite, os versos soam de forma diferente. De outro modo. Eu comecei a aprender a voar. Não gosto dessa brincadeira, mas o que fazer?

O meu melhor amigo se chamava Andrei. Ele sofreu duas operações e o mandaram para casa. Depois de meio ano, veio a terceira. Ele se pendurou com o cinto, na sala de aula vazia, depois que todos saíram para a ginástica. Os médicos tinham proibido que ele corresse, saltasse, ele que se considerava o melhor jogador de futebol da escola... Antes... Antes das operações.

Aqui eu tenho muitos amigos. Iúlia, Kátia, Vadim, Oksána, Olieg. E agora, Andrei. "Nós morreremos e nos tornaremos ciência", disse Andrei. "Nós morreremos e nos esquecerão", pensa Kátia. "Quando eu morrer, não me enterre num cemitério, tenho medo de cemitérios, lá só há mortos e pardais. Me enterre no campo", pediu Oksána. "Nós morreremos", chorou Iúlia.

Para mim o céu agora está vivo, quando eu olho para ele. Eles estão ali.

Uma solitária voz humana

Há pouco tempo eu era tão feliz! Por quê? Esqueci.

Isso ficou em algum lugar da outra vida. Eu não compreendo. Não sei como pude viver de novo. Eu queria viver. Aí está, consigo rir, conversar.

Senti uma angústia... Fiquei como que paralisada. Queria falar com alguém, mas com alguém que não fosse gente. Fui à igreja, lá é calmo, silencioso, como costuma ser nas montanhas. Um silêncio, uma calma... Lá você pode esquecer a sua vida.

Mas de manhã acordo e procuro com a mão. Onde ele está? O travesseiro, o cheiro dele. Um passarinho pequeno, desconhecido, corre pelo peitoril como um sininho e me desperta. Nunca tinha ouvido antes aquele som, aquela voz. Onde ele está? Não posso transmitir tudo, nem tudo é possível falar. Não entendo como continuo a viver.

À noite, a minha filha se aproxima: "Mamãe, eu já fiz a lição". Então, eu lembro que tenho filhos. Mas onde ele está? "Mamãe, caiu um botão. Costura para mim?" Como posso ir atrás dele? Encontrá-lo? Fecho os olhos e penso nele até dormir. Ele aparece nos sonhos, mas só de relance, rapidamente. Logo desaparece. Eu chego a escutar os seus passos. Mas desaparece para onde? Onde? Ele não queria morrer. Olhava e olhava pela janela. Para o céu. Eu punha atrás dele um travesseiro, dois, três. Para levantar o corpo. Ele foi morrendo aos poucos, ao longo de um ano inteiro. Não podíamos nos separar. (*Cala-se por longo tempo.*)

Não, não! Não se preocupe, não vou chorar. Eu me desacostumei de chorar. Quero falar. Outra vez é tão duro, tão insuportável; quero dizer a mim mesma, me convencer de que não me lembro de nada. Como uma amiga minha, que para não ficar louca... Ela... Os nossos maridos morreram no mesmo ano, estiveram juntos em Tchernóbil. Ela está disposta a se casar de novo e quer deixar bem trancada essa porta. A porta está lá, e ele está atrás dela. Não, não, eu a compreendo. Eu sei... É preciso continuar a viver... Ela tem crianças...

Nós estivemos num lugar onde ninguém esteve, vimos o que ninguém viu. Tenho me calado, me calado, mas um dia no trem comecei a contar para pessoas estranhas. Para quê? Estar só é terrível...

Ele foi para Tchernóbil no dia do meu aniversário. As visitas ainda estavam sentadas à mesa, ele se desculpou com elas pela partida. Me beijou. Vi pela janela que o carro já o esperava. Era dia 19 de outubro de 1986. Dia do meu aniversário. Ele era montador de profissão, viajava por toda a União Soviética, e eu o esperava. Assim foi durante anos. Nós vivíamos como vivem os amantes, nos despedíamos e nos reencontrávamos. Mas dessa vez... O medo tomou conta só das nossas mães, a dele e a minha. Eu e ele não tínhamos medo. Hoje eu penso: por quê? Nós não sabíamos para onde ele estava indo? Podíamos, ao menos, ter apanhado o manual de física do filho do vizinho que estava no décimo ano para dar uma folheada nele.

Lá, ele andava sem boné. Os colegas dele, depois de um ano, perderam todo o cabelo; nele, ao contrário, cresceu uma cabeleira densa. Nenhum deles está mais vivo. Eram sete ao todo na brigada, todos morreram. Jovens. Um depois do outro. O primeiro morreu três anos depois. Bom, pensamos: uma casualidade. O destino. Em seguida, morreram o segundo, o terceiro, o quarto. E os restantes passaram a esperar a sua vez. Foi assim que viveram! O meu marido foi o último. Eram montadores-escaladores. Desconectavam a energia nas aldeias evacuadas, subiam nos postes. Percorriam as casas, as ruas abandonadas. Todo o tempo no alto, nas alturas. Com dois metros de altura e noventa quilos, quem podia matar um homem assim? Durante muito tempo não tivemos medo. (*Sorri inesperadamente.*)

Ah, como eu era feliz! Ele voltou. Eu o vi de novo. Em casa, era sempre uma festa quando ele voltava. Uma festa. Eu vestia uma túnica de dormir bem comprida e muito bonita. Eu gostava de roupas íntimas caras, mas dentre todas, essa túnica era a mais especial. Para os dias de festa. Para o nosso primeiro dia. Para a noite. Eu conhecia todo o seu corpo, palmo a palmo, e o beijava todo. Acontecia até de eu sonhar que era parte do seu corpo, de tal forma éramos inseparáveis. Sem ele eu me sentia só, me doía fisicamente a sua ausência. Depois que nos separamos, fiquei desorientada por algum tempo: onde estou, em que rua, que horas são. Perdi a noção do tempo.

Ele voltou já com os gânglios linfáticos do pescoço inflamados. Descobri com os lábios. Não eram grandes, mas eu sugeri:

"Você vai procurar um médico?"

Ele me tranquilizou:

"Vai passar."

"Como foi lá em Tchernóbil?"

"O trabalho de sempre."

Não havia nem bravata nem pânico nas suas palavras. Uma coisa eu arranquei dele: "Lá é como aqui". No refeitório onde comiam, no primeiro andar, serviam à tropa macarrão e conservas;

no segundo, serviam aos chefes e oficiais militares frutas, vinho tinto, água mineral. As toalhas eram limpas e cada um tinha um dosímetro. No entanto, não deram um dosímetro sequer para toda a brigada.

Eu me lembro do mar. Fomos uma vez de férias. Lembro que havia tanto mar quanto céu. A minha amiga e o marido também foram conosco. A recordação dela é a de um mar sujo, onde todos tinham medo de pegar cólera. Tinham escrito algo parecido nos jornais. A minha lembrança é outra. É a do mar envolto numa luz brilhante. Lembro que o mar estava por toda parte, como o céu. Azul, azul. E o meu marido estava ao meu lado.

Eu nasci para o amor. Para um amor feliz. Na escola, as meninas sonhavam: algumas em ingressar na universidade, outras em trabalhar no Komsomol, mas eu queria me casar. E amar tanto e tão forte como amou Natacha Rostova.* Apenas amar! Mas não podia confessar isso a ninguém, porque nessa época, você deve lembrar, permitia-se sonhar apenas com o Komsomol. Nos inculcavam isso. Morríamos de vontade de ir à Sibéria, à intransponível taiga, cantava-se: "Por trás da neblina e do aroma da taiga".

Não pude entrar no primeiro ano da faculdade, não consegui os pontos suficientes, e fui trabalhar numa central telefônica. Ali nos conhecemos. Eu estava de plantão. E eu mesma fiz o pedido de casamento, eu o pedi em casamento: "Case comigo. Eu te amo tanto!". Eu me apaixonei até a medula. Era um rapaz tão bonito. Eu... Eu estava no céu. Eu mesma pedi: "Case comigo". (*Sorri.*)

Às vezes me ponho a pensar e busco os mais diversos consolos: talvez a morte não seja o fim; quem sabe ele apenas tenha mudado de forma e viva em outro mundo. Em algum lugar por perto. Eu trabalho numa biblioteca, leio muitos livros, encontro diversas pessoas. E sempre tenho vontade de falar sobre a morte.

---

* Personagem de *Guerra e paz*, de Liév Tolstói.

De compreender. Busco consolo nos livros, nos jornais. Só vou ao teatro se o tema é sobre a morte. A ausência dele me provoca dor física, eu não posso viver só.

Ele não queria ir ao médico: "Não percebo nada. Não me dói nada". No entanto, os gânglios linfáticos já estavam enormes, do tamanho de um ovo. Eu o meti à força no carro e o levei ao hospital. Lá, imediatamente o enviaram ao oncologista. O médico o olhou e chamou um colega: "Aqui tem outro de Tchernóbil". E já não o liberaram. Depois de uma semana o operaram: extirparam por completo a glândula tireoide e a laringe, que substituíram por uns tubos. Sim... (*Cala-se.*)

Sim... Agora eu sei que aqueles ainda eram tempos felizes. Deus do céu! Com que tolices eu me ocupava: corria às lojas e comprava presentinhos para os médicos, caixas de bombons, licores importados, chocolates para as enfermeiras. Todos aceitavam. Mas ele ria de mim: "Entenda que eles não são deuses. Aqui há quimioterapia e radioterapia suficientes para todos. E me darão as doses mesmo sem os teus bombons". Apesar disso, eu corria até a outra ponta da cidade atrás da torta "leite de pássaro" ou de algum perfume francês — tudo isso, nessa época, só se conseguia por baixo do pano, através de conhecidos.

Antes de voltarmos para casa — nós voltamos para casa! —, os médicos me deram uma seringa especial e me ensinaram a usá-la. Eu deveria alimentá-lo através dessa seringa. Aprendi a fazer tudo. Quatro vezes por dia eu cozinhava algum alimento fresco, necessariamente fresco, passava tudo pela trituradora, pela peneira e introduzia na seringa. Encaixava a seringa num dos tubos, o mais grosso, e o alimento ia direto para o estômago. Mas ele deixou de sentir odores, de distingui-los. Eu perguntava: "Está gostoso?". Ele não sabia.

Mas, de todo modo, conseguíamos ainda ir ao cinema. E nos beijávamos lá. Estávamos suspensos por um fio finíssimo, mas nos parecia que novamente nos agarrávamos à vida. Procurávamos não falar de Tchernóbil. Não lembrar. Era um tema proibido. Eu não deixava que ele atendesse ao telefone. Corria na sua frente. Os amigos estavam morrendo um depois do outro. Tema proibido.

Mas uma manhã eu o acordo, passo-lhe o roupão e ele não consegue se levantar. Não consegue dizer nada. Deixou de falar. Os olhos grandes, salientes. Foi então que se assustou de verdade. Sim. (*Cala-se novamente.*)

Restou-nos ainda um ano. Durante esse ano, ele foi morrendo aos poucos. Piorava a cada dia, e sabia que os seus companheiros estavam morrendo. Nós já vivíamos com isso. Com essa espera.

Falam de Tchernóbil, escrevem sobre Tchernóbil. Mas ninguém sabe o que é. Aqui, agora, tudo é diferente: nascemos e morremos de outro modo. Não mais como os outros. Você me perguntará como morrem depois de Tchernóbil. Um homem que eu amava, que queria de uma maneira que não poderia ser maior se eu mesma o houvesse parido, esse homem se converteu diante dos meus olhos num... num monstro.

Extirparam-lhe os gânglios, e a ausência deles perturbou toda a circulação sanguínea; o nariz como que se movia, aumentou três vezes de tamanho; os olhos pareciam outros, se deslocavam em direções diferentes, apareceu neles um brilho desconhecido e uma expressão como se não fosse ele, como se fosse outro que olhasse dali. Logo um olho se fechou completamente. E a mim, o que assustava? A única coisa que eu queria era que ele não se visse. Que não se lembrasse de como era. Mas começou a me pedir... a pedir com as mãos que lhe trouxesse um espelho. Eu fazia de conta que ia à cozinha, que tinha me esquecido, que não entendia, inventava alguma coisa. Assim o enganei por dois dias. No terceiro, ele escreveu em letras grandes no caderno e com três pontos de exclamação: "Quero um espelho!!!". Nós já usávamos um caderno, lápis e caneta para nos comunicar, porque nem sussurrar ele conseguia. Estava totalmente mudo. Eu corri para a cozinha e comecei a fazer barulho com as panelas. Como se não tivesse lido, não tivesse entendido. Ele escreveu de novo: "Quero um espelho!!!", com todas essas exclamações. Eu trouxe para ele um espelho bem pequeno. Quando ele se viu, agarrou a cabeça e rolou, rolou na cama. Eu tentava consolá-lo como podia. "Você vai melhorar e nós vamos os dois para alguma aldeia abandonada. Vamos comprar uma casa e viver lá, se você não quiser ficar na cidade, no meio de tanta gente. Vamos viver sozinhos." Eu não o enganava, eu iria com ele aonde quer que fosse desde que ele vivesse, o resto não importava. Era apenas ele e nada mais. Eu não o estava enganando.

Não lembro sobre o que eu queria me calar. Aconteceu de tudo. Eu olhava tão longe, talvez além da morte... (*Detém-se.*)

Eu tinha dezesseis anos quando nos conhecemos, ele era sete anos mais velho. Passamos dois anos nos encontrando. Há uma região em Minsk de que eu gosto muito, fica no bairro dos correios, na rua Volodárski. Ali, embaixo do relógio, começamos a nos encontrar. Eu morava perto da fábrica têxtil e tomava o ônibus número 5, que não parava exatamente nos correios, mas um pouco mais à frente, próximo a uma loja de roupas infantis. O ônibus sempre avançava lentamente na curva, que era justo o que eu precisava. Eu sempre retardava um pouco a minha chegada só para passar de ônibus por ele, vê-lo da janela e suspirar por aquele rapaz tão belo estar me esperando. Durante aqueles dois anos, não me dava conta de nada, nem do inverno, nem do verão. Ele me levava a concertos, para ouvir a minha cantora preferida, Edit Piékha. Não saíamos para dançar. Ele não sabia. E nos beijávamos o tempo todo. Ele me chamava de "minha pequena". No dia do meu aniversário... outra vez o dia do meu aniversário. É estranho, mas as coisas mais importantes da minha vida ocorreram nessa data; depois disso, como não acreditar no destino! Marcamos um encontro às cinco. Estou embaixo do relógio esperando, e ele não chega. Às seis, desolada e em lágrimas, ando na direção do meu ponto de ônibus; atravesso a rua e decido olhar em volta, como se pressentisse, e ele está lá, atravessando o semáforo vermelho, e corre até mim vestido com uma roupa especial do trabalho e de botas. Não o liberaram antes. Assim é como eu mais gostava, em roupa de caça e jaqueta; tudo ficava bem nele.

Fomos para a casa dele, para que se trocasse, e decidimos comemorar o meu aniversário num restaurante. Mas não conseguimos, já era tarde e todos estavam cheios, não havia mesa vazia, e dar uma gorjeta de cinco ou dez rublos (da época) ao porteiro por uma mesa era coisa que nem ele nem eu sabíamos fazer. Então, ele teve uma ideia:

"Passamos na loja, compramos uma garrafa de champanhe, um sortido de pastéis e vamos ao parque, celebrar lá."

Sob as estrelas, sob o céu! Assim era ele! Passamos a noite num banco do parque Górki, até o amanhecer. Não tive outro aniversário como esse. Foi então que disse a ele:

"Case comigo. Eu te amo tanto!"

Ele se riu:

"Você ainda é pequena."

Mas no dia seguinte levamos os papéis ao registro civil.

Ah, como eu era feliz! Eu não trocaria nada da minha vida, ainda que alguém lá de cima, das estrelas, tivesse me advertido, ainda que tivesse recebido um sinal do céu.

No dia do casamento, ele não encontrava o passaporte; revolvemos a casa toda e não o encontramos. Fizeram o registro num papel à parte.

"Filha, isso é mau sinal", disse a minha mãe, chorando.

Depois o passaporte apareceu no bolso de umas calças velhas jogadas no sótão. Ah, o amor! Eu nem sequer chamaria isso de amor, era um estado de constante encantamento. Como eu dançava de manhã na frente do espelho! Sou bonita, sou jovem, e ele me ama! Hoje eu me esqueço do meu rosto, do rosto que eu tinha quando estava com ele. Já não vejo aquele rosto no espelho. É possível falar disso? Dizer com palavras? Há segredos. Até hoje não entendo o que era aquilo. Até o nosso último mês. Ele me chamava à noite. Tinha desejos. Me amava com mais intensidade que antes. Durante o dia, quando o olhava, não acreditava no que se passava à noite. Não queríamos nos separar. Eu o abraçava, cobria-o de carícias.

Naqueles momentos, eu me lembrava das coisas mais alegres. Mais felizes. Como quando ele chegou de Kamtchátka com barba; tinha deixado crescer a barba lá. O meu aniversário no parque, no banco. "Case comigo!"

Vale a pena falar disso? É possível? Eu fazia com ele as coisas que o homem faz com a mulher. O que eu podia lhe dar além dos remédios? Que esperança? Ele não queria morrer. Estava convencido de que o meu amor o salvaria. Um amor tão grande! Só à minha mãe eu não dizia nada. Ela não teria me compreendido, teria me criticado. E me julgaria. Porque aquilo não era um câncer comum, uma enfermidade que todos temem. Era de Tchernóbil, ainda mais terrível. Os médicos me explicaram que se a metástase tivesse atacado o interior do organismo, ele teria morrido rápido, mas se estendeu por fora. Pelo corpo. Pelo rosto. Começou a crescer algo negro. Não se sabe como, o queixo desapareceu, o pescoço desapareceu, a língua saiu para fora, os vasos começaram a rebentar, começaram as hemorragias. "Ah, mais sangue", eu gritava. Do pescoço, das bochechas, dos ouvidos… de todos os lados. Eu trazia água fria e aplicava panos. Não ajudava. Era algo horroroso. Todo o travesseiro empapado. Eu punha uma bacia… O sangue jorrava, como quando se ordenha. Esse som… Tão suave, tão rural. Ainda hoje o escuto à noite. Enquanto se manteve consciente, ele batia palmas, era o sinal que combinamos. "Chame! Peça uma ambulância!" Ele não queria morrer. Tinha 45 anos. Chamo a ambulância, mas os rapazes não querem vir, já nos conhecem: "Não podemos ajudar o seu marido em nada". Ainda que seja uma injeção! Um narcótico! Aplico eu mesma. Aprendi a dar injeções, mas a injeção encontra equimoses sob a pele, e o líquido não se dispersa.

Uma vez consegui que me atendessem, veio uma ambulância. Um médico jovem. Aproximou-se dele e imediatamente recuou, retrocedendo mais e mais.

"Diga-me", perguntou, "não será por acaso de Tchernóbil? Não é um dos que estiveram lá?"

"Sim", eu respondi.

Então ele gritou, eu não exagero:

"Minha querida, que isso se acabe o quanto antes! O mais rápido! Eu tenho visto como morrem os de Tchernóbil!"

E, no entanto, o meu marido, que estava consciente, ouviu tudo. Menos mal que ainda não sabe, não adivinha que ele é o único que resta da sua brigada. O último.

Em outra ocasião, enviaram uma enfermeira do hospital. Pois a mulher não passou da porta de entrada: "Ah, não posso!". E eu posso? Eu posso tudo! Que mais posso inventar? Onde posso encontrar salvação? Ele grita. Sente dor. Passa o dia gritando.

Então, encontrei uma saída: instilava nele através da injeção uma garrafa de vodca. Assim, deixaria de sofrer. Esqueceria o seu corpo. Perderia o mundo de vista. Não fui eu que tive essa ideia, outras mulheres me sugeriram. Outras com a mesma desgraça.

Chegava a mãe dele e me dizia: "Por que você o deixou ir a Tchernóbil? Como pôde?". Embora na ocasião nem tenha passado pela minha cabeça que poderia não deixá-lo ir, nem pela dele que poderia não ir. Era outro tempo, como um tempo de guerra. E nós então éramos outros. Uma vez eu lhe perguntei: "Você agora se arrepende de ter ido?". E ele moveu a cabeça, dizendo: "Não".

E escreveu no caderno: "Depois que eu morrer, venda o carro, as rodas sobressalentes, mas não se case com Tólika". Tólika é irmão dele, e gostava de mim.

Sei alguns segredos... Estava sentada ao lado dele. Ele dormia... Ele tinha um cabelo tão bonito... Eu levantei uma mecha e a cortei. Ele abriu os olhos, olhou o que eu tinha nas mãos e sorriu.

O que restou dele para mim foi o relógio, a carteira militar e a medalha de Tchernóbil. (*Longo silêncio.*) Ah, como eu fui feliz! Na maternidade, me lembro de passar os dias na janelinha esperando ele chegar. Não entendia o que acontecia: o que será de mim, onde estou? Queria muito vê-lo. Não podia deixar de olhá-lo, como se pressentisse que tudo isso logo terminaria.

De manhã lhe dava de comer e olhava extasiada como comia. Como se barbeava. Como ia para a rua. Sou uma boa bibliotecária, mas não entendo como alguém pode ser tão apaixonado pelo trabalho. Eu só gostava dele. Só dele. E não posso viver sem ele. Grito à noite. Abafo o meu grito no travesseiro, para que os meninos não escutem. Nem por um instante imaginei que nos separaríamos. Que... Eu já sabia, mas não acreditava. A minha mãe, o irmão dele... eles me diziam, me insinuavam. Os médicos me diziam... Me aconselhavam que o levasse... Numa palavra, que nos arredores de Minsk havia um hospital especial para os desenganados, que antes atendia os "afegãos".* Sem braços e sem pernas. Mas agora enviavam para lá as pessoas de Tchernóbil. Tentavam me convencer de que assim seria melhor, que os médicos estariam sempre ao seu lado. Recusei, não queria nem ouvir falar do assunto. Então o convenceram e ele me implorava: "Leve-me para lá. Não se martirize".

---

* Referência aos soldados da União Soviética que lutaram na guerra do Afeganistão.

Algumas vezes eu tirava licença no meu trabalho, outras vezes solicitava permissão por minha conta, porque não era permitido. Por lei, só te dão licença quando se trata de cuidar de filho doente. E há também as férias, que não são mais que um mês. O fato é que ele preencheu todos os cadernos com esse pedido. Me obrigou a prometer que o levaria para lá. Fui então conhecer o hospital de carro com o irmão dele. Ficava perto de uma aldeia chamada Grebiónka, era uma casa grande de madeira, havia um poço que era uma ruína. O banheiro ficava na rua. Andavam por ali umas velhinhas de preto. Religiosas. Eu nem sequer desci do carro, nem entrei na casa. À noite, disse para ele entre beijos: "Como você pôde me pedir uma coisa dessas? Isso não acontecerá nunca. Nunca farei isso! Nunca!". E não parava de beijá-lo.

As últimas semanas foram as mais terríveis. Ele urinava durante meia hora num pote de meio litro. Não levantava a vista. Tinha vergonha. "Como você pode pensar isso?", lhe digo com um beijo. No último dia, de repente, por um instante, ele abriu os olhos, sentou, sorriu e disse: "Váliuchka!". Eu fiquei muda de felicidade... De ouvir a sua voz.

Um dia ligaram do trabalho dele: "Vamos entregar o diploma vermelho". Perguntei a ele: "Os teus companheiros querem vir. Para te entregar um diploma". E ele moveu a cabeça: "Não, não!". Mas vieram assim mesmo. Trouxeram algum dinheiro e o diploma numa pasta vermelha com a foto de Lênin. Quando peguei a pasta, pensei: "A título de que ele está morrendo? Nos jornais escrevem que não se trata apenas de Tchernóbil, que o comunismo já foi para o espaço. Que a vida soviética acabou. E o que é essa pasta vermelha com essa foto?".

Os rapazes queriam dizer-lhe algumas palavras agradáveis, mas ele se cobriu com a manta, só os cabelos apareciam. Ficaram um tempinho perto dele e se foram. Ele tinha medo das pessoas. Só a mim não temia. Mas o homem morre só. Eu o chamava, mas ele já não abria os olhos. Apenas respirava. Quando o enterraram, cobri o seu rosto com dois lenços. Quando me pediam para vê-lo, eu os levantava. Uma mulher desmaiou. Tinha sido apaixonada por ele, eu sentia ciúmes. "Deixe-me vê-lo pela última vez." "Olhe."

Eu não contei que quando ele morreu ninguém quis se aproximar do corpo, todos tinham medo. E não era permitido aos parentes lavá-lo e vesti-lo. Pelas nossas tradições eslavas. Trouxeram do necrotério dois sanitaristas. Os rapazes pediram vodca. "Já vimos de tudo", confessaram, "gente em pedaços, gente cortada, corpos de crianças depois de um incêndio. Mas é a primeira vez que vemos algo assim." (*Cala-se.*)

Ele estava morto, mas continuava quente, quente. Não se podia tocá-lo. Eu parei o relógio de casa. Eram sete da manhã. E em casa, o relógio continua parado até hoje, não funciona. Os relojoeiros que chamamos não sabem o que fazer: "Isso não é um problema mecânico nem físico. Isso é metafísica".

Os primeiros dias... sem ele... Dormi dois dias seguidos. Não conseguiam me despertar. Eu me levantava, tomava água, nem mesmo comia e caía de novo na cama. Hoje me parece estranho. É inexplicável como pude dormir. O marido da minha amiga, quando estava morrendo, atirava a louça nela. Ele chorava. Não suportava que ela fosse tão jovem e bonita. Mas o meu só olhava para mim, olhava. Escreveu no nosso caderno: "Depois que eu morrer, queime os meus restos. Não quero que você tenha medo de mim". Por que ele decidiu assim? Corriam boatos de que os de Tchernóbil "brilhavam" depois de mortos. Que à noite se vê luz sobre os túmulos. Eu mesma li que os túmulos dos bombeiros de Tchernóbil que morreram nos hospitais de Moscou e foram enterrados ali, no cemitério Mítino, as pessoas os evitam, não enterram os seus mortos perto deles. Os mortos temem os mortos. Isso sem falar dos vivos.

Porque ninguém sabe o que é isso, Tchernóbil. Apenas tentam adivinhar. Pressentem. Ele trouxe de Tchernóbil o traje branco que usou no trabalho. Calça e jaqueta. Esse traje ficou guardado no mezanino até a sua morte. Depois, a minha mãe decidiu que devíamos retirar todas as coisas dele. Ela tinha medo. Até mesmo esse traje eu guardava. Ele não era nenhum criminoso! Mas eu tenho crianças em casa. Uma filha e um filho. Levamos todas as coisas dele para fora da cidade e as enterramos.

Li muitos livros, vivo entre livros, mas eles não podem explicar nada.

Trouxeram uma pequena urna. Não dava medo; toquei dentro dela com a mão e havia coisas pequenas como conchas do mar na areia da praia, eram os ossos do ilíaco. Eu não havia tocado com as mãos as suas coisas, nem sentido, nem ouvido, mas aqui eu o abracei.

Lembro a noite em que eu estava sentada ao lado dele, já morto, e de repente vejo sair uma leve fumaça. A segunda vez que eu vi essa fumaça sobre ele foi no crematório. Era a alma dele. Ninguém mais viu, mas eu vi. Tive a sensação de que nos encontrávamos mais uma vez.

Ah, como eu fui feliz! Que felicidade... Ele viajava a trabalho, e eu contava os dias e as horas para o nosso reencontro. Os segundos! Eu fisicamente não posso viver sem ele. Não posso! (*Cobre o rosto com as mãos.*)

Lembro que fomos juntos para a casa da irmã dele numa aldeia, e à noite ela disse: "Fiz a tua cama nesse quarto e a dele no outro". Olhamos um para o outro e começamos a rir. Nem sequer nos passava pela cabeça que podíamos dormir separados, em quartos diferentes. Só juntos. Eu não posso sem ele. Não posso!

Muitos me propuseram casamento. O irmão dele me propôs. São tão parecidos. A altura... Até o andar. Mas me parece que se outro que não seja ele me tocar eu vou chorar, vou chorar sem parar.

Quem o tirou de mim? Com que direito? Recebemos uma ordem de alistamento com uma tarja vermelha em 19 de outubro de 1986.

(*Traz um álbum. Mostra as fotos do casamento. E quando eu quero me despedir, ela me detém.*)

Como eu posso viver daqui para a frente? Não contei tudo. Não até o final. Eu era feliz. Loucamente. Talvez não valha a pena pôr meu nome. Há segredos que... Rezo em segredo. Para mim mesma. (*Cala-se.*) Não, escreva o meu nome sim. Para que Deus se lembre. Eu quero saber... Eu quero entender por que nos mandam tanto sofrimento. Por quê? No início, eu tinha a impressão de que depois de tudo aquilo me apareceria algo negro sob a vista. Algo desconhecido. Que eu não suportaria. O que me salvou? O que me lançou novamente para a vida?

O que me devolveu à vida foi o meu filho. Eu tenho outro filho. O primeiro filho que tive com ele. Está doente há muito tempo. Cresceu, mas vê o mundo com os olhos de uma criança, de uma criança de cinco anos. Eu agora quero estar com ele. Sonho em me mudar para um apartamento mais próximo de Novinkam, pois ele está lá, num hospital psiquiátrico. Passou toda a vida ali. Este tem sido o veredicto dos médicos: para que viva, deve ficar lá. Viajo todos os dias para vê-lo. E ele me recebe dizendo: "Onde está o papai Micha? Quando virá?". Quem mais vai me perguntar isso? Ele o espera.

Nós vamos esperá-lo juntos. Eu rezarei a minha prece de Tchernóbil. Ele verá o mundo com olhos de criança.

Valentina Timofiéevna Apanassiévitch,
esposa de um liquidador

A título de epílogo

A Secretaria de Turismo de Kíev oferece viagens turísticas a Tchernóbil. Foi elaborado um itinerário que tem início na cidade morta de Prípiat. Lá, os turistas podem observar os altos prédios abandonados com roupas enegrecidas nas varandas e carrinhos de bebê. E também o antigo posto de polícia, o hospital e o Comitê Municipal do Partido. Aqui ainda se conservam, imunes à radiação, os lemas da época comunista.

Da cidade de Prípiat, a expedição prossegue até as aldeias mortas, onde lobos e javalis selvagens, que se reproduziram aos milhares, correm soltos entre as casas e em plena luz do dia.

O ponto alto da viagem ou, como assinala a propaganda, "a cereja do bolo", é a visita ao "Abrigo", nomeado mais propriamente de sarcófago. Construído às pressas sobre os escombros do quarto bloco energético explodido, o sarcófago está há tempos juncado de fendas através das quais "supura" o seu conteúdo mortal, os restos do combustível nuclear. Vocês terão coisas impressionantes para contar aos amigos quando voltarem. A experiência é única, não se compara a qualquer viagem às ilhas Canárias ou Miami. A excursão se conclui com uma sessão de fotos de recordação junto ao muro levantado em memória dos heróis caídos de Tchernóbil, para que vocês se sintam participantes da história.

No final da excursão, oferece-se aos amantes do turismo radical um piquenique com comida feita à base de produtos ecologicamente puros, vinho tinto e vodca russa.

Asseguramos que durante o dia transcorrido na zona vocês receberão uma dose inferior à que lhes causaria uma sessão de raio X. Mas não recomendamos banhar-se e comer pescado ou caça de animais capturados na zona. Nem colher bagas e cogumelos e assá-los na fogueira. Nem presentear as mulheres com flores do campo.

Vocês acham que isso é delírio? Enganam-se. O turismo nuclear goza de uma grande demanda, sobretudo entre os turistas ocidentais. As pessoas perseguem novas e fortes emoções, pois encontram poucas delas num mundo já excessivamente condicionado e acessível. A vida se torna chata e as pessoas desejam algo eterno.

Visitem a Meca nuclear. A preços módicos.

Extraído de materiais dos jornais bielorrussos, 2005

1986-2005

Apêndice
A batalha perdida*

Não estou sozinha nesta tribuna: estou cercada de vozes, centenas de vozes, que estão sempre comigo, desde a infância. Eu vivia no campo. Todas nós, crianças, adorávamos brincar na rua, mas à noitinha éramos atraídas para os bancos em que se reuniam as cansadas avozinhas ao redor das suas casas ou *khatas*, como dizemos. Nenhuma delas tinha marido, pai ou irmão, não me lembro de que houvesse homens na nossa aldeia depois da guerra. Na época da Segunda Guerra Mundial, um dentre quatro bielorrussos foi morto no front ou na resistência. O nosso mundo pós-guerra era um mundo de mulheres. Eu me recordo, sobretudo, de que as mulheres falavam não da morte, mas do amor. Contavam sobre o momento em que se despediram pela última vez daqueles que amavam, sobre como os esperaram e como ainda os esperavam. Já haviam se passado anos, mas elas continuavam esperando: "Que volte sem braços, sem pernas, eu o carrego nos

* Discurso proferido em 7 de dezembro de 2015, na Academia Sueca, Estocolmo, em cerimônia do prêmio Nobel de Literatura.

meus braços". Sem braços, sem pernas... Creio que desde a infância eu já sabia o que é o amor.

Eis algumas tristes melodias desse coro de vozes que escuto.

Primeira voz:

"Para que você quer saber isso? É tão triste. Conheci o meu marido na guerra. Eu combatia num tanque. Cheguei a Berlim. Lembro que estávamos perto do Reichstag, ainda não éramos casados, e ele me disse: 'Vamos nos casar. Eu te amo'. E me senti tão ofendida por essas palavras! Passamos a guerra imersos na lama, no pó, no sangue, no xingamento. Respondi: 'Você primeiro me trate como mulher, me dê flores, diga palavras amáveis... depois que eu for desmobilizada, vou fazer um vestido'. Quase quis bater nele porque estava me ofendendo. Ele sentiu o baque. Tinha uma das maçãs do rosto queimada e coberta por cicatrizes, e eu vi lágrimas sobre as cicatrizes. 'Está bem, eu me caso com você', falei. Eu mesma não acreditava no que tinha dito. E em volta de nós havia só fuligem, tijolo quebrado, ou seja, a guerra."

Segunda voz:

"Vivíamos perto da central atômica de Tchernóbil. Eu trabalhava como confeiteira, moldava pastéis, e o meu marido era bombeiro. Éramos recém-casados, andávamos de mãos dadas até quando íamos às lojas. Justo no dia em que o reator explodiu, ele estava trabalhando. Eles foram para lá com a roupa do corpo, a central atômica explodiu e não lhes deram nenhum traje especial. Era assim que se vivia, você sabe... Passaram a noite toda tentando apagar o incêndio e receberam doses de radiação mortais. De manhã, foram transferidos diretamente para Moscou de avião. Numa doença em estágio agudo pela radiação, o homem vive poucas semanas... O meu era forte, esportista, foi o último a morrer. Quando cheguei a Moscou, me disseram que ele estava numa câmara especial, que não era permitido entrar lá. Implorei: 'Eu o amo!'. 'São os soldados que cuidam deles; você não precisa ir lá.' 'Eu o amo!' Tentaram me dissuadir: 'Ele não é mais o homem que você ama, é um objeto que deve ser desativado. Entende?'. Mas eu repetia sempre a mesma coisa: eu o amo, eu o amo... À noite, subi pela escada de incêndio para vê-lo... Ou pedi aos guardas, dei algum dinheiro para que me deixassem entrar. E não o deixei mais, fiquei com ele até o fim. Depois da sua morte, ao fim de alguns meses tive uma filha, mas ela viveu apenas poucos dias. Ela... Nós a desejávamos tanto, e eu a matei... Ela me salvou, recebeu todo o impacto radiativo. Tão pequenininha, uma bolinha... Mas eu amava os dois. Será possível matar com o amor? Por que amor e morte andam juntos? Estão sempre juntos. Alguém pode explicar? Eu me arrasto sobre os túmulos de joelhos..."

Terceira voz:

"A primeira vez que matei um alemão... Eu tinha dez anos, e os *partisans* me levaram numa operação. Esse alemão estava caído, ferido. Mandaram que eu retirasse a sua pistola, corri até lá, mas o alemão a agarrou com as duas mãos e apontou para a minha cabeça. Mas ele não conseguiu atirar primeiro, eu consegui...

Não me assustei com o fato de ter matado uma pessoa... E durante a guerra não me lembrei mais dele. Havia tantos mortos ao redor, vivíamos entre os mortos. Só me surpreendi quando, muitos anos depois da guerra, repentinamente comecei a sonhar com esse alemão. Foi inesperado. E o sonho passou a se repetir: estou a ponto de voar, e ele me impede. Começo a subir, a voar, voar... o alemão me agarra, e eu caio com ele. Caio numa espécie de buraco. Quero levantar, subir... mas ele me impede... Por causa dele, não posso voar...

Sempre o mesmo sonho... Me perseguiu durante dezenas de anos...

Não posso contá-lo ao meu filho. Quando meu filho era pequeno, eu não podia, lia histórias para ele. Agora que já cresceu, também não posso, não consigo."

* * *

Flaubert disse de si mesmo que era um "homem-pena". Posso dizer que sou uma "mulher-ouvido". Quando ando pelas ruas e me surpreendo com alguma palavra, frase ou exclamação, sempre penso: quantos romances desaparecem sem deixar rastro no tempo. Permanecem na escuridão. Há uma parte da vida humana, uma conversação que não poderemos conquistar para a literatura. Ainda não a apreciamos, ela não nos surpreende, não nos encanta. A mim ela já enfeitiçou, me fez prisioneira. Adoro a forma como as pessoas falam, adoro a voz humana solitária. Essa é a minha maior paixão, o meu maior amor.

O meu percurso até esta tribuna foi longo: quase quarenta anos de pessoa em pessoa, de voz em voz. Não posso dizer que esse caminho nunca tenha estado acima das minhas forças; muitas vezes fiquei chocada e horrorizada com o ser humano, experimentei admiração e repulsa, quis esquecer o que tinha ouvido, quis voltar ao tempo em que ainda vivia mergulhada na ignorância. E também mais de uma vez quis chorar de alegria ao ver a beleza do homem.

Eu vivia num país onde, desde a infância, nos ensinavam a morrer, nos ensinavam a morte. Diziam-nos que o homem existe para se doar, para queimar, para se sacrificar. Ensinavam-nos a amar o homem com fuzil. Se eu tivesse crescido em outro país, não poderia ter percorrido esse caminho. O mal é inclemente, é preciso estar vacinado contra ele. Mas crescemos entre carrascos e vítimas. Ainda que os nossos pais tenham vivido sob o medo e não nos tenham contado tudo (ou, mais frequentemente, não tenham contado nada), o próprio ar da nossa vida estava contaminado pelo mal. O mal nos espiava o tempo todo.

Escrevi cinco livros, mas tenho a impressão de que todos eles são apenas um. Um livro sobre a história de uma utopia.

Varlam Chalámov escreveu: "Participei de uma grande batalha perdida pela renovação efetiva da humanidade". E eu reconstituo a história dessa batalha, das suas vitórias e da sua derrota. De como queriam construir o Reino dos Céus na terra. O Paraíso! A cidade do sol! No final das contas, não restou mais que um mar de sangue, milhões de vidas humanas foram destruídas. Mas existiu um tempo em que nenhuma ideia política do século xx podia se comparar ao comunismo (e à Revolução de Outubro como seu símbolo), nenhuma exercia sobre os intelectuais ocidentais e sobre os homens do mundo inteiro uma fascinação tão forte e tão ardente. Raymond Aron chamava a Revolução Russa de "ópio dos intelectuais". A ideia de comunismo tem pelo menos 2 mil anos. Podemos encontrá-la em Platão, nos seus ensinamentos sobre um governo ideal e justo; em Aristófanes, nos seus sonhos sobre o tempo em que "tudo será comum"; em Thomas More e Tommaso Campanella... E mais tarde em Saint-Simon, Fourier e Robert Owen. Há qualquer coisa no espírito russo que impulsionou essa tentativa de transformar tais devaneios em realidade.

Há vinte anos nos despedimos do império vermelho entre maledicências e lágrimas. Hoje já podemos considerar a história recente com mais calma, como uma experiência histórica. Isso é importante, pois as disputas sobre o socialismo ainda não se amainaram. Uma nova geração cresceu com outra visão de mundo, mas não são poucos os jovens que hoje voltam a ler Marx e Lênin. Em certas cidades russas foram abertos museus e erigidos monumentos a Stálin.

Não há mais império vermelho, mas o "homem vermelho" permanece. Continua a existir.

O meu pai, que faleceu faz pouco tempo, acreditou no comunismo até o fim. Guardava a carteira do Partido. Não posso pronunciar a palavra *sovok*, um termo atual que indica com desprezo o que é soviético, pois se assim fosse, eu teria de chamar dessa forma o meu pai, as pessoas próximas e os conhecidos. Os amigos. Todos eles vêm de lá, do socialismo. Entre eles há muitos idealistas. Românticos. Hoje são denominados os românticos da escravidão. Escravos da utopia. Penso que todos eles poderiam ter vivido uma outra vida, mas viveram uma vida socialista. Por quê? Procurei durante muito tempo uma resposta a essa questão, percorri esse imenso país que se chamava ainda há pouco União Soviética, fiz milhares de gravações. Era o socialismo e era a nossa vida, simplesmente assim. Recolhi através de pequenos fragmentos, migalha por migalha, a história do socialismo "doméstico", do socialismo "interior". Aquele que vivia na alma das pessoas. O que me atraía era esse pequeno espaço — o homem... o ser humano. Na realidade, é lá que tudo acontece.

Logo depois da guerra, Theodor Adorno, abalado, disse: "Escrever um poema após Auschwitz é um ato bárbaro". Um dos meus professores, Aliés Adamóvitch, um nome que quero citar hoje com gratidão, também considerava que compor prosa sobre os pesadelos do século xx era sacrilégio. Aqui, não se tem o direito de inventar. Deve-se mostrar a verdade como ela é. Exige-se uma "supraliteratura", uma literatura que esteja além da literatura. É a testemunha que deve falar. Pode-se pensar em Nietzsche, que dizia que não há artista que possa suportar a realidade. Nem a superar.

Sempre me atormentou o fato de que a verdade não se sustenta num só coração, num só espírito. Que ela é de algum modo fragmentada, múltipla, diversa e dispersa pelo mundo. Há em Dostoiévski a ideia de que a humanidade sabe muito mais sobre si mesma do que aquilo que consegue fixar na literatura. O que eu faço? Recolho sentimentos, pensamentos, palavras cotidianas. Reúno a vida do meu tempo. O que me interessa é a história da alma. A vida cotidiana da alma. Aquilo que a grande história geralmente deixa de lado, que trata com desdém. Eu me ocupo com a história omitida. Ouvi mais de uma vez e ainda ouço que isso não é literatura, que é documento. Mas o que é literatura hoje? Quem pode responder? Vivemos mais rápido que antes. O conteúdo rompe a forma. Ele a quebra e modifica. Tudo extravasa das margens: a música, a pintura e, no documento, a palavra escapa aos limites do documento. Não há fronteiras entre o fato e a ficção, um transborda sobre o outro. Mesmo a testemunha não é imparcial. Ao narrar, o homem cria, luta com o tempo assim como o escultor com o mármore. Ele é um ator e um criador.

O que me interessa é o pequeno homem. O pequeno grande homem, eu diria, porque o sofrimento o torna maior. Nos meus livros, ele próprio conta a sua pequena história e, no momento em que faz isso, conta a grande história. O que aconteceu e acontece conosco é ainda incompreensível, é preciso ser pronunciado. Para começar, é preciso ao menos pôr tudo em palavras. E tememos isso, pois ainda não nos sentimos em condições de dar conta do nosso passado. Em *Os demônios*, de Dostoiévski, em preâmbulo a uma conversa, o personagem Chátov diz a Stavróguin: "Nós somos dois seres que se encontram fora dos limites do tempo e do espaço... pela última vez no mundo. Deixe o seu tom de lado e pegue outro que seja humano! Fale, uma vez na vida, com voz humana".

É mais ou menos assim que se iniciam as conversas com os meus heróis. Evidentemente, a pessoa fala a partir do seu tempo: ela não pode falar de outro lugar! Mas é difícil penetrar na alma humana, ela está atulhada de superstições, parcialidades e mentiras da sua época. Insuflada pela televisão e pelos jornais. Eu gostaria de ler algumas páginas do meu diário para mostrar como o tempo avançava, como uma ideia morria. Como eu seguia os seus rastros...

1980-1985

Estou escrevendo um livro sobre a guerra. Por que sobre a guerra? Porque somos um povo guerreiro: ou estamos guerreando ou nos preparando para a guerra. É fácil observar como todos nós pensamos de modo militar, em casa e na rua. É por isso que a vida humana para nós tem pouco valor, como na guerra.

De início tive dúvidas. Mais um livro sobre a guerra, para quê?

Numa das minhas viagens como jornalista, conheci uma mulher que esteve na guerra como enfermeira. Ela contou que certa vez se deslocavam no inverno através do lago Ládoga; o inimigo notou o movimento e começou a atirar. Os cavalos e as pessoas desapareciam sob o gelo. Era noite, e ela puxou para a margem o que lhe parecia ser um ferido. "Ele estava molhado, nu, pensei que a sua roupa tivesse sido arrancada. Mas na margem me dei conta de que havia puxado um enorme esturjão ferido. E então soltei uma infinidade de palavrões. As pessoas sofrem, mas os animais, os pássaros, os peixes, por que têm de sofrer?" Em outra viagem, escutei a história de uma enfermeira do esquadrão de cavalaria. Durante uma batalha, ela puxou um alemão ferido para dentro de uma cratera aberta por um projétil, sem se dar conta de que ele tinha as pernas destroçadas e se esvaía em sangue. É inimigo! O que fazer? Aqui e ali os nossos estão morrendo! Mas ela pôs uma tala no alemão e se arrastou para a frente, onde havia um soldado russo inconsciente. Quando este recuperou a consciência, quis matar o alemão, que, por sua vez, ao cair em si, pegou o fuzil para matar o russo. "Dei uma pancada em cada um. Nós patinávamos em sangue. Os sangues se misturavam."

Era uma guerra que eu não conhecia. Uma guerra feminina. Não de heróis, nem sobre como uns matam heroicamente os outros. Lembro-me do lamento de uma mulher: "Você caminha

pelo campo de batalha depois do combate e eles estão lá, caídos...
Todos jovens e belos. Deitados, olham para o céu. Dá pena, de
uns e de outros". Foi justamente esse "de uns e de outros" que me
sugeriu o tema do livro. De que guerra é matar. É isso que resta na
memória das mulheres. O homem mal sorri, mal dá uma tragada,
e já não existe mais. É do desaparecimento que as mulheres mais
falam, da rapidez com que na guerra tudo se transforma em nada.
O ser humano e o tempo humano. Sim, elas mesmas aos dezessete ou dezoito anos solicitaram que as enviassem ao front, mas
não queriam matar. No entanto, estavam prontas para morrer.
Morrer pela pátria. E também — não se pode apagar as palavras
da história — por Stálin.

Por dois anos esse livro não pôde ser publicado, não pôde
sair antes da perestroika. Antes de Gorbatchóv. "Depois desse seu
livro, ninguém mais vai querer combater", disse-me o censor. "A
sua guerra é terrível. Por que não há heróis?" Eu não buscava heróis. Eu escrevia a história através da narração de testemunhas e
participantes anônimos. Pessoas a quem nunca ninguém havia se
dirigido. Não sabemos o que as pessoas, simplesmente as pessoas,
pensam sobre as grandes ideias. Logo depois da guerra, a pessoa narra uma determinada guerra, e dezenas de anos mais tarde,
narra outra, evidentemente, porque as coisas se transformam, e
dentro das suas lembranças a pessoa inclui toda a sua vida, tudo o
que ela é. O que viveu nesses anos, o que leu, o que viu, as pessoas
que encontrou. Aquilo em que crê. E, por fim, se é feliz ou infeliz.
Os documentos são seres vivos, eles mudam junto conosco.

Mas estou absolutamente convencida de que não haverá
mais jovens como aquelas guerreiras de 1941. Aquele tempo era
o do apogeu da "ideia vermelha", superava até mesmo a Revolução e Lênin. Até hoje a sua vitória oculta o gulag. Eu amo infinitamente essas moças. Mas com elas não se pode falar de Stálin,
nem do fato de que depois da guerra conjuntos inteiros de trem

repletos de vencedores partiram para a Sibéria, levando os mais corajosos. Os outros voltaram para casa e se calaram. Uma vez, escutei: "Nós só éramos livres na guerra, no destacamento avançado". O nosso capital mais importante é o sofrimento. Não é o petróleo nem o gás, é o sofrimento. É a única coisa que constantemente obtemos. Estou sempre buscando uma resposta: por que os nossos sofrimentos não se convertem em liberdade? Serão eles inúteis? Tchaadáiev tinha razão: a Rússia é um país sem memória, um espaço de amnésia total, uma consciência virgem de crítica e de reflexão.

Os grandes livros não nos faltam...

1989

Estou em Cabul. Não queria mais escrever sobre a guerra. Mas estou no meio de uma verdadeira guerra. Escrevem no *Právda*: "Estamos ajudando os nossos irmãos afegãos a construir o socialismo". Em toda parte há pessoas em guerra, objetos de guerra. É o tempo da guerra.

Ontem não me levaram ao combate. "Fique no hotel, moça. Depois, teremos que responder por você". Fiquei no hotel e pensei comigo mesma que há algo de imoral em observar a coragem dos outros e o risco que assumem. Já estou aqui há duas semanas e ainda não consigo afastar o sentimento de que a guerra é fruto da natureza masculina, para mim incompreensível. Mas o cotidiano da guerra é grandioso. Descobri que as armas são belas: as metralhadoras, as minas, os tanques. O homem pensa muito sobre a melhor maneira de matar o seu semelhante. A eterna disputa entre a verdade e a beleza. Mostram-me uma nova mina italiana, minha reação "feminina" é dizer: "É bela. Por que é bela?". A explicação ao modo militar é que se o homem se chocar ou pisar na mina de determinada forma, sob certo ângulo, só sobrará dele meia peça de carne. Aqui, fala-se de algo anormal como se fosse normal, lógico. É a guerra. Ninguém enlouquece ao ver essas cenas, ao ver um homem estendido sobre a terra, morto não por elementos naturais ou pelo destino, mas por outro homem.

Vi a carga do "tulipa negra", um avião que leva de volta ao país caixões de zinco com os soldados mortos. Normalmente vestem os mortos com os velhos uniformes dos anos 1940, de culotes bufantes, e, mesmo assim, parece que não há uniformes suficientes. Os soldados conversam entre si: "Puseram os novos mortos na geladeira. Como se a carne do javali não estivesse fresca". Vou escrever sobre isso. Temo que em casa não acreditem em mim. Nos nossos jornais escrevem sobre as aleias da inimizade plantadas pelos soldados soviéticos.

Converso com os rapazes, muitos vieram por vontade própria. Pediram para que os enviassem para cá. Notei que a maioria pertence a famílias de intelectuais: professores, médicos, bibliotecários, ou seja, gente cultivada. Sonhavam sinceramente em ajudar o povo afegão a construir o socialismo. Hoje, riem de si mesmos. Indicaram-me o local no aeroporto onde estão depositadas centenas de caixões de zinco que brilham misteriosamente ao sol. O oficial que me acompanhava não se segurou: "Talvez o meu caixão esteja aqui. Vão me meter ali... E para que estou lutando aqui?". Nesse momento, ele se assustou com as próprias palavras: "Não escreva isso".

À noite, eu sonhava com os que tinham sido mortos, todos tinham um ar de surpresa no rosto: como assim, eu estou morto? Eu realmente estou morto?

Fui com as enfermeiras ao hospital para os afegãos pacíficos, levávamos presentes para as crianças. Brinquedos, bombons e biscoitos. Eu levava cinco ursos de pelúcia. O hospital era uma barraca comprida, e sobre a cama havia apenas uma coberta. Aproximou-se de mim uma jovem afegã com uma criança nos braços, ela queria me dizer alguma coisa; em dez anos, todo mundo aqui aprendeu um pouco de russo. Ofereci um urso à criança, e ela o apanhou com os dentes. "Por que com os dentes?", perguntei, surpresa. A afegã levantou o pano que cobria o pequeno corpinho, o menino não tinha braços. "Os teus russos nos bombardearam." Quase caí, alguém me amparou...

Vi como as preparações da nossa artilharia transformam os *kichlaks*, ou seja, os vilarejos, em campos arados. Estive num cemitério afegão tão comprido quanto um *kichlak*. Em algum lugar no meio do cemitério, uma velha afegã gritava. E me lembrei de uma outra aldeia, perto de Minsk, da casa de onde carregavam um caixão de zinco, da mãe que urrava. Não era um grito humano nem animal... Parecia aquele que ouvi no cemitério de Cabul.

Confesso que não me libertei imediatamente. Eu era sincera com os meus personagens, e eles acreditavam em mim. Cada um de nós seguiu o seu próprio caminho para a liberdade. Até o Afeganistão, eu acreditava num socialismo de rosto humano. Regressei de lá livre de todas as minhas ilusões. "Perdoe-me", disse ao meu pai quando o encontrei. "Você me educou na fé aos ideais comunistas, mas basta ver uma só vez os ex-estudantes soviéticos, esses que foram seus alunos e da mamãe (os meus pais foram professores de escola de aldeia), como eles matam em terras alheias outras gentes que nem conhecem, para que todas as suas palavras se transformem em pó. Nós somos assassinos, papai, entende?" O meu pai chorou.

Muitas pessoas voltaram livres do Afeganistão. Mas eu tenho outro exemplo. Ainda lá, um rapaz gritou para mim: "Você é mulher, o que pode entender da guerra? Por acaso as pessoas morrem na guerra como nos livros e no cinema? Lá a morte é bonita, mas ontem vi um amigo morrer com uma bala na testa. Ele ainda correu dez metros segurando o cérebro com as mãos". Sete anos mais tarde, esse mesmo rapaz, que hoje é um homem de negócios bem-sucedido, conta e reconta as suas lembranças do Afeganistão. Ele me telefonou: "Para que você escreve esses livros? Eles são tão horríveis". Já é outro homem, não é mais aquele que encontrei no meio da morte e que não queria morrer aos vinte anos.

Eu me perguntei que livro gostaria de escrever sobre a guerra. Gostaria de escrever sobre um homem que não atira, que é incapaz de atirar em outro homem, a quem a própria ideia da guerra faça sofrer. Onde ele está? Ainda não o encontrei.

1990-1997

A literatura russa possui de interessante o fato de ser a única que pode narrar a experiência singular por que passou esse imenso país. Frequentemente me perguntam por que escrevo sempre sobre temas trágicos. Porque é assim que vivemos. Mesmo que hoje vivamos em países diferentes, o "homem vermelho" está em toda parte. Ele vem daquela vida, tem aquelas recordações.

Durante muito tempo, eu não quis escrever sobre Tchernóbil. Não sabia como escrever sobre isso, com que ferramentas, a partir de que perspectiva. O nome do meu pequeno país, perdido nos confins da Europa, que antes quase ninguém conhecia, passou a ser pronunciado em todos os idiomas, e nós, bielorrussos, nos tornamos o povo de Tchernóbil. Fomos os primeiros a ser tocados por algo totalmente desconhecido. Tornou-se evidente que, além dos desafios religiosos, comunistas e nacionalistas em meio aos quais vivíamos e sobrevivíamos, nos aguardavam novos desafios mais terríveis e totais, embora ainda ocultos aos nossos olhos. No entanto, depois de Tchernóbil algo se deixou entrever...

Eu me lembro das injúrias desesperadas de um velho taxista quando um pombo investiu, como que cego, contra o vidro dianteiro do seu carro: "Todo dia são dois, três pássaros que se arrebentam. E nos jornais, escrevem que está tudo sob controle". Nos jardins públicos, juntavam as folhas e as levavam para fora da cidade, onde as enterravam. Recortavam a terra contaminada e também a enterravam — enterrava-se a terra na terra. Enterravam-se as toras de madeira, a relva. Todo mundo tinha um ar de loucura. Um velho apicultor contava: "Saí pela manhã ao jardim e notei que faltava algo, faltava o som familiar. Nem sequer uma abelha... Eu não ouvia nem uma abelha! Nem uma! O que é isso? O que está acontecendo? No segundo dia, elas não voaram. E também no terceiro. Depois nos informaram que tinha acontecido um acidente na central atômica, que era perto. Durante muito tempo não soubemos de nada. As abelhas sabiam, mas nós não". As informações sobre Tchernóbil nos jornais estavam cheias de termos bélicos: explosão, heróis, soldados, evacuação. Na central, funcionava a KGB. Eles procuravam espiões e sabotadores, havia rumores de que o acidente teria sido o resultado de uma ação planejada pelos serviços secretos ocidentais para solapar o campo socialista. Em direção a Tchernóbil, deslocava-se todo um aparato de guerra, soldados. O sistema funcionava de modo militar, como de hábito, mas nesse novo mundo, um soldado com uma metralhadora nova em folha era trágico. Tudo o que ele podia fazer era receber enormes doses de radiação e morrer ao chegar em casa.

A meu ver, o homem pré-Tchernóbil se converteu no "homem de Tchernóbil".

A radiação não se pode ver nem tocar, nem sentir o odor. Já estamos num mundo que é ao mesmo tempo familiar e desconhecido. Quando fui à zona, logo me explicaram que não devia colher as flores nem sentar na relva, nem beber da água dos poços. A morte está escondida por toda parte, mas já é um outro tipo de morte. Com novas máscaras, uma fisionomia desconhecida. As pessoas mais velhas, que viveram a guerra e que agora são evacuadas mais uma vez, olham para o céu e dizem: "O sol está brilhando, não há fumaça nem gás. Ninguém dispara. Por acaso isso é uma guerra? E ainda assim nos tornam refugiados!".

De manhã as pessoas, ávidas, apanhavam os jornais e logo os deixavam de lado, decepcionadas: não haviam encontrado os espiões. Não se escrevia sobre os inimigos do povo. Um mundo sem espiões e inimigos do povo não era conhecido. Algo novo começava. Tchernóbil logo depois do Afeganistão fez de nós pessoas livres.

Para mim, o mundo se alargou. Na zona, eu não me sentia nem bielorrussa, nem russa, nem ucraniana: eu me sentia representante de um sistema biológico que podia ser aniquilado. Duas catástrofes coincidiram: a social — a Atlântida socialista desapareceu sob as águas — e a cósmica — Tchernóbil. A queda do império perturbou todo mundo. As pessoas passaram a se preocupar com a vida cotidiana, o que comprar e como sobreviver. Em que acreditar e sob qual bandeira novamente se erguer. Ou seria necessário aprender a viver sem uma grande ideia? Essa última solução não era nada familiar, ninguém nunca tinha vivido assim. O "homem vermelho" se viu confrontado a centenas de perguntas, e em face delas se encontrou totalmente só. Ele nunca esteve tão só como nos primeiros dias de liberdade. Eu estava cercada por pessoas abaladas. E as escutei...

Eu fecho o meu diário...

O que aconteceu conosco quando o império caiu? Antes, o mundo se dividia entre carrascos e vítimas, o gulag; irmãos e irmãs, a guerra. Eleitorado é tecnologia, é mundo moderno. Antes, o nosso mundo se dividia entre os que foram para o campo e os que os enviaram para lá; hoje se divide entre eslavófilos e ocidentalistas, traidores da nação e patriotas. E também entre os que podem comprar e os que não podem. Esta última divisão, eu diria que é a experiência mais cruel depois do socialismo, porque até bem pouco tempo todos eram iguais. E assim, o "homem vermelho" não pôde entrar naquele reino de liberdade que sonhou na sua cozinha. Partilharam a Rússia sem ele, e ele ficou de mãos vazias. Humilhado e despojado. Agressivo e perigoso.

O que ouvi ao viajar pela Rússia:

"Uma modernização aqui só é possível na base das *charachkas** e das execuções."

"O russo não quer se tornar rico, tem medo. O que ele quer? O que sempre quis: que ninguém se torne rico. Mais rico que ele."

"Não se encontra uma pessoa honrada entre nós, mas santos sim."

"Não haverá jamais uma geração que não conheça a vara; o russo não entende a liberdade, o que lhe falta é um cossaco e um chicote."

"As duas palavras russas principais são: guerra e prisão. Rouba, faz a festa, é preso... é solto, é preso de novo."

"A vida russa deve ser cruel e insignificante, assim a alma se eleva, toma consciência de que não pertence a este mundo. Quanto mais suja e sanguinolenta, mais espaço há para ela."

---

* *Charachkas*: no jargão dos funcionários dos serviços secretos da União Soviética (NKVD e MVD) designa o sistema prisional elaborado especialmente para cientistas, engenheiros e técnicos considerados traidores. Ali eles permaneciam isolados e eram obrigados a produzir conhecimento científico e tecnológico para o país.

"Não há a força nem a loucura necessárias para uma nova revolução. Os russos precisam de uma ideia que lhes provoque arrepios."

"Nossa vida oscila entre o bordel e a barraca. O comunismo não morreu, o cadáver está vivo."

Tomo a liberdade de dizer que deixamos passar a chance que tivemos nos anos 1990. Em resposta à questão: "O que devemos ser, um país forte ou um país digno onde as pessoas possam viver bem?", escolhemos a primeira, um país forte. E voltamos ao tempo da força. Os russos combatem os ucranianos. Os seus irmãos. O meu pai é bielorrusso; a minha mãe, ucraniana. Assim como ocorre com muita gente. Os aviões russos bombardeiam a Síria...

O tempo da esperança foi substituído pelo tempo do medo. O tempo retrocedeu, é um tempo de segunda mão. Agora já não estou certa de que a história do "homem vermelho" terminou.

Tenho três casas: a minha terra bielorrussa, pátria do meu pai, onde vivi toda a minha vida; a Ucrânia, pátria da minha mãe, onde nasci; e a grande cultura russa, sem a qual não me imagino. Todas elas me são caras. Mas é difícil, na nossa época, falar de amor.

1ª EDIÇÃO [2016] 13 reimpressões

ESTA OBRA FOI COMPOSTA EM MINION PELO ACQUA ESTÚDIO
E IMPRESSA PELA GEOGRÁFICA EM OFSETE SOBRE PAPEL PÓLEN NATURAL
DA SUZANO S.A. PARA A EDITORA SCHWARCZ EM OUTUBRO DE 2022

A marca FSC® é a garantia de que a madeira utilizada na fabricação do papel deste livro provém de florestas que foram gerenciadas de maneira ambientalmente correta, socialmente justa e economicamente viável, além de outras fontes de origem controlada.